Collection folio junior

Robert Louis Stevenson est né en Angleterre, à Edimbourg, le 13 novembre 1850. Enfant maladif, il fait toutefois de brillantes études d'ingénieur, comme le souhaitait son père. Au bout de quatre ans, il s'inscrit en droit et obtient son diplôme d'avocat. Pourtant, il ne plaidera jamais, et choisit de se consacrer à l'écriture. Ses romans — *L'Ile au trésor* (1883), *L'Étrange cas du Docteur Jekyll et de Mr. Hyde* (1886), *La Flèche noire* (1888)) — ont, pour la plupart, été publiés au préalable dans des revues.

Mais sa santé médiocre le pousse à fuir l'Écosse dès qu'il le peut. Cette quête de sérénité le conduit en France, en Allemagne, en Amérique, dans les îles Marquises, puis les îles Gilbert, pour finir enfin ses jours dans l'archipel des Samoas où il meurt d'une crise d'apoplexie, le 3 décembre 1894. À sa mort, les habitants de l'île, pour qui il était devenu un dieu vivant, saluèrent celui qu'ils appelaient Tusitala, « le conteur d'histoires ». Sa tombe sur le pic Vaca domine toujours le Pacifique.

François Place né en 1957, est l'auteur de la couverture de *L'Ile au trésor*. Pendant trois ans, il étudie l'expression visuelle à l'École Estienne avant de se lancer dans l'illustration. Il travaille pour l'audiovisuel, la presse d'entreprise, la publicité et l'édition. Il n'a guère pris le temps de voyager jusqu'à présent mais il se promène avec plaisir dans les vieilles gravures, les dessins et les peintures de tous les pays et de toutes les époques.

Pour Gallimard Jeunesse, il a réalisé les illustrations de plusieurs livres dans la collection Découverte Cadet (*Le Livre des navigateurs*, paru en 1988, *Le Livre des explorateurs*, paru en 1989, *Le Livre des marchands*, paru en 1990) et dans lacollection Chefs-d'œuvre universels, *L'île au trésor* à nouveau. En 1994, François Bon lui a consacré un catalogue d'exposition, aux éditions Casterman.

STEVENSON

L'ILE au TRÉSOR

Titre original :
Treasure Island

ISBN 2-07-051350-5
Loi n° 49-956 du 16 juillet 1949
sur les publications destinées à la jeunesse

© Éditions Gallimard, 1974, pour la traduction française
© Éditions Gallimard, 1987, pour le supplément
© Éditions Gallimard, Jeunesse, 1997, pour la présente édition
Dépôt légal : septembre 2001
1er dépôt légal dans la même collection : septembre 1987
N° d'édition : 05222 - N° d'impression : 56165
Imprimé en France sur les presses de la Société Nouvelle Firmin-Didot

Robert Louis Stevenson

L'île au trésor

Traduit de l'anglais
par Jacques Papy

Illustrations de George Roux

Gallimard

Première partie
Le vieux boucanier

I
Le vieux loup de mer
à « l'Amiral Benbow »

M. Trelawney (notre châtelain), le docteur Livesey, et tous ces messieurs m'ayant demandé d'écrire en détail l'histoire de l'Ile au Trésor, du début à la fin, sans rien omettre sauf la position de l'île (uniquement parce qu'il y reste encore une partie du trésor), je prends la plume en l'an de grâce 17.. pour me reporter à l'époque où mon père tenait l'auberge de « L'Amiral Benbow » ct où le vieux marin au visage basané, balafré d'un coup de sabre, vint loger pour la première fois sous notre toit.

Je me souviens de lui comme si c'était hier : je le vois encore s'avancer à pas pesants vers la porte, suivi d'un homme qui portait son coffre de marin sur une brouette. C'était un grand et vigoureux gaillard à la peau de couleur noisette ; sa queue enduite de goudron retombait sur le col de son habit bleu couvert de taches ; ses mains rugueuses, couturées de cicatrices, avaient des ongles noirs et cassés ; la balafre en travers de sa joue était d'un blanc livide et sale. Il promena son regard autour de la crique tout en sifflotant, puis, d'une voix aiguë, cassée par l'âge, qu'il semblait avoir exercée en manœuvrant le cabestan, il entonna cette vieille chanson de matelot que nous devions entendre si souvent par la suite :

> *Ils étaient quinze sur le coffre du mort...*
> *Oh, hisse! et une bouteille de rhum!*

Ensuite, il cogna à la porte avec un bâton semblable à un anspect, et, lorsque mon père apparut, il demanda d'un ton rude un verre de rhum. Quand on le lui eut apporté, il le dégusta lentement, en connaisseur, sans cesser de regarder tour à tour les falaises et notre enseigne.

— Voilà une crique bien commode, dit-il enfin, et un cabaret fichtrement bien situé. Beaucoup de pratique, camarade ?

Mon père répondit qu'il voyait très peu de monde, et que c'était fort regrettable.

— Alors, déclara l'autre, c'est ici que je jette l'ancre... Hé, l'ami, cria-t-il à l'homme qui poussait la brouette, accoste et monte mon coffre. Je resterai un bout de temps chez vous, poursuivit-il. Je suis pas difficile : du rhum et des œufs au lard, c'est tout ce que j'ai besoin, avec ce cap, là-bas, pour regarder les bateaux au large... Comment que vous devez m'appeler ? Ma foi, appelez-moi « capitaine »... Ah, oui, je vois ce qui vous tarabuste !

Il lança trois ou quatre pièces d'or sur le seuil, et conclut :

— Tenez, vous m'avertirez quand je serai au bout de tout ça.

Il prononça ces mots d'un air aussi hautain qu'un capitaine de frégate. En vérité, malgré ses vêtements en mauvais état et son langage vulgaire, il n'avait pas l'air d'un simple matelot, mais plutôt d'un second ou même d'un commandant, habitué à être obéi ou à frapper. L'homme à la brouette nous dit que la malle-poste l'avait déposé, le matin précédent, au « Royal George ». Là, il s'était informé des auberges situées le long de la côte, et je suppose qu'il avait choisi la nôtre comme lieu de résidence après avoir appris qu'elle avait bonne réputation et qu'elle était isolée. Tels furent les seuls renseignements que nous pûmes obtenir sur notre hôte.

C'était un homme d'un naturel très taciturne. Toute la journée, il flânait autour de la crique ou sur les falaises, muni d'une longue-vue en cuivre ; toute la soirée, il restait assis près du feu, dans un coin de la salle, à boire des grogs très forts. En général, il ne répondait pas quand on lui parlait, mais se contentait de lever les yeux brusquement d'un air farouche, en reniflant avec un bruit semblable à celui d'une corne de brume ; et nous apprîmes bientôt, ainsi que ceux qui venaient chez nous, à le laisser en paix. Chaque jour, au retour de sa promenade, il demandait si aucun matelot n'était passé sur la route. Nous pensâmes d'abord qu'il posait cette question parce qu'il avait besoin de la compagnie de ses pareils, mais nous finîmes par comprendre qu'il désirait les éviter. Quand un marin s'arrêtait à « L'Amiral Benbow » (comme le faisaient parfois certains qui se rendaient à Bristol par la route du littoral), il le regardait à travers les rideaux de la porte avant de pénétrer dans la salle, et il ne manquait jamais de rester muet comme une carpe chaque fois qu'il y en avait un. Pour moi, à tout le moins, cette affaire ne présentait rien de mystérieux, car, en un sens, je partageais ses craintes. Un jour, il m'avait pris à l'écart pour me promettre de me donner une pièce d'argent de quatre pence le premier de chaque mois, si je voulais bien accepter « de veiller au grain et de guetter l'arrivée d'un marin amputé d'une jambe », et d'aller lui annoncer la nouvelle dès qu'il apparaîtrait. La plupart du temps, lorsque, le premier du mois, j'allais trouver notre pensionnaire pour lui réclamer mon dû, il se contentait de renifler d'une façon menaçante et de me faire baisser les yeux ; mais, avant la fin de la semaine, il ne manquait pas de se raviser, de m'apporter ma pièce d'argent, et de renouveler son ordre « de guetter l'arrivée d'un marin amputé d'une jambe ».

Je n'ai guère besoin de vous dire à quel point ce personnage hantait mes rêves. Par les nuits de tempête, lorsque le vent ébranlait la maison de fond en comble, lorsque les vagues grondaient dans la crique et montaient à l'assaut des falaises, je le voyais sous mille formes, avec mille expressions diaboliques. Tantôt la jambe était coupée à la hauteur du genou, tantôt à la hauteur de la hanche. Ou bien l'homme était une créature monstrueuse qui n'avait jamais eu qu'une seule jambe placée au milieu du corps. Le voir courir à mes trousses, en sautant les haies et les fossés, était le pire des cauchemars. Tout compte fait, je payais assez cher, par ces abominables visions, ma pièce d'argent mensuelle.

Mais, si j'étais terrifié à l'idée du marin amputé d'une jambe, j'avais beaucoup moins peur du capitaine que tous ceux qui le connaissaient. Certains soirs, il buvait plus de grogs qu'il n'en pouvait supporter. Alors, il restait assis à chanter ses vieilles chansons de matelot, cruelles et farouches, sans faire attention à personne ; mais parfois, il faisait apporter des verres à la ronde et obligeait l'assistance épouvantée à écouter ses histoires ou à reprendre ses refrains. Bien souvent, j'ai entendu son : « Oh, hisse ! et une bouteille de rhum ! » faire trembler la maison, tous les voisins chantant en chœur comme s'il y allait de leur vie, chacun hurlant plus fort que l'autre pour éviter de se faire remarquer. En effet, pendant ces accès de colère, c'était le compagnon le plus tyrannique que j'aie jamais connu ; il claquait de la main sur la table pour obtenir le silence à la ronde ; il entrait en fureur parce qu'on lui posait une question, ou bien parce qu'on ne lui en posait pas et qu'il jugeait alors que l'assistance ne suivait pas son récit. Et il ne permettait à personne de quitter l'auberge tant qu'il n'avait pas gagné son lit en titubant sous l'effet du sommeil et de l'ivresse.

Il épouvantait surtout les gens par ses horribles récits où il était question de pendaison, du supplice de la planche [1], de tempêtes en mer, de l'île de la Tortue, d'actes sanglants et de lieux sauvages dans la mer des Antilles. A l'en croire, il avait dû passer son existence en compagnie des pires forbans auxquels Dieu ait jamais

---

1. Supplice infligé par les pirates qui faisaient avancer leurs prisonniers, les yeux bandés, le long d'une planche dépassant le bord du navire, pour les faire tomber à la mer. (N.d.T.)

permis de courir les mers ; et le langage qu'il employait pour raconter ses histoires choquait nos paysans à l'âme simple tout autant que les forfaits qu'il décrivait. Mon père répétait sans cesse que l'auberge ne tarderait pas à être ruinée, car les clients se lasseraient vite d'y venir pour être tyrannisés et humiliés, et regagner ensuite leur lit, tout en grelottant de terreur. Or, bien au contraire, je crois vraiment que sa présence nous était profitable. Les gens avaient peur sur le moment, mais, quand ils y pensaient par la suite, ces soirées ne leur déplaisaient pas : elles mettaient une agréable agitation dans leur paisible existence campagnarde. Il y avait même un groupe de jeunes lurons qui affectaient de l'admirer, parlaient de lui comme d'un « vrai loup de mer », un « authentique mathurin », et déclaraient que les hommes de son espèce rendaient l'Angleterre redoutable sur les sept mers.

En un sens, à vrai dire, il promettait de nous ruiner. En effet, son séjour chez nous se prolongeait semaine après semaine, puis mois après mois, de sorte qu'il ne restait plus rien de son argent depuis longtemps, et, néanmoins, mon père ne trouvait pas le courage d'insister pour en avoir davantage. Si jamais il y faisait allusion, le capitaine reniflait avec tant de violence qu'il semblait rugir, puis regardait son créancier d'un air si menaçant que le pauvre homme sortait de la salle. Je l'ai vu se tordre les mains après une telle rebuffade, et je suis sûr que les tourments et la terreur dans lesquels il vivait furent en partie la cause de sa fin malheureuse et prématurée.

Pendant tout le temps qu'il vécut avec nous, le capitaine n'apporta aucun changement à son costume, si ce n'est qu'il acheta une paire de bas à un colporteur. Une des pointes de son tricorne étant tombée, il la laissa pendre en avant à dater de ce jour, bien que ce fût très gênant pour lui quand le vent soufflait. Je me rappelle l'aspect misérable de son habit qu'il raccommodait lui-même dans sa chambre et qui, à la fin, n'était plus que pièces. Il n'écrivait ni ne recevait de lettres ; il ne faisait jamais la conversation avec personne sauf avec les voisins, et il ne parlait à ces derniers que lorsqu'il était ivre de rhum. Quant à son coffre de marin, nul d'entre nous ne l'avait vu ouvert.

Une seule fois, quelqu'un osa lui tenir tête, vers la fin de son séjour, alors que mon pauvre père était déjà très gravement atteint de la maladie de langueur qui devait l'emporter. Tard dans l'après-midi, le docteur Livesey vint visiter son patient, puis, après avoir pris un léger dîner servi par ma mère, il s'en alla fumer une pipe dans la salle en attendant qu'on lui ramène son cheval du village, car nous n'avions pas d'écurie à « L'Amiral Benbow ». Je le suivis, et je me rappelle avoir remarqué combien le médecin au visage rayonnant d'intelligence, aux vêtements bien coupés, à la perruque poudrée blanche comme neige, aux yeux noirs et vifs, aux manières agréables, faisait contraste avec nos paysans lourdauds, et surtout avec notre pirate aux yeux chassieux, grossier et malpropre, aussi mal nippé qu'un épouvantail, assis dans un coin, les coudes sur la table, complètement abruti par le rhum. Brusquement, le capitaine entonna d'une voix aiguë son éternelle chanson :

Ils étaient quinze sur le coffre du mort...
Oh, hisse ! et une bouteille de rhum !
La boisson et le diable avaient réglé leur compte aux
[autres...
Oh, hisse ! et une bouteille de rhum !

Tout d'abord, j'avais cru que « le coffre du mort » était cette grande caisse qui se trouvait en haut, dans la chambre du devant, où couchait notre pensionnaire, et cette idée s'était mêlée, dans mes cauchemars, à celle du marin amputé d'une jambe. Mais nous avions tous cessé depuis longtemps de prêter la moindre attention à cette chanson ; ce soir-là, elle n'était nouvelle pour personne sauf pour le docteur Livesey, et j'observai qu'elle produisait sur lui un effet désagréable, car il leva les yeux pendant un instant d'un air très courroucé avant de reprendre sa conversation avec le vieux Taylor, le jardinier, auquel il indiquait un traitement pour les rhumatismes. Cependant, peu à peu, le capitaine s'échauffait en chantant, et, à la fin, il frappa la table du plat de la

main, d'une façon qui, pour nous, voulait dire : silence !
Aussitôt, tout le monde se tut, sauf le docteur Livesey
qui continua à parler d'une voix claire et bienveillante,
en tirant, entre chaque mot, une rapide bouffée de sa
pipe. Le capitaine lui lança un regard furieux, frappa de
nouveau sur la table, puis, après avoir proféré un juron
ignoble, il s'écria :

— Silence, là-bas, dans l'entrepont !

— Est-ce à moi que vous parlez, monsieur ? demanda
le docteur Livesey.

Lorsque le capitaine lui eut fait une réponse affir-
mative, accompagnée d'un autre juron, le médecin répliqua en ces termes :

— Je n'ai qu'une chose à vous dire, monsieur : c'est
que, si vous continuez à boire du rhum, le monde sera
bientôt débarrassé d'un fameux scélérat !

La fureur du vieux forban fut terrible. Il se leva d'un
bond, tira de sa poche un couteau à cran d'arrêt,
l'ouvrit, et, le tenant en équilibre sur la paume de sa
main, menaça de clouer son interlocuteur contre le mur.

Le docteur ne broncha pas. De nouveau, il s'adressa
à l'ivrogne en lui parlant par-dessus son épaule, sur le
même ton que précédemment, assez haut pour que toute
la salle puisse entendre, mais d'une voix parfaitement
calme et posée :

— Si vous ne remettez pas immédiatement ce couteau
dans votre poche, je vous promets sur mon honneur que
vous serez pendu aux prochaines assises.

Les deux hommes se mesurèrent du regard pendant
quelques instants, mais le capitaine ne tarda pas à céder :
il fit disparaître son arme, et se rassit en grommelant
comme un chien.

— Et maintenant, monsieur, continua le docteur Livesey, puisque je sais qu'il y a dans mon district un individu
de votre espèce, vous pouvez être sûr que j'aurai l'œil
sur vous nuit et jour. Je ne suis pas seulement médecin,
mais aussi magistrat. Si j'apprends qu'il y ait la moindre
plainte contre vous, ne serait-ce que pour une inconve-
nance comme celle de ce soir, je prendrai des mesures
efficaces pour vous faire arrêter et expulser du pays.
Vous voilà prévenu.

Peu de temps après, le docteur Livesey s'en alla sur son cheval qu'on venait de lui amener à la porte ; mais le capitaine se tint tranquille pendant tout le reste de la soirée, et bien d'autres soirées à venir.

II
Apparition et disparition de Chien Noir

Peu de temps après cette scène eut lieu le premier des mystérieux événements qui nous débarrassèrent du capitaine, mais non pas, comme vous le verrez, de ses affaires. L'hiver était venu, un hiver terriblement froid, marqué par de longues et dures gelées et de violentes tempêtes. Dès le début, nous comprîmes que mon père avait fort peu de chances de voir le printemps. Ses forces diminuaient de jour en jour ; tout le travail de l'auberge retombait sur ma mère et sur moi : nous avions donc bien assez de besogne, sans consacrer beaucoup d'attention à notre désagréable pensionnaire.

C'était un matin de janvier, de très bonne heure, un matin de froid mordant ; une couche de givre grisâtre recouvrait la crique, le flot clapotait doucement sur les galets, le soleil encore bas effleurait le sommet des collines et brillait au loin sur la mer. Le capitaine, levé plus tôt que de coutume, s'était mis en route vers la grève, son coutelas oscillant sous les larges basques de son vieil habit bleu, sa longue-vue en cuivre sous le bras, son tricorne incliné sur la nuque. Je me rappelle que son haleine formait derrière lui un sillage de fumée blanche tandis qu'il s'éloignait à grands pas, et le dernier son que j'entendis sortir de sa bouche, au moment où il contournait le gros rocher, fut un violent grognement d'indignation, comme s'il pensait encore au docteur Livesey.

Ma mère se trouvait en haut, au chevet de mon père. J'étais en train de dresser la table pour le déjeuner du capitaine en prévision de son retour, lorsque la porte de la salle s'ouvrit et un homme entra, que je n'avais vu auparavant. Il était d'une pâleur livide, deux doigts manquaient à sa main gauche, et, malgré le coutelas qu'il portait, il n'avait pas l'air très batailleur. Je guettais toujours très attentivement la venue des marins, qu'ils aient une jambe ou deux, et je me rappelle que celui-là m'intrigua beaucoup. Bien qu'il n'eût pas l'allure d'un matelot, quelque chose en lui rappelait la mer.

Je lui demandai ce qu'il y avait pour son service, et il me répondit qu'il prendrait bien un verre de rhum ; mais, comme je m'apprêtais à sortir de la salle pour aller le lui chercher, il s'assit sur une table, puis me fit signe d'approcher. Je restai sur place, ma serviette à la main.

— Viens par ici, fiston, me dit-il. Viens plus près de moi.

Je fis un pas vers lui.

— C'est-y que cette table serait pour mon copain Bill ? demanda-t-il en me lançant un regard en dessous.

Je lui répondis que je ne connaissais pas son copain Bill ; quant à la table, elle était réservée à une personne qui logeait chez nous, et que nous appelions le capitaine.

— Ma foi, ça m'étonnerait pas que mon copain Bill se fasse appeler « capitaine ». Il a une cicatrice sur une joue et des manières bougrement aimables, surtout quand il a bu, pour ça, oui ! Disons donc, histoire de causer, que ton capitaine a une cicatrice sur une joue, et disons, si tu veux, que c'est la joue droite. Tu vois, je m'étais pas trompé ! Alors, c'est-y que mon copain Bill serait dans la maison ?

Je lui répondis qu'il était parti se promener.

— De quel côté, fiston ? De quel côté ?

Je lui montrai le rocher, lui dis quand et comment le capitaine reviendrait, selon toute probabilité, et répondis à quelques autres questions.

Ah ! s'exclama-t-il enfin. Il va être rudement content de me voir, mon copain Bill !

L'expression de son visage, pendant qu'il prononçait ces mots, était fort déplaisante, et j'avais de bonnes raisons de croire qu'il se trompait, si, toutefois, il pensait ce qu'il disait. Mais, après tout, cela ne me concernait pas, et, en outre, il était difficile de savoir quoi faire. L'inconnu resta à l'intérieur de l'auberge, tout près de la porte, passant la tête au-dehors comme un chat en train de guetter une souris. A un moment donné, je fis quelques pas sur la route, mais il me rappela aussitôt ; comme je n'obéissais pas assez vite à son gré, son visage blême prit une expression horrible, et il m'ordonna de rentrer en proférant un juron qui me fit sursauter. Dès que je fus revenu, il adopta de nouveau la même attitude mi-railleuse, mi-caressante, me tapota l'épaule, puis déclara que j'étais un brave garçon et qu'il avait beaucoup d'affection pour moi.

— J'ai un fils qu'est ton portrait tout craché, me dit-il, et j'en suis bougrement fier. Mais, pour les gars de votre âge, faut de la discipline, fiston, de la discipline avant tout. Si t'avais bourlingué avec Bill, tu te serais pas fait dire deux fois la même chose, fichtre non ! C'était pas son genre, à Bill, et c'était pas non plus le genre de ceux qui naviguaient avec lui. Et, tiens, le voilà, mon copain Bill, avec une longue-vue sous le bras ; c'est bien lui, pour sûr, que Dieu le bénisse ! Dis donc, fiston, toi et moi on va rentrer dans la salle et se coller derrière la porte : ça va lui faire une fameuse surprise, à Bill. Que Dieu le bénisse, je le dirai jamais assez...

Tout en parlant, l'inconnu m'entraîna dans la salle et me plaça dans le coin, derrière lui, si bien que nous étions cachés tous les deux par la porte ouverte. J'étais très mal à l'aise et très inquiet, comme vous pouvez l'imaginer ; en outre, mes craintes augmentèrent quand je m'aperçus que mon compagnon avait lui-même très peur. Il dégagea la poignée de son coutelas dont il fit jouer la lame dans sa gaine ; et pendant tout le temps que dura notre attente, il ne cessa pas d'avaler sa salive, comme s'il avait eu une boule dans la gorge.

Finalement, le capitaine entra à grandes enjambées, claqua la porte derrière lui sans regarder ni à droite ni à gauche, puis alla droit vers la table où son petit déjeuner l'attendait.

— Bill, dit l'inconnu, d'une voix qu'il avait essayé, me sembla-t-il, de rendre plus ferme et plus forte.

Le capitaine pivota sur les talons et nous fit face. Son visage avait perdu sa couleur brune, et même son nez était bleu. Il avait l'air d'un homme qui aperçoit un fantôme, ou l'Esprit du Mal, ou pis encore, s'il se peut ; en vérité, je fus tout apitoyé de le voir, en un instant, si vieilli et défait.

— Allons, Bill, tu me reconnais bien, dit l'inconnu ; pour sûr que tu reconnais un camarade de bord.

Le capitaine ouvrit la bouche comme s'il suffoquait.

— Chien Noir ! s'exclama-t-il.

— Et qui ça serait-y d'autre ? répliqua le visiteur en prenant un peu d'assurance. Pour sûr que c'est Chien Noir qu'est venu faire visite à son vieux copain Billy, à l'auberge de « L'Amiral Benbow ». Ah, Bill, ce qu'on a pu en voir, toi et moi, depuis que j'ai perdu ces deux griffes ! ajouta-t-il en levant sa main mutilée.

— C'est bon, tu m'as déniché, me voilà. A présent, dis-moi franchement de quoi il retourne.

— Ça, c'est toi tout craché, Bill ; t'as causé comme il fallait. Je vais me faire servir un verre de rhum par ce cher petit pour qui j'ai tant d'amitié, et puis on va s'asseoir, si tu veux bien, et s'expliquer carrément, comme deux bons amis.

Quand je revins avec le rhum, je les trouvai déjà installés l'un en face de l'autre à la table du capitaine. Chien Noir, à proximité de la porte, était assis de biais de façon à surveiller d'un œil son vieux camarade, et, de l'autre, me sembla-t-il, sa ligne de retraite.

Il m'ordonna de sortir et de laisser la porte grande ouverte.

— Et t'avise pas de regarder par le trou de la serrure, fiston, ajouta-t-il.

Là-dessus, je me retirai dans la buvette.

J'eus beau faire de mon mieux pour écouter, je n'entendis rien qu'un bavardage inintelligible pendant un certain temps. Mais, à la fin, ils élevèrent la voix, et je distinguai quelques mots, surtout des jurons, proférés par le capitaine.

— Non, non, et non ! s'exclama-t-il à un moment donné.

Puis, un peu plus tard :

— Si on doit être pendu, on y passera tous, voilà ce que je dis.

Tout d'un coup, il y eut une formidable explosion de blasphèmes et d'autres bruits ; la chaise et la table furent renversés brutalement ; j'entendis un cliquetis d'acier, puis un cri de douleur. Un instant plus tard, je vis Chien Noir, en pleine déroute, serré de près par son camarade : tous deux avaient leur coutelas en main, et l'épaule gauche du premier ruisselait de sang. Arrivé à la porte, le capitaine administra au fugitif un dernier coup formidable qui lui aurait certainement fendu la tête jusqu'à l'échine, s'il n'avait pas été intercepté par notre grande enseigne : aujourd'hui encore, on peut voir l'encoche dans le bas du cadre.

Ce coup mit fin à la bataille. Une fois sur la route, Chien Noir, malgré sa blessure, décampa avec une merveilleuse agilité, et, en moins d'une minute, il disparut derrière la crête de la colline. Le capitaine, pour sa part, resta à regarder fixement l'enseigne, comme un homme égaré. Puis, il se passa plusieurs fois la main sur les yeux, et, finalement, rentra dans la salle.

— Jim, murmura-t-il, du rhum !

En disant ces mots, il tituba un peu et dut s'appuyer d'une main contre le mur.

— Etes-vous blessé ? m'écriai-je.

— Du rhum, répéta-t-il. Faut que je parte d'ici. Du rhum ! du rhum !

Je courus lui en chercher ; mais, comme j'étais bouleversé par ce qui venait de se passer, je brisai un verre et salis le comptoir. Pendant que j'essayais gauchement de réparer ma maladresse, j'entendis le bruit d'une lourde chute dans la salle. Je me précipitai aussitôt et vis le capitaine étendu sur le plancher de tout son long. Au même instant, ma mère, effrayée par les cris et la bagarre, descendit l'escalier quatre à quatre pour me venir en aide. A nous deux, nous soulevâmes la tête du vieux pirate. Il respirait bruyamment et avec peine ; mais son visage était d'une couleur horrible, et il avait les yeux clos.

— Seigneur Jésus ! s'écria ma mère. Quelle honte pour notre maison ! Et ton pauvre père qui est malade !

Cependant, nous ne savions que faire pour secourir le capitaine, car nous pensions qu'il avait reçu un coup mortel au cours de la rixe avec l'inconnu. Naturellement, j'apportai du rhum et j'essayai de le lui faire avaler, mais il avait les dents fortement serrées, et ses mâchoires semblaient faites d'acier. Nous éprouvâmes un grand soulagement lorsque la porte fut ouverte par le docteur Livesey qui venait visiter mon père.

— Oh, docteur, qu'allons-nous faire ? nous écriâmes-nous. Où est-il blessé ?

— Blessé ? Quelle sornette ! Pas plus blessé que vous ou moi. Cet homme vient d'avoir une attaque, comme je le lui avais prédit. Allons, madame Hawkins, remontez-vite auprès de votre mari, et, si possible, ne lui soufflez pas mot de toute cette histoire. Quant à moi, je dois faire de mon mieux pour sauver la vie trois fois indigne de ce triste individu. Jim, va me chercher une cuvette.

Quand je revins avec la cuvette, le docteur avait déjà fendu la manche du capitaine, dénudant son gros bras musclé, tatoué en plusieurs endroits. Sur l'avant-bras, on pouvait lire les mots suivants, tracés avec beaucoup d'art et de netteté : « Bonne chance », « Bon vent », « Billy Bones s'en fiche » ; près de l'épaule se trouvait un dessin représentant une potence et un pendu, exécuté, me sembla-t-il, avec beaucoup de verve.

— Voilà qui est prophétique, dit le médecin en touchant du doigt cette image. Et maintenant, maître Billy Bones, si tel est votre nom, nous allons voir un peu la couleur de votre sang. Est-ce que le sang te fait peur, Jim ?

— Non, monsieur.

— En ce cas, tiens-moi la cuvette.

Sur ces mots, il prit sa lancette et ouvrit une veine.

Il fallut laisser couler beaucoup de sang avant que le capitaine ouvrît les paupières et promenât un regard vague autour de lui. D'abord il reconnut le docteur et fronça très nettement les sourcils ; puis ses yeux se posèrent sur moi, et il parut soulagé. Mais, brusquement, il changea de couleur et essaya de se soulever en criant :

— Où est Chien Noir ?

— En fait de Chien Noir, répliqua le docteur, il n'y a ici que le triste individu dont vous avez la charge. Vous avez bu du rhum, vous avez eu une attaque, exactement comme je vous l'avais prédit ; et je viens de vous tirer de la tombe, tout à fait contre mon gré. Et maintenant, monsieur Bones...

— Ce n'est pas mon nom.

— Peu m'importe, en vérité ! C'est celui d'un boucanier de ma connaissance, et je vous le donne pour aller plus vite. Donc, monsieur Bones, voici ce que j'ai à vous dire : un verre de rhum ne vous tuera pas ; mais si vous en prenez un, vous en prendrez un autre, puis un autre encore ; et je gagerais ma perruque que, si vous ne cessez pas de boire immédiatement, vous mourrez (vous m'entendez bien ?) et vous irez à l'endroit qui convient à vos pareils, comme celui dont parle la Bible. Allons, faites un effort. Pour cette fois, je vais vous aider à vous coucher.

A nous deux, avec beaucoup de mal, nous parvînmes à le hisser jusqu'à sa chambre ; là, nous l'étendîmes sur son lit, et sa tête retomba sur l'oreiller, comme s'il était près de s'évanouir.

— Donc, faites bien attention, reprit le docteur, je décline toute responsabilité ; pour vous, le rhum, c'est la mort.

Sur ces mots, il me prit par le bras et m'entraîna vers la chambre de mon père.

— Ce ne sera rien, me dit-il, dès qu'il eut refermé la porte. Je lui ai tiré assez de sang pour le faire tenir tranquille pendant quelque temps. Il faut qu'il reste couché une semaine : cela vaudra mieux pour lui et pour vous ; mais une autre attaque l'achèverait.

III
La tache noire

Vers midi, chargé de médicaments et de boissons rafraîchissantes, je m'arrêtai à la porte du capitaine. Il se trouvait à peu près dans le même état où nous l'avions laissé, bien qu'il fût un peu moins mal, et paraissait à la fois faible et agité.

— Jim, me dit-il, t'es ici le seul qui vaille quelque chose, et tu sais que j'ai toujours été bon pour toi. J'ai jamais laissé passer un mois sans te donner ta pièce de quatre pence. Maintenant, comme tu vois, camarade, je suis assez bas et abandonné de tout le monde. Allons, Jim, tu vas m'apporter un petit verre de rhum tout de suite, pas vrai, mon fiston ?

— Le docteur..., commençai-je.

Il m'interrompit en proférant des injures contre le docteur Livesey, d'une voix faible mais de bon cœur.

— Les docteurs, c'est tous des andouilles ; et celui-là, qu'est-ce qu'y peut savoir des gars qu'ont navigué ? J'ai été dans des pays où y faisait chaud comme dans un four, où les copains tombaient tous de la fièvre jaune, où de sacrés tremblements de terre soulevaient le sol comme les vagues de la mer... des pays comme ton docteur en a jamais vus... et si j'ai tenu le coup, je te le dis, c'est grâce au rhum. Le rhum m'a servi de nourriture et de boisson ; on a été, nous deux, comme qui dirait mari et femme. Et maintenant, si j'ai pas mon boujaron quotidien, je suis plus qu'une pauvre carcasse échouée sur une côte sous le vent. Mon sang retombera sur ta tête, Jim, et sur celle de ton andouille de docteur.

Il proféra de nouvelles malédictions avant de poursuivre d'un ton suppliant :

— Regarde un peu, Jim, comment que mes doigts

tremblent. Rien à faire pour les en empêcher, ma parole. J'ai pas bu une seule goutte de toute la sainte journée. Ce docteur est un âne, je te le dis. Si j'ai pas une lapée de rhum, Jim, je vais avoir des visions. Tu sais, ça m'est déjà arrivé : j'ai vu le vieux Flint dans ce coin, là, derrière toi, aussi clair que je te vois maintenant. Et si jamais j'ai des visions, comme je suis un homme qu'a mené une rude existence, tu peux être sûr que je causerai du grabuge. Ton docteur, il a dit lui-même qu'un verre pouvait pas me faire de mal. Pour une petite mesure de rhum, Jim, je te donnerai une guinée d'or.

Son agitation ne cessait de croître, et ceci m'inquiétait à cause de mon père qui allait fort mal ce jour-là et avait besoin de calme. En outre, j'étais rassuré par les paroles du docteur que le capitaine venait de citer, et assez offensé par sa tentative de corruption.

— Je ne veux pas de votre argent, dis-je, sauf celui que vous devez à mon père. Je vais vous donner un verre de rhum, pas plus.

Dès que je le lui eus apporté, il s'en saisit avidement et l'avala d'un seul trait.

— Ah ! s'exclama-t-il, ça va bougrement mieux, pour sûr... A propos, mon petit gars, est-ce que ton docteur a dit combien de temps que je devais rester dans cette foutue cabine ?

— Au moins une semaine.

— Tonnerre ! Une semaine ! C'est pas possible : d'ici-là ils m'auraient envoyé la tache noire. En ce moment même, ces lourdauds essaient de me déventer ; des malagauches qu'ont pas su garder ce qu'ils avaient et qui veulent mettre le grappin sur la part d'un autre. Tu crois que c'est digne d'un marin, ça ? Mais, moi, je suis économe. J'ai jamais gaspillé mon bon argent, et je l'ai jamais perdu. Je les roulerai de nouveau. J'ai pas peur d'eux, tu sais, mon gars. Je vais larguer un autre ris, et je les mettrai tous dans ma poche.

Tout en parlant, il s'était redressé sur son lit à grand-peine, se cramponnant si fort à mon épaule qu'il faillit me faire crier, et déplaçant ses jambes comme un poids mort. Ses mots, qui exprimaient tant d'énergie, formaient un déplorable contraste avec la faiblesse de sa voix. Il s'immobilisa dès qu'il eut réussi à s'asseoir au bord du lit.

— Ce sacré docteur m'a démoli, murmura-t-il. Mes oreilles bourdonnent. Recouche-moi, mon gars.

Avant que j'aie pu faire grand-chose pour l'aider, il retomba sur le dos, et garda le silence pendant quelques instants.

— Jim, dit-il enfin, tu as vu ce marin qu'est venu aujourd'hui ?

— Chien Noir ?

— Oui, Chien Noir ! Çui-là, c'est une fameuse canaille ; mais ceux qui me l'ont envoyé, y sont bien pire. Si je peux pas me tirer d'ici d'aucune façon et s'ils me collent la tache noire, oublie pas que c'est à mon vieux coffre qu'ils en veulent. Alors toi, tu montes à cheval... tu sais monter, pas vrai ? Bon. Donc, tu montes à cheval et tu t'en vas... ma foi, oui, tant pis pour eux ! tu t'en vas trouver cette andouille de docteur (toujours lui) et tu lui dis de rassembler tout le monde sur le pont : les magistrats et leur satanée clique... et il viendra les pincer à « L'Amiral Benbow », tous tant qu'y sont, tout ce qui reste de l'équipage du vieux Flint. J'étais son second, au vieux Flint, et y a que moi qui sais l'endroit. Il m'a passé le secret à Savannah, quand il était à l'article de la mort, comme si ça serait mon cas aujourd'hui, vois-tu... Mais tu vas pas les donner sauf s'ils m'envoient la tache noire, ou si tu revois Chien Noir ou un marin amputé d'une jambe... celui-là surtout, Jim.

— Qu'est-ce que la tache noire, capitaine ?

— Un avertissement, camarade. Je t'expliquerai ça, s'ils me l'envoient. Mais toi, veille au grain, Jim, et nous partagerons à égalité, parole d'honneur !

Il continua à divaguer ainsi pendant quelque temps, d'une voix de plus en plus faible. Puis, dès que je lui eus administré sa potion (qu'il prit comme un enfant, en disant : « Si jamais un marin a eu besoin de drogues, c'est bien moi »), il tomba dans un sommeil profond comme un évanouissement, et je me retirai. J'ignore ce que j'aurais fait si tout s'était bien passé. Sans doute aurais-je raconté l'histoire au docteur, car je craignais fort que le capitaine ne regrette ses confidences et ne se débarrasse de moi.

Mais il advint que mon pauvre père mourut brusquement cette nuit-là, ce qui me fit oublier tout le reste. Notre chagrin bien naturel, les visites des voisins, les préparatifs de l'enterrement, le travail de l'auberge qu'il fallait poursuivre m'absorbèrent tellement que je n'eus guère le temps de penser au capitaine, et encore moins d'avoir peur de lui.

A vrai dire, il descendit dans la salle le lendemain matin pour y prendre ses repas comme auparavant ; néanmoins, il mangea très peu, et but, je le crains, beaucoup plus de rhum que de coutume, car il se servit lui-même à la buvette d'un air renfrogné, en reniflant si fort que personne n'osa le contrarier. Le soir qui précéda l'enterrement, il s'enivra de façon abominable, et ce fut vraiment choquant de l'entendre, dans cette maison en deuil, chanter à tue-tête son horrible chanson de marin. Mais, étant donné son état de faiblesse, nous avions tous peur de le voir passer de vie à trépas ; d'autant plus que le docteur avait été appelé pour soigner un malade à plusieurs milles de distance, et qu'il ne se trouva plus jamais dans les parages de l'auberge après la mort de mon père. J'ai dit que le capitaine était faible ; et, en vérité, il semblait plutôt s'affaiblir que reprendre des forces. Il montait et descendait l'escalier avec peine, allait de la salle à la buvette et inversement, et parfois mettait le nez dehors pour sentir l'air du large. Il marchait en s'appuyant aux murs, respirant fort et vite tel un homme qui vient de gravir une montagne abrupte. Comme il ne s'adressait jamais à moi en particulier, je suis persuadé qu'il avait presque oublié ses confidences. Mais son humeur était plus changeante, et, compte tenu de sa faiblesse physique, plus violente que jamais. Quand il était ivre, il avait une façon inquiétante de tirer son coutelas, puis de le poser tout ouvert sur la table. Cependant, il s'occupait beaucoup moins des gens ; il paraissait enfermé dans ses pensées et battre un peu la campagne. Une fois, par exemple, à notre grande surprise, il entonna d'une voix aiguë un air très différent de ses chansons habituelles, une romance campagnarde qu'il avait dû apprendre dans sa jeunesse, avant de commencer à naviguer.

Les choses allèrent ainsi jusqu'au lendemain de l'enterrement. Ce jour-là, il faisait un temps glacial et brumeux. Vers les trois heures de l'après-midi, je me tenais sur le pas de la porte, en train de songer tristement à mon père, lorsque je vis un homme s'avancer lentement sur la route. A n'en pas douter, c'était un aveugle, car il frappait le sol devant lui avec un bâton, et portait une visière verte qui lui protégeait les yeux et le nez. Courbé par les ans ou par la fatigue, il était enveloppé d'un vieux manteau de marin tout déguenillé qui le faisait paraître complètement difforme. Je n'avais jamais vu de ma vie un personnage aussi effroyable. Il s'arrêta à peu de distance de l'auberge, puis, élevant la voix sur un ton de mélopée extrêmement bizarre, il se mit à parler dans le vide :

— Une âme compatissante aura-t-elle la bonté de dire à un pauvre aveugle qui a perdu l'inestimable don de la vue en défendant courtoisement sa patrie, l'Angleterre, et le roi George, que Dieu bénisse !... dans quelle partie de ce pays il se trouve à l'heure actuelle ?

— Vous êtes à l'auberge de « L'Amiral Benbow », au bord de la crique de Black Hill, mon brave homme.

— J'entends une voix..., une voix jeune. Voulez-vous me donner la main, mon bon ami, et me faire entrer ?

Je lui tendis la main, et, immédiatement, l'horrible aveugle à la voix doucereuse la serra dans la sienne comme un étau. J'eus si peur que je luttai pour me dégager ; mais il m'attira tout près de lui d'un seul mouvement du bras.

— Et maintenant, mon garçon, déclara-t-il, conduis-moi auprès du capitaine.

— Ma parole, monsieur, je n'ose pas.

— Ah, vraiment, c'est comme ça ! dit-il d'un ton sarcastique. Mène-m'y tout de suite, ou je te casse le bras.

(Ce disant, il me le tordit au point de me faire crier.)

— Monsieur, c'est pour vous que je parle. Le capitaine a bien changé depuis quelque temps. Il reste assis, avec son coutelas ouvert devant lui. Un autre monsieur...

— Ça suffit comme ça, avance, dit-il en m'interrompant.

Jamais je n'avais entendu une voix plus froide, plus cruelle, plus menaçante que celle de cet homme. Elle me dompta bien plus que la douleur, et je m'empressai d'obéir. Après avoir franchi la porte, je gagnai tout droit la salle où notre vieux boucanier était assis, abruti par le rhum. L'aveugle se cramponnait à moi, me tenant dans sa poigne de fer, pesant si lourdement sur moi que je pouvais à peine le supporter.

— Mène-moi droit à lui ; puis, quand je serai bien en vue, mets-toi à crier : « Bill, voici un de vos amis. » Si tu ne m'obéis pas, voilà ce que je te ferai.

Sur ces mots, il me tordit le bras avec tant de violence que je faillis m'évanouir. Placé entre deux feux, j'étais si terrifié par ce mendiant aveugle que j'en oubliai ma peur du capitaine. Dès que j'eus ouvert la porte de la salle, je criai d'une voix tremblante la phrase que mon sinistre visiteur m'avait dictée.

Le pauvre boucanier leva les yeux, et un seul regard suffit à le dégriser. Son visage n'exprimait pas tant la terreur qu'un effroyable dégoût. Il fit un mouvement pour se lever, mais je crois qu'il n'avait pas la force nécessaire.

— Allons, Bill, reste assis à ta place, ordonna le mendiant. Je n'y vois pas, mais je peux t'entendre bouger un doigt. Les affaires sont les affaires. Tends la main droite. Quant à toi, mon garçon, prends-lui la main par le poignet et approche-la de la mienne.

Nous lui obéîmes à la lettre, et je vis quelque chose passer du creux de la main qui tenait le bâton dans la paume du capitaine : celui-ci referma aussitôt les doigts.

— Voilà, c'est fait, dit l'aveugle.

Sur ces mots, il me lâcha, puis, avec une précision et une agilité incroyables, il bondit hors de la salle et gagna la route où j'entendis décroître le bruit sec de son bâton, tandis que je restais figé sur place.

Il s'écoula un certain temps avant que le capitaine et moi puissions reprendre nos esprits. Enfin, presque simultanément, je lâchai son poignet (que je tenais toujours) et il retira sa main pour regarder vivement dans sa paume.

— Dix heures ! s'exclama-t-il. Il en reste six. Nous pouvons encore les posséder.

Il se leva d'un bond, mais, au même instant, il chancela, porta la main à son cou, vacilla pendant un instant, puis, poussant un cri inarticulé, tomba de tout son long, le visage contre terre.

Je courus aussitôt vers lui, tout en appelant ma mère. Mais ma hâte était bien inutile : le capitaine venait de succomber à une attaque d'apoplexie foudroyante. Certes, je n'avais jamais aimé cet homme, bien que, dans les derniers temps, il m'eût inspiré une certaine pitié ; pourtant, chose étrange, dès que je compris qu'il était mort, je versai un torrent de larmes. C'était le second décès que je voyais, et le chagrin causé par le premier était encore tout frais dans mon cœur.

IV
Le coffre de marin

Naturellement, je me hâtai de raconter à ma mère tout ce que je savais, comme j'aurais peut-être dû le faire longtemps auparavant. Nous comprîmes tout de suite que nous nous trouvions dans une situation difficile et périlleuse. Une partie de l'argent du vieux boucanier (s'il en avait) nous revenait de droit, mais, selon toute probabilité, ses camarades (particulièrement les deux spécimens que j'avais vus : Chien Noir et le mendiant aveugle) ne seraient pas disposés à renoncer à leur butin pour payer les dettes du mort. Si, me conformant à l'ordre du capitaine, je partais à cheval sur-le-champ pour prévenir le docteur Livesey, je laissais ma mère seule et sans protection, chose que je ne pouvais pas envisager. En fait, il semblait impossible que nous restions tous deux plus longtemps dans la maison : la chute des charbons dans la grille de la cuisine, le tic-tac même de l'horloge nous emplissaient de crainte. Pour nos oreilles, le voisinage semblait hanté par des bruits de pas qui s'approchaient. Entre la vue du cadavre du capitaine étendu sur le plancher de la salle et la pensée de ce détestable aveugle en train de rôder dans les parages et prêt à revenir, il y avait des moments où, comme on dit, j'avais vraiment la chair de poule. Il fallait prendre une décision rapide. Finalement, l'idée nous vint de partir tous les deux pour aller chercher de l'aide au hameau voisin. Aussitôt dit, aussitôt fait. Sans attendre davantage, nous sortîmes en courant, nu-tête, dans la nuit tombante et le brouillard glacial.

Le hameau, invisible depuis l'auberge, était à peine à quelques centaines de yards de distance, de l'autre côté de la baie suivante. Ce qui me donnait beaucoup de courage, c'est qu'il se trouvait dans la direction opposée à celle d'où était venu l'aveugle et qu'il avait sans doute prise pour s'en retourner. Nous fîmes le chemin en quelques minutes. Pourtant, nous nous arrêtâmes sur la route à plusieurs reprises pour nous prendre par la main et écouter. Mais nous n'entendîmes rien d'anormal : rien que le chuintement sourd des vagues sur le rivage et le croassement des corneilles dans le bois.

Les chandelles étaient déjà allumées quand nous atteignîmes le hameau, et je n'oublierai jamais combien je fus réconforté par la vue des lueurs jaunes qui brillaient aux portes et aux fenêtres. Mais, comme nous ne tardâmes pas à nous en apercevoir, c'était le seul secours que nous pouvions espérer de ce côté-là. On aurait pu croire que des hommes auraient eu honte de se montrer si lâches, et pourtant il n'y eut pas une âme pour accepter de revenir avec nous à « L'Amiral Benbow ». Plus nous racontions nos ennuis, plus tous les villageois (hommes, femmes et enfants) refusaient de quitter l'abri de leur maison. Le nom du capitaine Flint, que je ne connaissais pas, était familier à quelques-uns d'entre eux et engendrait une véritable terreur. En outre, certains hommes qui avaient travaillé dans les champs au-delà de « L'Amiral Benbow » se rappelaient avoir vu sur la route plusieurs inconnus, et, les prenant pour des contrebandiers, s'être enfui à toutes jambes. L'un d'eux, même, avait aperçu un petit lougre dans une anse que nous appelions le « Trou de Kitt ». Par suite, quiconque passait pour un camarade du capitaine leur inspirait une frayeur mortelle. Bref, si plusieurs villageois voulaient bien gagner à cheval la maison du docteur Livesey, qui se trouvait dans une autre direction, aucun ne consentit à nous aider à défendre l'auberge.

On dit que la lâcheté est contagieuse ; mais, par ailleurs, la discussion peut enhardir. Quand chacun eut dit son mot, ma mère entama un discours. Elle ne voulait pas, déclara-t-elle, perdre de l'argent qui appartenait à son pauvre enfant sans père.

— Si aucun de vous n'ose nous accompagner, poursuivit-elle, Jim et moi, nous serons plus courageux. Nous allons retourner à l'auberge par le même chemin, et grand merci à vous tous, gros lourdauds, poules mouillées que vous êtes ! Nous ouvrirons ce coffre, même au péril de notre vie... Prêtez-nous donc ce sac, je vous prie, madame Crossley, pour remporter l'argent qui m'est dû.

Naturellement, je dis que j'irais avec ma mère, et, naturellement, tous se récrièrent contre notre témérité. Mais, même alors, pas un n'offrit de venir avec nous. Ils se contentèrent de me donner un pistolet chargé pour nous défendre si nous étions attaqués, et de promettre de tenir des chevaux tout sellés au cas où nous serions poursuivis à notre retour. En outre, un jeune villageois devait partir immédiatement chez le docteur et en ramener des hommes armés.

Mon cœur battait à tout rompre quand nous repartîmes tous les deux dans la nuit froide pour entreprendre cette dangereuse expédition. La pleine lune commençait à se lever et son disque rougeâtre apparaissait derrière les couches les plus hautes du brouillard. Ceci nous fit presser l'allure car, de toute évidence, avant que nous puissions ressortir de l'auberge, il ferait clair comme en plein jour, et notre départ ne passerait pas inaperçu s'il y avait des guetteurs dans les environs. Nous nous glissâmes le long des haies, en silence et le plus vite possible. Enfin, sans avoir rien vu ni entendu qui vînt augmenter nos craintes, nous atteignîmes, à notre grand soulagement, la porte de « L'Amiral Benbow », que nous refermâmes sur nous.

Aussitôt, je tirai le verrou, et, l'espace d'un instant, nous restâmes sans bouger, haletants dans les ténèbres, seuls dans la maison avec le cadavre du capitaine. Ensuite, ma mère prit une chandelle dans la buvette, puis nous pénétrâmes dans la salle en nous tenant par la main. Le vieux boucanier gisait tel que nous l'avions laissé, couché sur le dos, les yeux ouverts, un bras étendu de toute sa longueur.

— Baisse le store, Jim, murmura ma mère ; ils pourraient venir et nous épier du dehors... Et maintenant, poursuivit-elle, quand j'eus obéi, il nous faut prendre la clé sur ce cadavre. Qui va oser le toucher, je me le demande !

Elle poussa une sorte de sanglot en prononçant ces dernières paroles.

Je m'agenouillai aussitôt. Sur le plancher, près de la main du mort, se trouvait un bout de papier rond, noirci d'un côté : de toute évidence, c'était la tache noire. Je le pris et lus de l'autre côté ce court message, écrit en lettres très bien formées : « Tu as jusqu'à dix heures du soir. »

— Maman, dis-je à voix basse, il avait jusqu'à dix heures.

Juste à ce moment, notre vieille horloge commença à sonner, et ce bruit inattendu nous fit sursauter d'épouvante. Mais il nous apprit une bonne nouvelle : il n'était que six heures.

— Allons, vite, Jim, cette clé, dit ma mère.

Je fouillai les poches du mort, l'une après l'autre. De la menue monnaie, un dé à coudre, du fil et de grosses aiguilles, une carotte de tabac dont un bout manquait, son fameux coutelas à la poignée recourbée, une boussole portative et un briquet à amadou : voilà tout ce qu'elles contenaient. Je commençai à désespérer.

— Elle est peut-être pendue à son cou, suggéra ma mère.

Surmontant une vive répugnance, j'ouvris brutalement le col de la chemise. Effectivement, nous trouvâmes la clé, pendue à un bout de ficelle goudronnée que je coupai

avec le coutelas du capitaine. Ce succès nous remplit d'espoir. Nous montâmes en hâte l'escalier sans plus attendre, pour gagner enfin la petite chambre où il avait dormi si longtemps et où son coffre était resté depuis le jour de son arrivée.

Extérieurement, il ressemblait à n'importe quel autre coffre de marin. Sur le dessus, on lisait la lettre B. gravée au fer rouge, et les angles étaient tout cassés comme ceux d'un objet longtemps malmené.

— Donne-moi la clé, me dit ma mère.

Bien que la serrure fût très dure, elle l'ouvrit et rejeta le couvercle en arrière en un clin d'œil.

Une forte odeur de tabac et de goudron monta de l'intérieur, mais nous ne vîmes rien sur le dessus qu'un costume en très bon état, soigneusement brossé et plié. Ma mère déclara qu'il n'avait jamais été porté. Au-dessous se trouvait un fouillis d'objets hétéroclites : un sextant, un gobelet d'étain, plusieurs rouleaux de tabac, deux paires de fort beaux pistolets, un lingot d'argent, une vieille montre espagnole, quelques autres petits bijoux sans grande valeur (presque tous de fabrication étrangère), deux boussoles montées sur cuivre, et cinq ou six coquillages des Antilles. (Je me suis souvent demandé depuis pour quelle raison il avait transporté ces coquillages avec lui, au cours de sa vie errante, criminelle et traquée.)

Cependant, nous n'avions rien trouvé qui eût la moindre valeur, à l'exception du lingot d'argent et de la montre, qui ne faisaient pas du tout notre affaire. Au fond il y avait un vieux suroît, tout blanchi par le sel au passage de la barre de plusieurs ports. Ma mère le retira d'un geste impatient, et nous vîmes devant nous les derniers objets du coffre : un paquet enveloppé dans de la toile cirée, contenant sans doute des papiers, et un sac de toile qui, au toucher, fit entendre le tintement de pièces d'or.

— Je montrerai à ces coquins que je suis une honnête femme, dit ma mère. Je vais prendre mon dû, pas un liard de plus. Ouvre le sac de Mme Crossley.

Sur ces mots, elle entreprit de tirer du sac du capitaine

le montant de sa dette pour le mettre dans celui que je tenais.

L'opération fut longue et difficile, car les pièces de monnaies provenaient de tous les pays et avaient toutes les dimensions : doublons, louis d'or, guinées, pièces de huit [1], et bien d'autres encore étaient entassés au hasard. En outre, les guinées se trouvaient en assez petit nombre, et ma mère, ignorant la valeur exacte des autres pièces, ne pouvait faire son compte qu'avec celles-là.

Quand nous eûmes fait la moitié de notre tâche, je la saisis brusquement par le bras, car je venais d'entendre, dans le silence de la nuit glaciale, un son qui me remplit d'angoisse : le bruit du bâton de l'aveugle heurtant le sol de la route gelée. Il ne cessa pas de se rapprocher tandis que nous restions figés sur place, retenant notre souffle. Il y eut un coup sec contre la porte de l'auberge. Ensuite, le misérable qui essayait d'entrer tourna la poignée et secoua le verrou. Puis, le silence régna pendant un bon moment, à l'extérieur comme à l'intérieur. Enfin, le bruit du bâton heurtant le sol recommença, et, à notre grande joie, s'éloigna lentement pour s'éteindre dans le lointain.

— Maman, dis-je alors, prends tout et allons-nous en.

J'étais persuadé, en effet, que la porte verrouillée avait dû paraître suspecte, et que nous allions nous trouver dans un beau guêpier. Cependant, personne ne saurait imaginer (à moins d'avoir connu ce terrible aveugle) à quel point je me félicitais d'avoir tiré le verrou.

Mais ma mère, en dépit de sa frayeur, ne voulut pas consentir à prendre plus que son dû, tout en refusant obstinément de se contenter de moins. Elle me dit qu'il n'était pas encore sept heures, qu'elle connaissait ses droits, et qu'elle entendait les obtenir. Pendant qu'elle discutait ainsi avec moi, un léger coup de sifflet retentit à une bonne distance, sur la colline. C'en fut assez, et plus qu'assez, pour nous deux.

— Je vais emporter ce que j'ai là, dit-elle en se levant d'un bond.

— Et moi, je prends ceci pour arrondir la somme, ajoutai-je en saisissant le paquet de toile cirée.

1. Dollars espagnols. *(N.d.T.)*

Un instant plus tard, nous descendions l'escalier à tâtons, laissant la chandelle près du coffre vide. Après quoi, nous ouvrîmes la porte et battîmes en retraite. Il était grand temps. Le brouillard se dispersait rapidement ; la lune éclairait déjà les hauteurs ; il ne subsistait plus qu'un très mince voile de brume tout au fond du vallon et autour de l'auberge pour cacher les premiers pas de notre fuite. Bien avant d'être à mi-chemin du hameau, à peine au-delà du pied de la colline, nous serions obligés d'avancer au clair de lune. Mais ce n'était pas tout : en effet, un bruit de pas nombreux parvenait déjà à nos oreilles, et, quand nous eûmes jeté un coup d'œil dans leur direction, nous vîmes approcher très vite une lumière qui se balançait de ci de là : l'un des arrivants portait une lanterne.

— Mon petit, dit ma mère brusquement, prends l'argent et sauve-toi. Je vais m'évanouir.

C'était la fin pour nous deux. Comme je maudis la lâcheté de nos voisins ! Comme je reprochai à ma pauvre mère son honnêteté et sa cupidité, sa témérité passée et sa faiblesse présente ! Fort heureusement, nous étions arrivés déjà au petit pont, et je l'aidai à gagner le haut de la rive en chancelant. Là, elle poussa un soupir, puis s'affala sur mon épaule. Je ne sais trop comment je trouvai la force nécessaire et crains fort d'avoir agi sans ménagements, mais je réussis à la traîner jusqu'au bas de la rive, puis à l'engager un peu sous l'arche du pont. Il me fut impossible de la tirer plus avant, car, la voûte étant trop basse, je ne pouvais m'y glisser qu'en rampant. Il nous fallut donc rester là, ma mère presque entièrement à découvert, et tous deux à portée de voix de l'auberge.

V
La fin de l'aveugle

Ma curiosité ne tarda pas à l'emporter sur ma crainte. Incapable de rester où j'étais, je regagnai la rive en rampant ; de là, caché derrière une touffe de genêts, je pouvais voir nettement le tronçon de la route qui passait devant notre porte. A peine avais-je pris position que mes ennemis commencèrent à arriver à toute allure. Ils pouvaient être sept ou huit qui filaient sur la route dans une course désordonnée, précédés de quelques pas par l'homme à la lanterne. Trois d'entre eux se tenaient par la main, et je devinai, malgré la brume, que celui du milieu était le mendiant aveugle. Un instant plus tard, sa voix m'apprit que je ne me trompais pas.

— Enfoncez la porte ! cria-t-il.

— Bien, commandant ! répondirent deux ou trois bandits.

Tous se ruèrent vers l'auberge, suivis à peu de distance par l'homme à la lanterne. Ensuite, je les vis s'arrêter et échanger quelques mots à voix basse, comme s'ils étaient surpris de trouver la porte ouverte. Mais cette pause fut brève, car, de nouveau, l'aveugle donna ses ordres. Sa voix résonnait plus forte et plus aiguë, comme s'il bouillait d'impatience et de fureur.

— Entrez, entrez donc ! hurla-t-il en leur reprochant leur hésitation avec force blasphèmes.

Quatre ou cinq hommes obéirent aussitôt, tandis que deux autres restaient sur la route avec le redoutable mendiant. Il y eut un silence, suivi d'une exclamation de surprise ; puis une voix cria de l'intérieur de la maison :

— Bill est mort !

Mais l'aveugle se contenta de les injurier à nouveau en raison de leur lenteur :

— Tas de tire-au-flanc, marins d'eau douce ! Qu'un de vous le fouille tout de suite. Les autres, grimpez là-haut et prenez le coffre.

Je les entendis monter les marches de notre vieil escalier avec tant de violence que toute la maison dut en trembler. Peu de temps après, d'autres cris d'étonnement s'élevèrent. La fenêtre de la chambre du capitaine s'ouvrit en claquant dans un grand fracas de verre brisé ; un homme passa la tête et les épaules au-dehors, sous la clarté de la lune, et cria à l'aveugle sur la route :

— Pew, y en a qui sont venus avant nous et qu'ont fouillé le coffre de fond en comble.

— Ça y est-il ? hurla Pew.

— L'argent y est.

L'aveugle envoya l'argent au diable.

— Je parle du paquet de Flint, dit-il.

— On le voit nulle part.

— Hé ! toi, en bas, est-ce qu'il est sur Bill ?

Un autre bandit, sans doute celui qui était resté dans la salle pour fouiller le cadavre du capitaine, parut sur le seuil de la porte et répondit :

— Bill, on y a passé l'inspection ; y reste rien.

— C'est sûrement les gens de l'auberge, c'est ce sale gamin : j'aurais dû lui arracher les yeux. Ils étaient là-haut tout à l'heure ; ils avaient mis le verrou quand j'ai essayé d'ouvrir la porte. Egaillez-vous, les gars, et trouvez-les.

— Pour sûr, ils ont laissé leur camoufle ici [1], dit l'homme penché à la fenêtre.

— Egaillez-vous et trouvez-les ! répéta l'aveugle en frappant le sol de son bâton. Retournez la maison de fond en comble !

Après cela, il y eut dans notre vieille auberge un grand vacarme de pas pesants ébranlant le plancher, de meubles renversés, de portes enfoncées à coup de pied, dont les rochers mêmes nous renvoyèrent l'écho. Puis les hommes sortirent un par un sur la route, et déclarèrent que nous n'étions nulle part. A ce moment, retentit par deux fois très nettement dans la nuit le même coup de sifflet qui

---

1. *Camoufle* : chandelle, bougie. *(N.d.T.)*

nous avait alarmés, ma mère et moi, pendant que nous comptions l'argent du capitaine. J'avais cru alors que c'était, pour ainsi dire, la trompette de l'aveugle appelant ses troupes pour les lancer à l'assaut ; mais je découvris maintenant que c'était un signal venu de la colline en direction du hameau, et que, si j'en jugeais par l'effet produit sur les boucaniers, il devait annoncer un danger imminent.

— C'est encore Dick, fit l'un des bandits. Deux coups ! Faut décamper, les copains.

— Décamper, bougre de froussard ! s'écria Pew. Dick a toujours été un imbécile et un lâche : ne vous occupez pas de lui. Ce gamin et sa mère ne peuvent pas être loin ; vous les avez à portée de la main. Egaillez-vous et cherchez-les, tas de capons ! Ah, mille sabords, si j'avais mes yeux !

Cet appel parut produire un certain effet, car deux hommes se mirent à fouiller çà et là, dans le désordre qu'ils avaient créé, mais ce fut à contre-cœur, me semblat-il, et sans jamais perdre de vue leur propre danger ; quant aux autres, ils restèrent sur la route sans savoir quelle décision prendre.

— Vous avez une fortune sous la main et vous traînassez, tas d'imbéciles ! continua l'aveugle. Vous seriez riches comme Crésus si vous pouviez trouver ce paquet, vous savez qu'il est là, et vous ne pensez qu'à tirer au flanc. Pas un d'entre vous n'a osé affronter Bill : il a fallu que ce soit moi, un aveugle ! Et je vais rater cette occasion par votre faute ! Je vais continuer à être un pauvre mendiant qui se traîne sur les routes en essayant de se faire payer un verre de rhum, alors que je pourrais rouler carrosse ! Si vous aviez le courage d'un charançon dans un biscuit de mer, vous pourriez encore réussir à les rattraper.

— Ça va, Pew, après tout, on a les doublons, grommela un des bandits.

— Ils ont peut-être caché ce foutu paquet, dit un autre. Prends les jaunets, Pew, et finis de brailler.

Brailler était le mot propre, car ces objections accrurent la colère de leur chef. Finalement, sa fureur ne connaissant plus de bornes, il se mit à frapper au hasard autour de lui, et son bâton tomba lourdement avec un bruit sourd sur plusieurs de ses acolytes.

Ceux-ci injurièrent à leur tour le misérable aveugle, le menacèrent en termes horribles, essayèrent vainement de saisir le bâton et de l'arracher à son étreinte.

Cette bagarre nous sauva. En effet, pendant qu'elle faisait encore rage, un autre bruit vint du haut de la colline, du côté du hameau : le bruit des sabots de plusieurs chevaux lancés au galop. Presque au même instant, l'éclair d'un coup de pistolet jaillit d'une haie, suivi d'une forte détonation. De toute évidence, c'était le dernier signal d'alarme : les boucaniers se mirent à courir aussitôt dans toutes les directions, l'un du côté de la mer le long de la crique, l'autre en obliquant par-dessus la colline, et ainsi de suite. Au bout de trente secondes, il ne resta plus personne que Pew. J'ignore si ses camarades l'abandonnèrent sous le simple effet de la terreur ou bien pour se venger de ses insultes et de ses coups ; toujours est-il qu'il demeura sur la route, allant et venant à tâtons, frappant le sol de son bâton avec frénésie, et appelant les fuyards. Il finit par se tromper de chemin et passa en courant près de moi dans la direction du hameau, tout en criant :

— Johnny, Chien Noir, Dirk (j'ai oublié les autres noms), vous ne lâcherez pas le vieux Pew, mes amis... Non, vous ne ferez pas ça au vieux Pew !

Juste à ce moment, le galop des chevaux se fit entendre au sommet de la côte. Quatre ou cinq cavaliers apparurent au clair de lune, et dévalèrent la pente à fond de train.

Pew comprit alors son erreur, poussa un grand cri, fit demi-tour, puis courut droit vers le fossé dans lequel il roula. Mais il se releva aussitôt, et, complètement désorienté, se jeta contre le cheval qui arrivait le premier.

Le cavalier essaya vainement de l'éviter. L'aveugle tomba en poussant un hurlement qui retentit dans la nuit. Les quatre sabots l'écrasèrent au passage. Il roula sur le flanc, puis s'affaissa doucement, le visage contre terre, et ne bougea plus.

Je me levai d'un bond en hélant les cavaliers. De toute façon, horrifiés par l'accident, ils étaient en train

d'arrêter leurs montures, et je pus bientôt les identifier. L'un d'entre eux, un peu en arrière, était le garçon que les gens du hameau avaient envoyé au docteur Livesey ; les autres étaient des agents de la douane qu'il avait rencontrés en route, et avec lesquels il avait eu l'intelligence de rebrousser chemin aussitôt. L'inspecteur Dance, ayant été prévenu de la présence du lougre dans le Trou de Kitt, était venu faire une tournée dans ces parages : circonstance heureuse grâce à laquelle ma mère et moi avions échappé au trépas.

Pew, lui, était mort, et bien mort. Quant à ma mère, nous la transportâmes au hameau. Un peu d'eau froide et des sels ne tardèrent pas à la ranimer, et elle fut vite remise de sa terreur ; néanmoins, elle continua de déplorer la perte de l'argent qui lui restait dû.

Cependant, l'inspecteur filait aussi vite qu'il pouvait vers le Trou de Kitt. Mais, comme ses hommes durent mettre pied à terre et descendre le vallon à tâtons, conduisant et parfois soutenant leurs chevaux, dans la crainte continuelle d'une embuscade, il ne fut guère surpris, quand il arriva sur la grève, de constater que le lougre avait déjà appareillé, bien qu'il ne fût pas encore très loin. Il héla l'embarcation. Une voix lui cria de ne pas rester au clair de lune, s'il ne voulait pas recevoir du plomb ; en même temps, une balle passa en sifflant près de son bras. Peu après, le lougre doubla la pointe et disparut. M. Dance, resta sur place « comme un poisson hors de l'eau » (pour employer ses propres termes). Il dut se contenter de dépêcher un homme à B.... pour prévenir le cotre de la douane.

— D'ailleurs, cela ne servira strictement à rien, déclara-t-il. Ils ont décampé, l'affaire est terminée. Toutefois, je suis très heureux d'avoir marché sur les cors de maître Pew, ajouta-t-il (car je venais de lui faire le récit de mon aventure).

Je regagnai « L'Amiral Benbow » en sa compagnie. Nul ne saurait imaginer les dégâts subis par la maison. Les bandits avaient même renversé l'horloge au cours de leurs furieuses recherches, et, bien qu'ils n'eussent rien emporté à l'exception de la bourse du capitaine et de l'argent du comptoir, je vis tout de suite que nous étions ruinés. M. Dance ne comprenait rien à cette scène.

— Tu dis qu'ils ont pris l'argent ? Et bien alors, Hawkins, que diable voulaient-ils d'autre ? Ils comptaient en trouver davantage, sans doute ?

— Non, monsieur, je ne crois pas. En fait, ce qu'ils cherchaient, je pense l'avoir dans la poche de ma veste, et, pour vous dire la vérité, j'aimerais bien le mettre en sécurité.

— Bien sûr, mon garçon, tu as raison. Je vais le prendre, si tu veux.

— J'avais pensé que, peut-être, le docteur Livesey..., commençai-je.

— Très juste, dit-il en m'interrompant avec bonne humeur, parfaitement juste. C'est un homme distingué et un magistrat. D'ailleurs, maintenant que j'y pense, je ferais aussi bien d'aller présenter mon rapport à lui-même ou au châtelain. Après tout, maître Pew est mort. Non pas que je le regrette, mais enfin il est mort, et les gens ne manqueront pas, s'ils le peuvent, de rendre responsable un des officiers des douanes de Sa Majesté. Si tu veux, Hawkins, je t'emmène avec moi.

Je le remerciai vivement de son offre, et nous regagnâmes le hameau où se trouvaient les chevaux. Le temps d'annoncer mon projet à ma mère, toute la troupe était déjà en selle.

— Dogger, dit M. Dance à l'un de ses hommes, vous avez un bon cheval ; prenez ce garçon en croupe.

Dès que je fus installé, cramponné des deux mains à la ceinture de Dogger, l'inspecteur donna le signal du départ et la petite troupe partit au grand galop vers la demeure du docteur Livesey.

VI
Les papiers du capitaine

Nous chevauchâmes bon train jusqu'au moment où nous fîmes halte devant la maison du docteur Livesey, dont la façade était plongée dans une obscurité complète.

Sur l'ordre de M. Dance, et avec l'aide de Dogger qui me prêta un étrier pour descendre, je sautai à terre et allai frapper à la porte. La servante ouvrit presque aussitôt.

— Le docteur Livesey est-il là ? demandai-je.

— Non, répondit-elle. Il est venu dans l'après-midi, mais il est ensuite reparti au château pour dîner et passer la soirée avec M. Trelawney.

— Allons-y, mes amis, déclara M. Dance.

Cette fois, comme il s'agissait d'un court trajet, je ne remontai pas en croupe ; je courus à côté de Dogger, en me tenant à la courroie de son étrier, jusqu'à la grille du parc, puis le long de l'allée aux arbres défeuillés, baignée par le clair de lune, au bout de laquelle se dressait la ligne blanche du château dont les bâtiments donnaient des deux côtés sur de grands jardins. Une fois là, M. Dance mit pied à terre, m'emmena avec lui, et, après avoir dit son nom, fut immédiatement prié d'entrer.

Le domestique nous conduisit, le long d'un couloir couvert de nattes, jusqu'à une grande salle aux murs entièrement tapissés de bibliothèques surmontées de bustes. M. Trelawney et le docteur Livesey s'y trouvaient assis, la pipe à la main, de chaque côté d'un grand feu.

Je n'avais encore jamais vu notre châtelain de si près. C'était un homme de plus de six pieds de haut, large en proportion, au visage rude et énergique, durci, rougi et ridé par ses longs voyages. Ses sourcils noirs, extrêmement mobiles, faisaient penser qu'il avait un caractère vif et hautain, mais dépourvu de méchanceté.

— Entrez, monsieur Dance, dit-il d'un ton majestueux et condescendant.

— Bonsoir, Dance, fit le docteur en inclinant la tête. Bonsoir, mon petit Jim. Quel bon vent vous amène tous les deux ?

L'inspecteur, droit et raide, raconta son histoire comme une leçon. C'était un curieux spectacle de voir les deux hommes se pencher en avant, s'entre-regarder et oublier de fumer, au comble de l'intérêt et de l'étonnement. Quand M. Dance parla du retour de ma mère à l'auberge, le docteur Livesey se donna une violente claque sur la cuisse, et le châtelain cassa sa longue pipe contre la grille du foyer en criant : « Bravo ! » Longtemps avant la fin du récit, M. Trelawney (tel est, vous vous en souviendrez, le nom du châtelain), s'était levé et arpentait la pièce à grandes enjambées ; quant au docteur, ayant ôté sa perruque poudrée, comme pour mieux entendre, il resta assis sur son fauteuil, l'air très bizarre avec son crâne rond aux cheveux tondus ras.

Enfin, l'inspecteur termina son récit.

— Monsieur Dance, dit le châtelain, vous êtes un fier luron. Et pour ce qui est d'avoir tué cet affreux gredin, je considère cela comme fort méritoire, monsieur ; cela ne compte pas plus à mes yeux que si vous aviez écrasé un cafard. Quant au petit Hawkins, c'est un très brave garçon, à ce que je vois. Tenez, Hawkins, voulez-vous sonner ? M. Dance prendra bien un peu de bière.

— Ainsi, Jim, demanda le docteur, tu as sur toi ce qu'ils cherchaient, n'est-ce pas ?

— Oui, monsieur, répondis-je en lui tendant le paquet de toile cirée.

Le docteur l'examina dans tous les sens comme si ses doigts brûlaient du désir de l'ouvrir. Mais il se contenta de le mettre tranquillement dans la poche de son habit.

— Trelawney, dit-il au châtelain, lorsque Dance aura bu sa bière, il ira, cela va de soi, où l'appelle le service de Sa Majesté. Mais j'ai l'intention de faire coucher Jim Hawkins chez moi cette nuit, et, avec votre permission, je propose qu'on lui apporte un peu de pâté froid en guise de souper.

— Très volontiers, Livesey ; Hawkins a mérité bien mieux que cela.

On apporta donc un gros pâté de pigeon que l'on posa sur une petite table, et je fis un copieux repas, car j'avais une faim de loup. Pendant que je mangeais, M. Dance reçut de nouveaux compliments avant d'être enfin congédié.

— Et maintenant, Trelawney..., commença le docteur.

— Et maintenant, Livesey..., dit le châtelain en même temps.

— Chacun son tour, chacun son tour ! s'exclama le médecin en riant. Je suppose que vous avez entendu parler de ce Flint ?

— Bien sûr que oui ! s'exclama le châtelain. C'était le boucanier le plus sanguinaire qui eût jamais navigué. Barbe-Noire n'était qu'un enfant à côté de lui. Il inspirait aux Espagnols une telle frayeur que, parfois, je l'avoue, j'étais fier qu'il fût Anglais. J'ai vu de mes yeux ses huniers, au large de l'île de la Trinité, et l'ignoble poltron, l'outre gonflée de rhum qui commandait notre navire battit en retraite, vous m'entendez, monsieur, pour aller se réfugier à Port-d'Espagne.

— Moi aussi, j'ai entendu parler de lui en Angleterre. Mais la question est de savoir s'il avait de l'argent.

— De l'argent ! N'avez-vous donc pas entendu l'histoire que l'on vient de vous raconter ? Que cherchaient ces coquins, sinon de l'argent ? A quoi s'intéressent-ils, sinon à l'argent ? Pourquoi mettraient-ils en danger leurs carcasses de gredins, si ce n'est pour de l'argent ?

— Nous ne tarderons pas à nous en assurer. Mais, que diable, vous êtes si emporté et si volubile que je n'arrive pas à placer un mot. Voici ce que je voudrais savoir : en admettant que j'aie dans ma poche un document qui nous indique où Flint a enfoui son trésor, combien estimez-vous que ce trésor puisse valoir ?

— Par ma foi, monsieur, j'estime qu'il vaudra ceci : dans le cas où nous posséderions l'indication dont vous parlez, j'irais armer un bateau dans le port de Bristol, je vous prendrais à bord avec le jeune Hawkins, et je trouverais ce trésor, même si je devais le chercher une année entière.

— Fort bien. Donc, si Jim est d'accord, nous allons ouvrir sans plus attendre ce qu'il m'a remis tout à l'heure.

Ce disant, il posa le paquet sur la table. Comme la toile cirée était cousue, il dut prendre dans sa trousse une paire de ciseaux pour couper le fil. Le paquet contenait un carnet et une feuille de papier scellée.

— Voyons d'abord le carnet, déclara le docteur.

Le châtelain et moi le regardions par-dessus son épaule, car il m'avait aimablement invité d'un signe de la main à quitter la table où je venais de souper pour me faire participer au plaisir des recherches. Sur la première page on ne voyait que des griffonnages, comme peut en tracer, par désœuvrement ou pour s'exercer, un homme tenant une plume à la main. L'un d'eux reproduisait la phrase du tatouage : « Billy Bones s'en fiche. » Puis, on lisait : « M. W. Bones, second » ; « Plus de rhum » ; « Il a reçu ça au large de Palm Key » ; ainsi que d'autres fragments de phrases, surtout des mots isolés et inintelligibles. Je ne pus m'empêcher de me demander qui avait « reçu ça », et ce que « ça » pouvait bien être : très probablement, un coup de couteau dans le dos.

— Ceci ne nous renseigne guère, dit le docteur Livesey en tournant le feuillet.

Les dix ou douze pages suivantes portaient de curieuses inscriptions qui faisaient penser aux écritures d'un registre de comptabilité. Il y avait une date au début de chaque ligne, et une somme d'argent à la fin ; mais, entre les deux chiffres, au lieu d'explications, se trouvaient un certain nombre de croix. Ainsi, le 12 juin 1745, la somme de soixante-dix livres, due à un inconnu, était séparée de la date par six croix. Dans certains cas, à vrai dire, les croix étaient accompagnées de noms de lieux, par exemple : « Au large de Caracas » ; ou encore de l'indication d'une latitude et d'une longitude, par exemple : « 62°17'20", 19°2'40" ».

Les comptes s'étendaient sur une vingtaine d'années, les sommes inscrites devenant de plus en plus importantes avec le temps ; finalement, on avait fait un total général, après cinq ou six additions fausses, et on avait joué ces mots : « le magot à Bones ».

— Tout cela n'a ni queue ni tête pour moi, déclara le docteur Livesey.

— C'est pourtant clair comme le jour, s'écria le châtelain. Nous avons ici le livre de comptes de ce sinistre scélérat. Les croix figurent le nom des bateaux coulés ou des villes pillées. Les sommes représentent la part du coquin, et, là où il craignait une équivoque, il a ajouté quelque chose de plus clair. Ainsi : « Au large de Caracas » signifie qu'un malheureux navire a été pris à l'abordage non loin de cette côte. Dieu ait pitié des malheureux qui se trouvaient à bord... ils doivent être transformés en corail depuis longtemps.

— Vous avez raison ! Voilà ce que c'est que d'être un grand voyageur. Vous avez sûrement raison ! Et, vous le voyez, les sommes augmentaient à mesure qu'il montait en grade.

Le carnet ne renfermait pas grand-chose d'autre, sauf les relèvements de quelques lieux notés sur les pages en blanc, et un tableau des changes permettant de réduire à une valeur commune les monnaies françaises, anglaises et espagnoles.

— Quel homme économe et avisé ! s'écria le docteur. On ne devait pas le duper facilement.

— Et maintenant, dit le châtelain, voyons le reste.

On avait scellé la feuille de papier en plusieurs endroits avec un dé à coudre en guise de cachet (peut-être celui-là même que j'avais trouvé dans la poche du capitaine). Le docteur brisa la cire avec la plus grande précaution, et nous eûmes sous les yeux la carte d'une île, avec la latitude, la longitude, les sondages, le nom des collines, des baies, des passes, et tous les détails nécessaires pour permettre à un bateau de trouver un mouillage sûr. Elle mesurait environ neuf milles de long sur cinq de large, affectait la forme d'un gros dragon debout, et présentait deux superbes criques fort bien abritées. Au centre s'élevait une colline appelée « la Longue-Vue ». On avait ajouté plusieurs annotations récentes, plus particulièrement trois croix à l'encre rouge : deux au nord, une au sud-ouest ; à côté de cette dernière, toujours à l'encre rouge,

étaient tracés les mots suivants, d'une petite écriture nette, très différente des lettres tremblées du capitaine : « Le gros du trésor ici. »

Au verso, la même main avait ajouté :

« Grand arbre, contrefort de la Longue-Vue, situé à un quart N. du N.-N.-E.

« Ilot du Squelette E.-S.-E. quart E.

« Dix pieds.

« Les lingots d'argent sont dans la cache nord ; on peut les trouver dans la direction du tertre est, à dix brasses au sud du rocher noir situé en face.

« Les armes sont faciles à trouver, dans la dune, à la pointe N. du cap de la passe nord, direction E. quart N. »

« J. F. »

C'était tout ; mais, à la lecture de ce bref document, incompréhensible pour moi, les deux hommes furent au comble du plaisir.

— Livesey, déclara le châtelain, vous allez abandonner sur-le-champ votre satanée clientèle. Dès demain, je pars pour Bristol. D'ici trois semaines... que dis-je ? deux semaines !... dix jours !... nous aurons le meilleur bateau et la crème des équipages de toute l'Angleterre. Hawkins nous accompagnera comme mousse. Vous ferez un mousse de premier ordre, Hawkins. Vous, Livesey, vous êtes le médecin du bord ; moi, je suis amiral. Nous prendrons Redruth, Joyce et Hunter. Nous aurons des vents favorables et une traversée rapide. Nous trouverons la cachette sans la moindre difficulté, et, après cela... des monceaux d'argent, de l'argent à la pelle, de l'argent à jeter par les fenêtres, jusqu'à la fin de nos jours !

— Trelawney, répliqua le docteur, je veux bien partir avec vous ; de plus, je me porte garant que Jim viendra, lui aussi, et fera honneur à l'expédition ; mais il y a un homme qui m'inquiète.

— Qui donc, monsieur ? Donnez-moi le nom de ce coquin !

— Vous-même, car vous êtes incapable de tenir votre langue. Nous ne sommes pas les seuls à connaître l'existence de ce papier. Les bandits qui ont attaqué l'auberge cette nuit (des gaillards capables de tout, vous pouvez

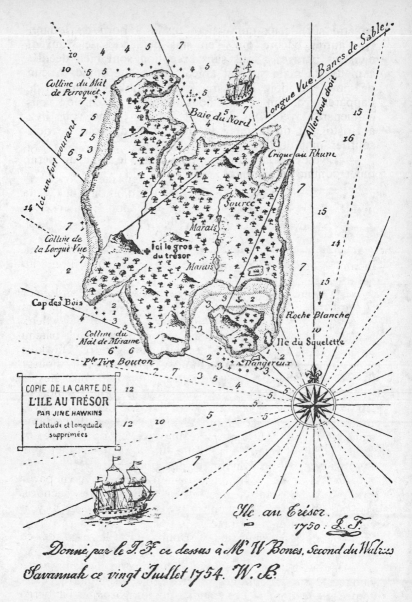

Ile au Trésor.
1750. J. F.

Donné par le T. F. ce dessus à Mr W. Bones, Second du Walrus
Savannah ce vingt Juillet 1754. W. B.

PLAN DE L'ILE.

en être sûr), ceux qui étaient restés à bord du lougre, et d'autres encore qui, j'en suis persuadé, se trouvent dans les parages : tous sans exception sont bien décidés à mettre la main sur cet argent coûte que coûte. Aucun de nous ne doit demeurer seul jusqu'au moment de l'appareillage. Jim et moi nous resterons ensemble ; vous emmènerez avec vous Joyce et Hunter quand vous irez à Bristol. Et du début à la fin, aucun de nous ne doit souffler mot de notre découverte.

— Livesey, vous êtes toujours dans le vrai. Je serai muet comme la tombe.

Deuxième partie
Le maître coq

VII
Je vais à Bristol

Il nous fallut beaucoup plus de temps que le châtelain ne l'avait prévu avant d'être prêts à nous embarquer ; et aucun de nos premiers projets (pas même celui du docteur Livesey, consistant à me garder auprès de lui) ne put se réaliser conformément à nos intentions. Le docteur dut partir pour Londres, en quête d'un médecin auquel il pût confier sa clientèle ; le châtelain était fort occupé à Bristol ; quant à moi, je continuai à demeurer au château, sous la protection du vieux Redruth, le garde-chasse. Je vivais presque en véritable prisonnier ; mais, la tête pleine de rêves captivants, je goûtais par avance toutes sortes d'aventures en mer et sur des îles inconnues. Je passais des heures entières à méditer sur la carte, dont je me rappelais fort bien tous les détails. Assis près du feu dans la chambre de l'intendant, j'abordais cette île, en imagination, par tous les côtés ; j'explorais chaque arpent de sa surface ; j'escaladais mille fois la haute colline appelée la Longue-Vue, du faîte de laquelle je me délectais à contempler les paysages les plus merveilleux et les plus divers. Parfois, l'île fourmillait de sauvages que nous combattions ; parfois, elle était pleine d'animaux dangereux qui nous poursuivaient ; mais, dans ces songes, il ne m'arriva rien de plus dramatique et de plus étrange que nos aventures réelles.

Ainsi passèrent plusieurs semaines ; puis, un beau matin, arriva une lettre adressée au docteur Livesey, qui portait en outre cette mention : « En cas d'absence du destinataire, le pli sera ouvert par Tom Redruth ou le jeune Hawkins. » Obéissant à cet ordre, nous trouvâmes, ou plutôt, je trouvai (car le garde-chasse ne pouvait guère déchiffrer que des caractères imprimés) les importantes nouvelles que voici :

« Auberge de la Vieille Ancre »,
*Bristol, ce I*er *mars 17.. .*

« Cher Livesey,

« Comme j'ignore si vous avez regagné le château ou si vous êtes encore à Londres, j'envoie cette lettre en double expédition à l'un et l'autre endroit.

« Le bateau est acheté et armé, à l'ancre dans le port, prêt à prendre la mer. Vous ne sauriez imaginer goélette plus facile à manœuvrer... un enfant pourrait la piloter... deux cents tonneaux ; son nom : *Hispaniola*.

« Je l'ai eue par l'intermédiaire de mon vieil ami Blandly qui, en l'occurrence, a fait preuve d'un dévouement étonnant. Cet homme admirable a peiné comme un esclave pour servir mes intérêts, et je puis dire que tout le monde à Bristol a fait de même dès que l'on a eu vent du port à destination duquel nous mettions à la voile... je veux dire : du trésor. »

— Redruth, déclarai-je, interrompant ma lecture, ceci va déplaire au docteur Livesey. Je vois que le châtelain a bavardé, malgré tout.

— Et alors, c'est-y qu'il en a pas le droit ? grommela le garde. Ça serait quand même plutôt drôle, si not' maître pouvait pas parler, rapport au docteur Livesey !

En entendant ces mots, je renonçai à toute autre tentative de commentaire, et poursuivis ma lecture :

« C'est Blandly lui-même qui a découvert l'*Hispaniola*, et il a manœuvré de façon si admirable qu'il l'a eue pour une bouchée de pain. Il existe à Bristol toute une catégorie de gens furieusement prévenus contre lui. Ils sont allés jusqu'à répandre le bruit que cet homme, d'une honnêteté scrupuleuse, ferait n'importe quoi pour se procurer de l'argent, que l'*Hispaniola* lui appartenait, et qu'il me l'a vendue ridiculement cher : évidemment, tout cela n'est que basse calomnie. Cependant, aucun d'eux n'ose nier les mérites du bateau.

« Jusque-là, pas la moindre anicroche. Bien sûr, les ouvriers (gréeurs et autres) ont fait preuve d'une lenteur exaspérante ; mais, avec le temps, tout s'est arrangé. C'est l'équipage qui m'a donné le plus de souci.

« Je voulais une bonne vingtaine de matelots (dans le cas où nous rencontrerions des indigènes, des boucaniers, ou ces odieux Français), et j'avais eu un mal de tous les diables à en rassembler une demi-douzaine, lorsqu'un extraordinaire coup de chance me fit rencontrer justement l'homme qu'il me fallait.

« Je me trouvais sur le quai, et, par le plus grand des hasards, j'engageai la conversation avec lui. J'appris que c'était un vieux loup de mer, qu'il tenait un cabaret, connaissait tous les marins de Bristol, se portait fort mal depuis qu'il vivait à terre, et désirait reprendre la mer comme cuisinier. Il était allé au port, ce matin-là, clopin-clopant, pour respirer le vent du large.

« Je me sentis furieusement ému (comme vous l'auriez été vous-même), et, par pure compassion, je l'engageai sur-le-champ comme maître coq. Il se nomme Long John Silver. Il lui manque une jambe, mais, à mes yeux, ce fait est une recommandation, car il l'a perdue au service de son pays, sous les ordres de l'immortel Hawke. Et songez, Livesey, qu'il ne touche pas de pension ! En vérité, nous vivons dans un siècle abominable...

« Eh bien, monsieur, je croyais n'avoir trouvé qu'un cuisinier, alors que je venais de découvrir tout un équipage. A nous deux, Silver et moi avons rassemblé en quelques jours une troupe de vieux loups de mer particulièrement endurcis : ils ne sont pas beaux à voir, mais, si j'en juge d'après leur visage, ils doivent posséder un courage indomptable. Je vous affirme que nous pourrions combattre une frégate.

« Long John s'est même débarrassé de deux hommes sur les six ou sept que j'avais déjà engagés. Il m'a fait voir en un instant que c'étaient là des lourdauds, des marins d'eau douce, dont nous devions nous garder dans une aventure d'importance.

« Je me porte à merveille et je suis plein d'entrain , je mange comme un loup, je dors comme une souche. Néanmoins, je ne serai vraiment heureux que lorsque j'entendrai mes vieux mathurins virer au cabestan. Larguons les amarres ! Au diable le trésor ! C'est la splendeur de la mer qui m'a tourné la tête. Mon cher Livesey, venez en toute hâte ; ne perdez pas une heure si vous avez la moindre considération pour moi.

« Que le jeune Hawkins aille voir sa mère immédiatement sous la garde de Redruth ; ensuite, qu'ils partent pour Bristol à bride abattue.

                                     John Trelawney.

« P.-S. — J'oubliais de vous dire que Blandly (qui doit envoyer un navire à notre recherche si nous ne sommes pas de retour à la fin d'août) a trouvé un admirable capitaine : un homme très dur, et je le regrette, mais à tous autres égards une vraie perle. Long John Silver a déniché un second très compétent, nommé Arrow. J'ai un maître d'équipage qui commande au sifflet, Livesey ; de sorte que, à bord de notre *Hispaniola,* tout se passera comme sur un vaisseau de guerre.

« J'ajoute que Silver possède du bien. J'ai appris qu'il avait un compte en banque qui n'a jamais été mis à découvert. Il laisse à son épouse le soin de diriger son cabaret : étant donné que c'est une femme de couleur, deux célibataires endurcis comme vous et moi peuvent se permettre de penser que c'est son épouse, autant que sa santé, qui le pousse à reprendre la mer.

J.T.

« P.-S. — Hawkins peut passer une nuit chez sa mère. »

Vous pouvez imaginer l'agitation que cette lettre provoqua en moi. J'étais presque fou de joie. Et si j'ai jamais méprisé un homme, c'est bien le vieux Redruth qui ne savait que grommeler et se lamenter. N'importe lequel des gardes-chasse sous ses ordres aurait été ravi de prendre sa place ; mais tel n'était pas le bon plaisir du châtelain, et tout le monde au château ne connaissait pas d'autre loi que ce bon plaisir. Nul autre que le vieux Redruth n'aurait osé prendre la liberté de murmurer.

Le lendemain matin, nous partîmes tous deux pour « L'Amiral Benbow » où je trouvai ma mère bien portante et pleine d'entrain. Le capitaine, qui lui avait valu tant de soucis, s'en était allé où les méchants cessent de nuire. Le châtelain avait fait réparer tous les dégâts, repeindre les salles et l'enseigne, et ajouter quelques meubles : entre autres un très beau fauteuil pour ma mère dans la buvette. Il lui avait aussi trouvé un jeune garçon pour l'aider pendant mon absence.

C'est en voyant cet apprenti que je compris pour la première fois ma situation. Jusqu'alors j'avais songé uniquement aux aventures qui m'attendaient, et pas du tout au foyer que j'allais quitter. Mais, à la vue de cet inconnu maladroit qui devait me remplacer auprès de ma mère, j'eus ma première crise de larmes. Je crains fort d'avoir mené la vie dure à ce pauvre garçon, car, comme il n'était pas encore au courant de sa besogne, j'eus cent occasions de l'humilier en corrigeant ses fautes, et je ne manquai pas d'en profiter.

Le lendemain, après déjeuner, Redruth et moi reprîmes la route. Je dis adieu à ma mère, à la baie au bord de laquelle j'avais vécu depuis ma naissance, et à ce cher « Amiral Benbow » (qui m'était beaucoup moins cher depuis qu'on l'avait repeint). J'accordai une de mes dernières pensées au capitaine qui avait si souvent parcouru la grève, avec son tricorne, sa joue balafrée, et sa vieille longue-vue en cuivre... L'instant d'après, nous passâmes le tournant de la route, et ma maison disparut à mes yeux.

Nous prîmes la malle-poste au crépuscule, sur la lande, devant le « Royal George ». Serré entre Redruth et un vieux monsieur corpulent, je crois que je sommeillai pas mal dès le début du voyage, malgré la rapidité de la course et l'air froid de la nuit. Ensuite, je dus dormir· comme une souche, par monts et par vaux, de relais en relais, car, lorsque je fus enfin réveillé par un coup de poing dans les côtes et que j'ouvris les yeux, nous étions arrêtés devant un grand bâtiment, dans une rue de ville, et il faisait jour depuis longtemps.

— Où sommes-nous ? demandai-je.

— A Bristol, répondit Tom. Descendez.

M. Trelawney logeait dans une auberge à l'extrémité du port pour mieux surveiller les travaux à bord de la goélette. Nous dûmes nous y rendre à pied, et, à ma grande joie, nous longeâmes les quais où se trouvaient mouillés une foule de navires de toutes tailles, de tous gréements, de toutes nationalités. Sur l'un d'eux, des marins chantaient en travaillant ; sur un autre, des hommes étaient suspendus très haut dans la mâture, accrochés à des cordages qui ne paraissaient pas plus gros que des toiles d'araignées. J'avais beau avoir passé toute ma vie sur une côte, il me semblait que j'apercevais la mer pour la première fois. L'odeur du goudron et du sel était nouvelle pour moi. J'admirai de merveilleuses figures de proue qui avaient sillonné tous les océans. Je rencontrai beaucoup de vieux marins aux oreilles ornées d'anneaux, aux favoris bouclés, à la queue enduite de goudron, à la démarche gauche et fanfaronne ; et je n'aurais pas été plus ravi si j'avais vu autant de rois et d'archevêques.

Car moi aussi j'allais m'embarquer ! J'allais m'embarquer sur une goélette, avec un maître d'équipage qui commanderait au sifflet, et des marins qui chanteraient au cabestan ! J'allais m'embarquer pour une île inconnue, en quête de trésors enfouis !

Tandis que j'étais encore plongé dans ce rêve merveilleux, nous arrivâmes soudain devant une grande auberge, d'où nous vîmes sortir M. Trelawney, vêtu de gros drap bleu comme un officier de marine. Il vint à notre rencontre, le sourire aux lèvres, en imitant à la perfection la démarche d'un matelot.

— Vous voilà ! s'exclama-t-il, et le docteur est arrivé de Londres la nuit dernière. Bravo ! l'équipage cst au complet !

— Oh, monsieur, m'écriai-je, quand partons-nous ?

— Quand ? Nous partons demain.

VIII
A l'enseigne de
la « Longue Vue »

Quand j'eus fini de déjeuner, le châtelain me remit un billet adressé à John Silver, à l'enseigne de la « Longue-Vue », en me disant que je n'aurais aucun mal à trouver l'endroit : il me suffisait de suivre les quais et d'ouvrir l'œil jusqu'à ce que je trouve une petite taverne ayant pour enseigne une longue-vue. Je me mis en route aussitôt, enchanté de cette occasion de voir de plus près les navires et les marins. Après m'être frayé un chemin à travers une grande foule de gens, de charrettes et de ballots de marchandises (car, à cette heure, la plus grande animation régnait dans le port), je découvris la taverne en question.

C'était un lieu à l'aspect assez engageant, à l'enseigne fraîchement peinte, aux fenêtres munies de rideaux rouges bien nets, au carreau couvert de sable propre. L'établissement donnait sur deux rues, et, comme les deux portes étaient ouvertes, on y voyait assez clair dans la grande salle basse de plafond, malgré des nuages de fumée de tabac.

Presque tous les consommateurs étaient des matelots. Ils parlaient si fort que je demeurai sur le seuil de la porte, sans oser entrer.

Pendant que j'attendais, un homme sortit d'une pièce adjacente : d'un seul coup d'œil, je compris que ce devait être Long John. Il avait la jambe gauche coupée au ras de la hanche, et il s'appuyait sur une béquille dont il se servait avec une prodigieuse dextérité en sautillant dessus comme un oiseau. De très haute taille, d'aspect robuste, il avait un visage blême, plutôt laid, aussi gros qu'un jambon, mais intelligent et souriant. A vrai dire, il semblait de fort joyeuse humeur, sifflait comme un merle en se déplaçant entre les tables, et accordait à ses clients préférés un bon mot ou une tape sur l'épaule.

Or, pour vous dire la vérité, dès que j'avais appris par la lettre de M. Trelawney l'existence de Long John, j'avais craint qu'il ne fût justement ce fameux marin amputé d'une jambe, dont j'avais si longtemps guetté l'arrivée à « L'Amiral Benbow ». Mais un seul coup d'œil sur cet homme suffit à me rassurer. Ayant vu le capitaine, Chien Noir et l'aveugle, je me croyais capable de reconnaître un vrai boucanier : créature très différente, à mon sens, de ce cabaretier si propre et si aimable.

Aussitôt, je rassemblai mon courage, franchis le seuil, et marchai droit vers cet homme en train de bavarder avec un de ses clients, appuyé sur sa béquille.

— Monsieur Silver ? demandai-je en lui tendant le billet.

— Oui, mon gars, c'est bien mon nom, pour sûr. Et toi, qui es-tu ?

A ce moment, il vit la lettre du châtelain, et j'eus l'impression qu'il réprimait un sursaut.

— Oh! s'exclama-t-il d'une voix forte. Je comprends : tu es notre nouveau mousse. Très heureux de faire ta connaissance.

Et il me donna une vigoureuse poignée de main.

Au même instant, un des clients à l'autre bout de la salle se leva soudain et gagna la porte. Comme elle se trouvait près de lui, il fut dans la rue presque aussitôt. Mais, sa hâte ayant attiré mon attention, je le reconnus d'un seul coup d'œil. C'était l'homme au visage livide, amputé de deux doigts, qui, le premier, était venu à « L'Amiral Benbow. »

— Oh! m'exclamai-je, arrêtez-le! C'est Chien Noir!

— Je me moque bien de son nom! s'écria Silver. Mais il n'a pas payé son écot. Harry, cours après lui et rattrape-le.

L'un de ceux qui se trouvaient près de la porte se dressa d'un bond et se lança à la poursuite du fuyard.

— Quand bien même ça serait l'amiral Hawke, il faut qu'il paie son écot, déclara Silver.

Puis lâchant ma main, il ajouta :

— Qui as-tu dit que c'était? Chien... comment donc?

— Chien Noir, monsieur. Est-ce que M. Trelawney ne vous a pas parlé des boucaniers? Il faisait partie de leur bande.

— Vraiment? Et j'ai eu cet homme chez moi! Ben, dépêche-toi d'aller prêter main-forte à Harry... Alors, c'était un de ces fichus malagauches, hein? Hé, Morgan, est-ce que je t'ai pas vu boire avec lui? Approche un peu.

L'homme qu'il venait d'appeler Morgan, un vieux marin aux cheveux gris, au visage couleur acajou, s'avança d'un air assez penaud en roulant sa chique dans sa bouche.

— Dis-moi, Morgan, reprit Long John d'un ton sévère, je suppose que tu n'avais jamais vu ce Chien Noir auparavant?

— Pour sûr que non, patron, répondit l'interpellé en saluant.

— Tu connaisssais pas son nom, bien entendu?

— Non, patron.

— Tonnerre de sort, Tom Morgan, ça vaut mieux pour toi ! Si tu avais fréquenté des individus de ce genre, tu aurais jamais remis les pieds chez moi, je t'en fiche mon billet ! Et qu'est-ce qu'il te racontait ?

— Je sais pas au juste, patron.

— Mais, qu'est-ce que tu as donc sur les épaules : une tête ou un sacré cap de mouton [1] ? Tu sais pas au juste, hein ! Peut-être que tu sais pas non plus à qui tu causais ? Allons, de quoi bavassait-il : de voyages, de capitaines, de bateaux ? Vas-y, dégoise !

— Ben, on causait de la cale humide [2].

— De la cale humide, hein ? C'était un sujet de conversation rudement bien choisi, je t'en fiche mon billet ! Allons, retourne à ta place, Tom, comme un lourdaud que tu es.

Puis, tandis que Morgan regagnait sa table en se dandinant, Silver me dit tout bas, d'un ton confidentiel que me parut très flatteur :

— C'est un bien brave homme, ce Tom Morgan, mais pas très malin.

Après quoi, il poursuivit à haute voix :

— Voyons un peu... Chien Noir ? Non, ce nom me dit rien du tout. Pourtant, j'ai comme une idée que... mais oui, je l'ai déjà vu, ce malagauche. Il venait souvent ici avec un mendiant aveugle, il me semble bien.

— Vous ne vous trompez sûrement pas. J'ai connu aussi ce mendiant. Il s'appelait Pew.

— C'est ça même ! s'écria Silver, au comble de l'agitation. Pew ! Oui, c'était bien son nom. Ah, celui-là, il avait l'air d'une fameuse canaille ! Si jamais on le rattrape, ton Chien Noir, c'est le capitaine Trelawney qui sera drôlement content ! Ben court vite ; il y a pas beaucoup de marins qui courent aussi vite que lui. Il devrait le rattraper facilement, tonnerre de sort ! Ah ! il parlait de la cale humide ! Je vais te l'y flanquer, moi, en cale humide !

1. *Cap de mouton* : poulie en bois percée de trois trous. *(N.d.T.)*
2. Châtiment qui consistait à hâler le coupable d'un côté à l'autre du navire en le faisant passer sous la quille. *(N.d.T.)*

Tout en prononçant ces phrases d'un ton saccadé, il ne cessait d'aller et venir dans la salle en clopinant sur sa béquille, frappant les tables du plat de la main, et manifestant une telle agitation qu'il aurait convaincu un juge de la cour d'assises de Londres ou un sergent de police de Bow Street [1]. La présence de Chien Noir ayant réveillé tous mes soupçons, j'observai le maître coq très attentivement. Mais il était trop fort, trop prompt et trop rusé pour moi. Lorsque les deux hommes revinrent, hors d'haleine, et, après avoir déclaré qu'ils avaient perdu la trace du fuyard dans la foule, ils se firent tancer vertement comme de vulgaires malfaiteurs, je me serais porté garant de la parfaite innocence de Long John Silver.

— Vois-tu, Hawkins, me dit-il, c'est une sale affaire pour un homme dans ma situation. Par exemple, le capitaine Trelawney, qu'est-ce que tu veux qu'il pense de ça ? Voilà que cet ignoble individu est assis chez moi, à boire mon rhum ! Voilà que tu arrives et que tu me racontes ta petite histoire ! Et voilà que je le laisse nous filer entre les doigts, devant mes sacrés hublots ! Alors, vois-tu, Hawkins, faut que tu me défendes auprès du capitaine. Tu es qu'un petit gars, bien sûr, mais tu es malin comme un singe : j'ai vu ça dès que tu as mis les pieds dans la salle. Je te le demande, Hawkins, qu'est-ce que j'aurais pu faire avec ce vieux morceau de bois qui me sert de jambe ? Du temps que j'étais capitaine, je l'aurais abordé main sur main, et je l'aurai lancé dans le vent en cinq secs, pour sûr ; mais, à présent...

Soudain, il s'interrompit, et resta bouche bée comme s'il se rappelait quelque chose.

— Son écot ! s'exclama-t-il. Trois tournées de rhum ! Mille sabords ! voilà que j'avais oublié son écot !

Là-dessus, il se laissa tomber sur un banc, puis se mit à rire de si bon cœur que les larmes lui coulèrent le long des joues. Je ne pus m'empêcher de l'imiter, et nos éclats de rire firent résonner la taverne tout entière.

— Ma parole, quel veau marin je fais ! dit-il enfin

1. *Bow Street :* Tribunal de simple police le plus important de Londres. *(N.d.T.)*

en s'essuyant les joues. Toi et moi, on devrait bien s'entendre, Hawkins, car, j'en jure mes grands dieux, je ne vaux pas mieux qu'un moussaillon. Mais, à présent, pare à lever l'ancre. Ça suffit comme ça. Le devoir c'est le devoir, camarade. Je vais mettre mon vieux tricorne, et puis j'irai avec toi faire mon rapport au capitaine Trelawney. Vois-tu, mon petit Hawkins, c'est très sérieux, cette affaire ; et je me hasarderai pas à dire que toi et moi on s'en soit tirés à notre honneur. Tu es bien de cet avis, n'est-ce pas ? On n'a pas été malins, nous deux ; non, vraiment, pas malins. Mais, tonnerre de sort ! elle est bien bonne, l'histoire des trois tournées de rhum !

Sur ces mots, il se remit à rire de si bon cœur que, tout en ne jugeant pas la chose aussi plaisante que lui, je ne pus m'empêcher à nouveau de partager son hilarité.

Au cours de notre petite promenade le long des quais, il se montra le plus intéressant des compagnons, me donnant tous les renseignements possibles (gréement, tonnage, nationalité) sur les navires que nous voyions, et m'expliquant ce qui se passait à bord : celui-ci déchargeait sa cargaison, celui-là embarquait la sienne, tel autre allait appareiller. De temps en temps, il me racontait une petite anecdote à propos de bateaux ou de marins, ou encore répétait une expression nautique jusqu'à ce que je l'aie retenue parfaitement. Je commençai à comprendre que ce serait pour moi le meilleur camarade de bord.

Quand nous arrivâmes à l'auberge, nous y trouvâmes le châtelain et le docteur Livesey, installés à une table, en train d'achever une pinte de bière où trempait un morceau de pain rôti, avant d'aller faire une visite d'inspection sur la goélette.

Long John raconta son histoire du début à la fin avec beaucoup de verve et d'exactitude.

— C'est bien comme ça que ça s'est passé, pas vrai, Hawkins ? demandait-il de temps à autre, et, chaque fois, je ne pouvais que confirmer ses dires.

Ces messieurs regrettèrent que Chien Noir eût réussi à s'enfuir, mais nous fûmes tous d'accord pour conclure qu'il n'y avait rien à faire. Après avoir reçu force compliments, Long John prit sa béquille et s'en alla.

— Tout le monde à bord cet après-midi à quatre heures, lui cria le châtelain.

— Bien, commandant, répondit le coq qui était déjà dans le couloir.

— Ma foi, Trelawney, déclara le docteur Livesey, je n'ai généralement pas grande confiance dans vos découvertes, mais je dois vous avouer que ce John Silver me plaît beaucoup.

— C'est une vraie perfection.

— Et maintenant, je suppose que Jim peut nous accompagner, n'est-ce pas ?

— Certainement. Prenez votre chapeau, Hawkins, et allons visiter la goélette.

IX
La poudre et les armes

L'*Hispaniola* était à l'ancre à quelque distance du quai ; avant de l'atteindre, nous dûmes passer sous les figures de proue et contourner les poupes de plusieurs autres navires dont les câbles grinçaient parfois sous notre quille et parfois se balançaient au-dessus de nous. Finalement, nous accostâmes. Nous fûmes reçus et salués à bord par le second, M. Arrow, un vieux marin au visage hâlé qui portait des anneaux aux oreilles et louchait légèrement. Il s'entendait à merveille avec le châtelain, mais je m'aperçus bientôt que M. Trelawney n'était pas en très bons termes avec le capitaine.

Ce dernier avait l'air sévère et semblait fort mécontent de tout ce qui se passait à bord. Il ne tarda pas à nous dire pourquoi, car, à peine avions-nous gagné la cabine qu'un matelot nous y rejoignit et dit au châtelain :

— Le capitaine Smollett demande à vous parler, monsieur.

— Je suis toujours aux ordres du capitaine. Faites-le entrer.

L'officier, qui se trouvait très près de son messager, pénétra immédiatement dans la cabine, et referma la porte derrière lui.

— Eh bien, capitaine Smollett, qu'avez-vous à nous dire ? J'espère que tout est en bon ordre et que nous sommes parés pour naviguer ?

— Ma foi, monsieur, j'estime qu'il vaut mieux parler franchement, même au risque de vous offenser. Je n'aime pas ce voyage, je n'aime pas cet équipage, et je n'aime pas mon second. Voilà qui est clair et net.

— Peut-être, monsieur, n'aimez-vous pas non plus le bateau ? demanda le châtelain d'un air fort courroucé.

— Je ne puis me prononcer sur ce point, monsieur, car je ne l'ai pas encore mis à l'épreuve. J'ai l'impression que c'est un bâtiment très maniable, mais je ne peux en dire plus.

— Peut-être n'aimez-vous pas non plus celui qui vous a engagé ?

A ce moment, le docteur Livesey intervint.

— Un instant, s'il vous plaît ! s'exclama-t-il Des questions pareilles ne servent à rien qu'à envenimer les choses. Le capitaine en a trop dit ou il n'en a pas dit assez, et je dois le prier d'expliquer ses paroles. Vous avez déclaré que vous n'aimiez pas ce voyage. Pourquoi cela ?

— Je me suis engagé, d'après ce que nous appelons des instructions secrètes, à mener ce bateau à l'endroit où monsieur m'en donnerait l'ordre. Jusque-là tout va bien. Mais je découvre à présent que le dernier des matelots en sait plus long que moi. Je ne trouve pas cela très équitable.

— Moi non plus.

— Ensuite, j'apprends que nous partons à la recherche d'un trésor (et j'apprends cela par mes hommes, songez-y bien). Or, chercher un trésor est une affaire délicate.

Je n'aime pas les voyages qui ont pour but la découverte d'un trésor, surtout lorsque leur destination est un secret, et que ce secret (excusez-moi, monsieur Trelawney) a été révélé au perroquet.

— Au perroquet de Silver ? demanda le châtelain.

— C'est une façon de parler, répondit le capitaine. J'entends par là que tout le monde en cause. Je suis persuadé, messieurs, que vous ne savez pas dans quelle aventure vous vous engagez, mais je vais vous dire ce que j'en pense : c'est une question de vie ou de mort, et les chances sont égales.

— Voilà qui est parfaitement clair, et, je dois le reconnaître, assez vrai, répliqua le docteur Livesey. Nous acceptons les risques de l'entreprise, mais nous ne sommes pas aussi ignorants que vous semblez le croire. Vous avez dit également que vous n'aimiez pas l'équipage. N'est-il pas composé de bons marins ?

— Ils ne me plaisent pas, monsieur. Et, puisque vous abordez ce sujet, j'estime que j'aurais dû être libre de choisir mes hommes moi-même.

— C'est possible, en effet. Peut-être mon ami aurait-il dû vous consulter ; néanmoins, soyez sûr que l'offense, si offense il y a, fut tout à fait involontaire. Vous n'aimez pas non plus M. Arrow ?

— Non, monsieur. Je crois que c'est un bon marin, mais il se montre trop familier avec l'équipage pour être un bon officier. Un second doit garder ses distances, et ne pas boire avec de simples matelots.

— Voulez-vous dire que c'est un ivrogne ? s'écria le châtelain.

— Non, monsieur ; mais il est trop familier.

— Eh bien, capitaine, reprit le docteur, pouvez-vous nous faire savoir en deux mots ce que vous désirez ?

— Messieurs, êtes-vous bien résolus à entreprendre ce voyage ?

— Plus que jamais, déclara le châtelain.

— Fort bien. En ce cas, puisque vous m'avez écouté fort patiemment avancer des choses que je ne peux prouver, permettez-moi d'ajouter encore quelques mots. On est en train de mettre la poudre et les armes dans la cale avant. Or, vous disposez d'un très bon emplacement sous la cabine : pourquoi ne pas les y mettre ? Tel est mon premier point. Ensuite, vous emmenez avec vous quatre de vos gens, et j'ai appris que certains d'entre eux doivent coucher à l'avant. Pourquoi ne pas les faire coucher à côté de la cabine ? Tel est mon second point.

— N'avez-vous rien d'autre à ajouter ? demanda M. Trelawney.

— Si, encore une chose. Il y a déjà eu trop de bavardages.

— Beaucoup trop, approuva le docteur.

— Je vais vous dire ce que j'ai moi-même entendu : vous possédez la carte d'une île ; il y a des croix sur cette carte, indiquant l'emplacement du trésor ; enfin, l'île est située par... (et il nous donna la latitude et la longitude exactes).

— Je n'ai jamais soufflé mot de tout ceci à âme qui vive ! s'écria le châtelain.

— Les matelots le savent, monsieur.

— Livesey, cela ne peut venir que de vous ou de Hawkins ! s'exclama le châtelain.

— Peu importe de qui cela vient, répliqua le docteur.

Je vis bien que ni lui ni le capitaine n'attachaient aucune importance aux protestations de M. Trelawney. Moi non plus, en vérité, car c'était un incorrigible bavard. Pourtant, en la circonstance, je crois qu'il disait vrai et que personne n'avait révélé la position de l'île.

— Eh bien, messieurs, reprit le capitaine, j'ignore qui détient cette carte ; mais j'exige que ni moi ni M. Arrow n'en sachions rien : j'en fais un cas de conscience. Sinon, je vous prierai d'accepter ma démission.

— Je vois, dit le docteur. Vous voulez que nous gardions le secret sur cette affaire et que nous transformions l'arrière du bateau en fortin pourvu de toutes les armes et de toute la poudre qui sont à bord, avec les serviteurs de mon ami comme garnison. En d'autres termes, vous craignez une mutinerie.

— Monsieur, sans avoir la moindre intention de me froisser de vos paroles, je ne vous permets pas de me faire dire ce que je n'ai pas dit. Aucun capitaine, monsieur, n'aurait le droit de prendre la mer s'il était fondé à penser une chose pareille. Je crois que M. Arrow est parfaitement honnête ; certains matelots le sont également ; peut-être le sont-ils tous, pour autant que je sache. Mais je suis responsable de la sécurité du bateau et de tous ceux qui se trouvent à bord. Il me semble qu'il y a plusieurs choses qui clochent, et je vous demande de prendre quelques mesures de prudence ou d'accepter ma démission. Un point, c'est tout.

— Capitaine Smollett, commença le docteur en souriant, connaissez-vous la fable de *la Montagne qui accouche d'une souris ?* J'espère que vous m'en excuserez, mais vous me faites penser à cette fable. Quand vous êtes entré ici, je gagerais ma perruque que vous aviez une tout autre intention.

— Docteur, vous êtes un malin. Quand je suis entré ici, j'avais l'intention de me faire donner mon congé, car je ne pensais pas que M. Trelawney écouterait un seul mot.

— Et vous ne vous trompiez pas ! s'exclama le châtelain. Si Livesey n'avait pas été là, je vous aurais envoyé au diable. En fait, je vous ai écouté. J'agirai selon vos désirs ; mais je vous tiens en plus piètre estime que jamais.

— Comme il vous plaira, monsieur. Néanmoins, vous verrez que je sais faire mon devoir.

Sur ces mots, il se retira.

— Trelawney, déclara le docteur, contrairement à ce que je pensais, je crois que vous avez réussi à recruter deux gaillards parfaitement honnêtes : cet homme et John Silver.

— Silver, tant que vous voudrez. Mais quant à cet intolérable charlatan, je considère que sa conduite est indigne d'un homme, indigne d'un marin, et, par-dessus tout, indigne d'un Anglais.

— Ma foi, nous verrons bien !

Quand nous arrivâmes sur le pont, les hommes avaient déjà commencé le transfert des armes et de la poudre ; ils rythmaient leur travail en criant : « oh, hisse ! », sous la surveillance du capitaine et de M. Arrow.

Le nouvel arrangement me plaisait beaucoup. La

goélette avait subi d'importantes transformations. On avait aménagé six couchettes dans la partie arrière de la grande cale, et ce groupe de cabines ne communiquait avec la cuisine et le gaillard d'avant qu'au moyen d'une étroite coursive aux parois renforcées par des espars. Primitivement, ces six couchettes devaient être occupées par le capitaine, M. Arrow, Hunter, Joyce, le docteur et le châtelain. Désormais, Redruth et moi en occuperions deux, tandis que M. Arrow et le capitaine logeraient sur le pont, dans le capot de descente qui avait été élargi des deux côtés de façon à mériter presque le nom de grande cabine. La pièce était encore basse de plafond, mais il y avait assez de place pour accrocher deux hamacs, et le second lui-même semblait satisfait de cette nouvelle disposition. Peut-être lui aussi avait-il des soupçons au sujet de l'équipage, mais c'est là une simple supposition de ma part : en effet, comme vous le verrez, il n'eut guère le temps de nous donner son opinion.

Nous travaillions tous activement à déplacer la poudre et les armes, lorsque Long John, accompagné de deux retardataires, arriva dans un canot.

Le coq grimpa à bord, agile comme un singe, et dès qu'il vit ce qui se passait, il s'écria :

— Holà, camarades ! qu'est-ce que ça veut dire ?

— On change la poudre de place, Jack, répondit un matelot.

— Mais tonnerre de sort ! on va manquer la marée du matin si on perd son temps à ça !

— Ce sont mes ordres ! déclara le capitaine d'un ton sec. Vous pouvez aller à vos fourneaux, mon garçon. L'équipage aura faim ce soir.

— Bien, commandant, répondit le maître coq. Puis, portant la main à son front, il disparut aussitôt dans la direction de sa cuisine.

— Voilà un brave homme, capitaine, dit le docteur.

— C'est possible, monsieur, répondit l'officier, qui ajouta aussitôt à l'adresse des matelots en train de transporter la poudre :

— Allez-y doucement, garçons.

Ensuite, voyant que j'examinais le canon sur pivot

72

placé au milieu du navire, une longue pièce de neuf en bronze, il s'écria :

— Hé, toi, le mousse, file d'ici immédiatement. Va retrouver le coq et mets-toi à l'ouvrage.

Et, tandis que je m'éloignais en hâte, je l'entendis qui disait à voix haute au docteur :

— Je ne veux pas de privilégiés à bord.

Je vous assure que je partageai complètement l'opinion du châtelain à ce moment-là, et que je détestai le capitaine de tout mon cœur.

X
Le voyage

Pendant toute la nuit nous fûmes fort occupés à arrimer chaque chose à sa place. En outre, de nombreux amis du châtelain (entre autres, M. Blandly) vinrent en canot lui souhaiter bon voyage et bon retour. Jamais je n'avais eu tant de travail à « L'Amiral Benbow », et j'étais épuisé lorsque, un peu avant l'aube, le maître d'équipage siffla les hommes qui se placèrent aux barres du cabestan. Même si j'avais été deux fois plus fatigué, je n'aurais pas quitté le pont, car tout pour moi était trop neuf, trop passionnant : les ordres brefs, les coups de sifflet stridents, les hommes qui se hâtaient de rejoindre leur poste, à la lueur douteuse des fanaux.

— Hé, Tournebroche, chante-nous en une ! cria un matelot.

— Le vieux refrain, dit un autre.

— D'accord, camarades, répliqua Long John qui était là, sa béquille sous le bras.

Aussitôt, il entonna l'air que je connaissais si bien :

Ils étaient quinze sur le coffre du mort...

Puis tous les matelots continuèrent en chœur :

Oh, hisse ! et une bouteille de rhum !

Et en prononçant : « Oh, hisse ! » ils poussèrent avec entrain les barres du cabestan placées devant eux.

Malgré mon état d'exaltation, je me trouvai ramené à « L'Amiral Benbow » en une seconde, et il me sembla entendre la voix aiguë du capitaine au milieu du chœur. Mais bientôt l'ancre fut presque hissée ; bientôt elle fut suspendue, toute ruisselante, à l'avant de la goélette ; bientôt les voiles se gonflèrent, et la terre et les bateaux défilèrent des deux côtés. Avant que j'aie pu m'étendre pour prendre une heure de sommeil, l'*Hispaniola* avait commencé à voguer vers l'Ile au Trésor.

Je ne relaterai pas en détail ce voyage qui s'effectua dans de bonnes conditions. Le bateau se révéla un fin voilier, tous les matelots étaient fort capables, et le capitaine connaissait à fond son métier. Mais, avant notre arrivée en vue de l'Ile au Trésor, il se produisit deux ou trois incidents que le lecteur doit connaître.

Tout d'abord, M. Arrow se montra bien pire que le capitaine ne l'avait redouté. Il n'avait aucune autorité sur les hommes qui faisaient de lui ce qu'ils voulaient. Mais ce n'était pas le plus grave, car, au bout d'un jour ou deux, il apparut sur le pont en état d'ébriété, manifestant son ivresse par plusieurs symptômes caractéristiques : yeux vagues, joues rouges, parole embarrassée. Il fut mis aux arrêts à plusieurs reprises. Parfois il tombait et se blessait ; parfois il restait couché toute la journée dans son hamac ; parfois il était presque sobre et remplissait passablement ses fonctions.

Personne ne parvint à découvrir d'où il tirait l'alcool qu'il buvait : c'était l'énigme du bord. Nous avions beau le surveiller de près, nous ne pûmes jamais résoudre le mystère. Quand on lui posait franchement la question, il se contentait de rire s'il était ivre, et, s'il ne l'était pas, il jurait solennellement qu'il ne buvait que de l'eau.

Non seulement il n'était bon à rien comme officier et

exerçait une mauvaise influence sur les hommes, mais encore il semblait évident que, à ce train, il ne pouvait manquer de se tuer. C'est pourquoi personne ne fut très surpris (ni très affecté) lorsque, au sein d'une nuit noire, par une mer debout, il disparut à jamais.

— Enlevé par une lame ! déclara le capitaine. Eh bien, messieurs, cela nous évitera la peine de le mettre aux fers.

Cependant, nous étions privés de second, et il fallait, naturellement, donner de l'avancement à l'un des matelots. Le plus qualifié était Job Anderson, le maître d'équipage, qui, désormais, tout en gardant son titre primitif, remplit plus ou moins les fonctions de second. M. Trelawney ayant beaucoup navigué, ses connaissances le rendirent très utile, car il lui arriva souvent de prendre un quart en personne par temps calme. Quant au patron de canot, Israël Hands, c'était un vieux marin plein d'expérience, prudent et rusé, auquel on pouvait confier n'importe quoi en cas de besoin.

Il était l'ami intime de Long John et voilà pourquoi, après avoir mentionné son nom, j'en viens à parler de notre maître coq, Tournebroche, comme l'appelaient ses camarades.

A bord, il portait sa béquille pendue autour du cou par un bout de ride [1] pour avoir les deux mains libres. C'était quelque chose de le voir caler le pied de cette béquille contre une cloison, et, appuyé sur elle, cédant aux mouvements du bateau, cuisiner comme s'il avait été sur la terre ferme. Mais il offrait un spectacle encore plus étrange quand il traversait le pont par gros temps. Pour l'aider à franchir les endroits les plus larges, on avait installé deux ou trois bouts de ligne, que les hommes appelaient les boucles d'oreilles de Long John. Et il passait d'un lieu à l'autre, tantôt se servant de sa béquille, tantôt la traînant par la ride, aussi vite qu'un homme pourvu de ses deux jambes. Pourtant, ceux qui avaient navigué avec lui auparavant s'apitoyaient de le voir réduit à cela.

— C'est pas un homme ordinaire, ce Tournebroche,

---

1. Petit cordage servant à tendre les haubans. *(N.d.T.)*

me disait le patron de canot. Il a eu pas mal d'instruction du temps de sa jeunesse ; il peut parler comme un livre quand ça lui chante. Et courageux, avec ça ! un lion n'existe pas, comparé à Long John. Je l'ai vu, les mains nues, empoigner quatre hommes et leur fracasser la tête en les cognant les uns contre les autres.

Tout l'équipage le respectait et même lui obéissait. Il avait une manière à lui de parler aux hommes, de rendre à chacun d'eux un service personnel. Il manifestait à mon égard une bienveillance inlassable et semblait toujours heureux de me recevoir dans sa cuisine qu'il tenait toujours aussi propre qu'un sou neuf, avec ses plats bien fourbis accrochés au mur et son perroquet en cage dans un coin.

— Entre, Hawkins, me disait-il. Entre et viens tailler une bavette avec le vieux John. Ça me fait rudement plaisir de te voir, mon fils. Assieds-toi et écoute les nouvelles. Y a le capitaine Flint (c'est comme ça que j'appelle mon perroquet en souvenir du fameux boucanier), y a le capitaine Flint qui nous prédit un heureux voyage ; pas vrai, capitaine ?

Et l'oiseau se mettait à répéter : « Pièces de huit ! pièces de huit ! pièces de huit ! » avec tant de rapidité que je m'émerveillais qu'il n'en perdît pas le souffle, jusqu'au moment où John lançait son mouchoir sur la cage.

— Tu vois, Hawkins, poursuivait le maître coq, cet oiseau-là, peut-être bien qu'il a deux cents ans. Y en a qui vivent éternellement, pour ainsi dire ; mais seul le diable a vu plus d'atrocités que celui-là. Il a navigué avec le grand capitaine England, le pirate. Il a été à Madagascar, à Malabar, à Surinam, à Providence, à Portobello. Il a assisté au repêchage des gallions naufragés. C'est là qu'il a appris à dire « Pièces de huit », et ça n'a rien d'étonnant : trois cent cinquante mille qu'y en avait, Hawkins. Il a assisté à l'abordage du *Vice-Roi des Indes,* au large de Goa. A le voir comme ça, on croirait que c'est un enfant ; mais tu as senti la poudre, pas vrai, capitaine ?

— Attention ! pare à virer ! criait l'oiseau.

— Ah ! c'est un fameux marin, pour ça, oui, déclarait le cuisinier.

Là-dessus, il tirait un morceau de sucre de sa poche pour le lui donner, et alors le perroquet becquetait les barreaux de sa cage en proférant des jurons abominables.

— Vois-tu, mon gars, ajoutait le cuisinier, on peut pas toucher de la poix sans se salir. Ce pauvre oiseau, qu'est tout à fait innocent, jure comme un possédé sans savoir ce qu'il dit, je t'en fiche mon billet. Il ferait pareil devant un pasteur.

Sur ces mots, John portait sa main à son front d'un air grave qui me faisait penser que c'était le meilleur des hommes.

Pendant ce temps, le châtelain et le capitaine Smollett étaient toujours en froid. M. Trelawney ne se gênait pas et méprisait ouvertement le capitaine. Ce dernier, de son côté, ne parlait jamais que si on lui adressait la parole. Il s'exprimait toujours d'un ton sec et coupant, sans un mot inutile. Mis au pied du mur, il reconnaissait qu'il semblait s'être trompé au sujet de l'équipage, que certains matelots se montraient aussi actifs qu'il pouvait le souhaiter, et que tous s'étaient plutôt bien conduits jusqu'ici. Quant au bateau, il le trouvait vraiment tout à fait à son goût.

— Il navigue en serrant le vent avec plus de docilité qu'un mari ne doit en attendre de sa propre femme, déclarait-il. Mais je continue à dire que ce voyage me déplaît et que nous ne sommes pas encore rentrés chez nous.

Alors le châtelain lui tournait le dos et arpentait le pont, le menton levé.

— Si j'entendais cet homme prononcer encore un mot, j'éclaterais, affirmait-il.

A plusieurs reprises nous eûmes du gros temps, ce qui mit en valeur les qualités de l'*Hispaniola*. Tous à bord semblaient satisfaits, et ils se seraient montrés bien difficiles s'il en avait été autrement, car je suis persuadé que jamais équipage ne fut plus gâté depuis que Noé s'embarqua sur son arche. On servait double ration de grog au moindre prétexte ; il y avait du pudding en certaines occasions, par exemple quand le châtelain apprenait que c'était l'anniversaire d'un des matelots ; en outre, on trouvait un tonneau de pommes toujours ouvert· sur le passavant, où chacun pouvait se servir à son gré.

— A ma connaissance, pareille générosité n'a jamais donné rien de bon, dit un jour le capitaine au docteur Livesey. Qui gâte les hommes en fait des démons : telle est mon opinion.

Pourtant, comme vous allez le voir, le tonneau de pommes donna quelque chose de bon, car, sans lui, nous n'aurions pas eu le moindre avertissement, et nous aurions pu tous périr sous les coups de la trahison.

Voici comment les choses se passèrent.

Après avoir franchi la zone des alizés pour trouver le vent qui nous mènerait vers notre île (je ne suis pas autorisé à être plus précis), nous filions maintenant à belle allure dans sa direction, et un homme de vigie guettait nuit et jour. Même en comptant largement, nous étions au dernier jour de notre voyage. Pendant la nuit, ou, au plus tard, le lendemain matin, nous serions en vue de l'Ile au Trésor. Nous avions le cap S.-S.-O., une bonne brise par le travers, et une mer calme. L'*Hispaniola* roulait régulièrement et plongeait parfois dans les flots son beaupré qui soulevait une gerbe d'embruns. Toutes les voiles portaient, les plus basses comme les plus hautes ; nous étions tous pleins d'entrain car nous arrivions au terme de la première partie de notre aventure.

Or, juste après le coucher du soleil, alors que, mon travail terminé, je me dirigeais vers ma couchette, il me prit fantaisie de manger une· pomme. Je montai en courant sur le pont. Les matelots de quart étaient tous à l'avant, guettant l'apparition de l'île. L'homme à la barre observait les ralingues du côté du vent en sifflant doucement : on n'entendait aucun autre bruit, sauf le chuintement des flots contre l'étrave et les flancs du navire.

Après être entré tout entier dans le tonneau, je m'aperçus qu'il n'y avait presque plus de pommes. Je m'assis tout au fond, et là, sous l'effet de la rumeur de la mer et du bercement du navire, ou bien je m'étais endormi ou bien j'allais céder au sommeil lorsqu'un homme s'affala bruyamment tout près de moi. Le tonneau fut ébranlé au moment où il y appuya ses épaules. Je me préparais à me lever d'un bond quand l'homme se mit à parler. Je reconnus aussitôt la voix de Silver, et, dès que j'eus entendu une douzaine de mots, je perdis toute envie de me montrer. Je restai là, tremblant, l'oreille au guet, au paroxysme de la peur et de la curiosité, car ces douze mots avaient suffi à me faire comprendre que la vie de tous les honnêtes gens du bord dépendait de moi seul.

XI
Ce que j'entendis dans le tonneau de pommes

— Non, pas moi, disait Silver. C'est Flint qu'était capitaine ; moi j'étais que quartier-maître, rapport à ma jambe de bois. La même bordée qui m'a enlevé ma jambe a fait perdre ses hublots au vieux Pew. C'était un maître chirurgien çui-là qui m'a amputé..., sorti du collège et tout..., du latin plein la bouche, et je sais plus quoi encore... N'empêche qu'on l'a pendu comme un chien, et qu'il a séché au soleil comme les autres, à Corso Castle. Ça, c'étaient les hommes à Roberts ; et ça leur est arrivé parce qu'ils avaient changé les noms de leurs bateaux : le *Royal Fortune,* et les autres. Pour moi, quand un bateau a été baptisé, faut lui garder son nom, voilà ce que je dis. Ç'a été pareil pour le *Cassandre* qui nous avait tous ramenés sains et saufs de Malabar, après qu'England a eu mis le grappin sur le *Vice-Roi des Indes ;* ç'a été pareil pour le *Walrus,*

le vieux bateau de Flint, que j'ai vu tout ruisselant de sang et prêt à couler sous le poids de l'or.

— Ah ! s'écria une autre voix, celle du plus jeune marin du bord, manifestement plein d'admiration, c'était la fine fleur de la bande, ce Flint !

— Davis aussi était un fier luron, d'après tout ce qu'on en raconte, répliqua Silver. Mais j'ai jamais navigué avec lui. D'abord England, ensuite Flint : voilà toute mon histoire ; et maintenant, je suis comme qui dirait à mon compte. Avec England, j'ai mis neuf cent livres de côté, et deux mille avec Flint. C'est pas mal pour un simple matelot. Et tout ça bien à l'abri dans une banque. Ce qu'y a de difficile, c'est pas de gagner de l'argent, mais c'est de le mettre de côté, je vous en fiche mon billet. Où sont les hommes d'England, au jour d'aujourd'hui ? Je sais pas. Et ceux de Flint ? Ma foi, y en a pas mal ici à bord ; et bien heureux d'avoir de quoi manger, car plusieurs étaient obligés de mendier, avant ça. Le vieux Pew, qu'avait perdu la vue et qu'aurait dû donner le bon exemple, il a dépensé douze cents livres en une seule année, comme un grand seigneur. Et où il est maintenant ? Eh bien, il est mort, définitivement retiré de la circulation. Mais, pendant ces deux dernières années, mille sabords ! il a crevé de faim. Il a mendié, il a volé, il a assassiné ; et ça l'a pas empêché de crever de faim, mille tonnerres !

— Donc, tout compte fait, ça vaut pas le coup, dit le jeune marin.

— Ça vaut pas le coup pour des idiots, je t'en fiche mon billet... ça ou autre chose, s'écria Silver. Mais pour ce qui est de toi, tu as beau être jeune, tu es malin comme un singe. J'ai compris ça dès que je t'ai vu, et je vais te causer d'homme à homme.

Vous pouvez imaginer les sentiments que j'éprouvais en entendant cet abominable coquin adresser à un autre les mêmes paroles flatteuses dont il s'était servi à mon égard. Si je l'avais pu, je crois que je l'aurais tué à travers le tonneau. Cependant, il continua son discours, sans se douter le moins du monde qu'on l'écoutait.

— Je vais te dire le vrai du vrai au sujet des

gentilshommes de fortune. Ils ont la vie dure et ils risquent la corde ; mais ils mangent et boivent comme des coqs de combat, et, quand un voyage est fini, c'est des centaines de livres qu'ils empochent, et non pas des centaines de liards. Presque tous dépensent leur magot à boire du rhum et à tirer de bonnes bordées ; après ça, ils reprennent la mer sans rien que leur chemise sur le dos. Moi, c'est pas comme ça que je gouverne. Je mets tout de côté, un peu ici, un peu là, et jamais trop au même endroit, pour pas éveiller les soupçons. J'ai cinquante ans, l'oublie pas : au retour de ce voyage, je m'établis rentier pour de bon. Tu vas me dire ici qu'il est bien temps. Sans doute, mon gars ; mais, jusqu'à présent, j'ai vécu à mon aise ; jamais je me suis rien refusé ; j'ai dormi dans la plume et mangé de bons morceaux, sauf quand j'étais en mer. Et comment que j'ai commencé ? Simple matelot, comme toi !

— Bon, dit l'autre ; mais ton magot, il est fichu, maintenant. Tu oseras plus te montrer à Bristol après le coup qu'on doit faire.

— Et où tu crois qu'il est, mon magot ? demanda Silver d'un ton moqueur.

— Ma foi, à Bristol, dans des banques et ailleurs.

— Il y était quand on a levé l'ancre. Mais, à cette heure, ma bourgeoise a tout ramassé. La « Longue-Vue » est vendue, bail, clientèle et meubles ; et ma vieille est en route pour me rejoindre. Je te dirais bien à quel endroit, parce que je te fais confiance ; mais les camarades seraient jaloux.

— Et tu te fies à ta bourgeoise ?

— Les gentilshommes de fortune se méfient généralement les uns des autres, et ils ont bougrement raison, je t'en fiche mon billet. Mais, moi, j'ai mon système. Quand un gars me faussera compagnie (un gars qui me connaît, bien sûr), ça sera pas dans le même monde que Long John. Y en avait qui avaient peur de Pew, et y en avait d'autres qui avaient peur de Flint ; mais Flint lui-même avait peur de moi, tout fier qu'il était. Ah, mon fils, des gars comme ceux de Flint, y avait pas plus terrible sur mer ; le diable lui-même aurait pas osé s'embarquer avec eux. Eh bien, crois-moi, j'ai pas l'habitude de me vanter, et tu vois toi-même comme je suis sociable ; mais, quand j'étais quartier-maître, les vieux boucaniers de Flint filaient doux devant moi. Crois-moi, tu peux être tranquille sur le bateau de Long John.

— Ma foi, pour te dire vrai, j'aimais pas du tout cette affaire, John ; mais, à présent que j'ai causé avec toi, j'en suis : tope-là !

— Tu es un brave, et, par-dessus le marché, tu es un malin, répondit Silver en lui secouant la main avec tant de vigueur que le tonneau en trembla. J'ai jamais vu quelqu'un qui ait une plus belle tête de gentilhomme de fortune.

Je commençais maintenant à comprendre le sens de leur vocabulaire. Pour eux, un « gentilhomme de fortune », c'était tout simplement un pirate, et la petite scène que j'avais surprise venait d'achever de corrompre un honnête matelot, peut-être le dernier qui fût à bord. Mais je ne tardai pas à être rassuré sur ce point, car Silver ayant donné un léger coup de sifflet, un troisième homme arriva à pas lents et vint s'asseoir à côté des deux autres.

— Dick marche avec nous, déclara Silver.

— Ça, j'en étais sûr, répondit la voix du patron de canot, Israël Hands. Il est pas idiot, Dick.

Il roula sa chique dans sa bouche, cracha, puis poursuivit :

— Mais, dis donc, Tournebroche, y a une chose que j'voudrais savoir : combien de temps qu'on va louvoyer, comme un foutu canot à provisions ? J'en ai jusque-là, du capitaine Smollett. Mille tonnerres ! y a assez longtemps qu'y me crève de travail ! J'veux entrer dans c'te cabine, moi. J'veux tâter de leurs conserves, de leurs vins, et de tout le reste.

— Israël, tu as jamais eu beaucoup de jugeotte. Mais je pense que tu es capable d'entendre : en tout cas, tes oreilles sont assez grandes pour ça. Et voilà ce que j'ai à te dire : tu vas continuer à coucher à l'avant, à trimer dur, à parler doux et à rester sobre, jusqu'à tant que je donne l'ordre de passer à l'action, je t'en fiche mon billet, mon gars.

— Ben, j'dis pas non, grommela l'autre. Tout ce que j'veux savoir, c'est quand ça va se passer. Un point, c'est tout.

— Quand ? Mille tonnerres ! si tu tiens à le savoir, je vais te le dire tout de suite : le plus tard possible, mon gars ! Réfléchis un peu. Y a un marin de première, le capitaine Smollett, qui gouverne pour nous ce foutu bateau. Y a ce châtelain et ce docteur qui ont une carte et tout le fourbi. Je sais pas où elle est, pas vrai ? Et toi non plus, que tu me dis. Alors, mille tonnerres ! je veux que ce châtelain et ce docteur trouvent le magot et nous aident à le transporter à bord. Après ça, on verra. Si j'étais sûr de vous tous, bande de lourdauds, j'attendrais que le capitaine Smollett nous ait ramenés à moitié chemin avant de frapper.

— Ben, quoi, on est tous des bons marins, ici, à ce qu'y me semble, déclara le jeune Dick.

— Tu veux dire qu'on est tous de simples matelots, répliqua Silver d'un ton sec. Nous pouvons gouverner, mais qui c'est qui établira la route à suivre ? Si je pouvais faire à mon idée, je laisserais le capitaine Smollett nous ramener au moins jusqu'aux alizés ; alors, on aurait pas de foutues erreurs de calcul, et on serait pas obligé de se contenter d'une cuillerée d'eau par jour. Mais je vous connais trop bien. Je leur réglerai leur compte sur l'île, dès que le magot sera à bord, et c'est fichtrement dommage. Mais vous êtes jamais contents que quand vous êtes saouls. Par tous les diables, ça me fait mal au cœur de naviguer avec des bougres de votre espèce !

— Mollis un peu, Long John ! s'écria Israël. Qui c'est qui te contrarie ?

— Dis-moi, combien tu crois que j'en ai vus, de grands bateaux pris à l'abordage ? et combien de gars délurés en train de sécher au soleil, au bout d'une corde, sur le Quai des Exécutions ? Et tout ça, à cause de cette foutue presse ! Tous trop pressés, qu'ils étaient, tu m'entends ? Moi qui te cause, j'ai vu pas mal de choses en mer. Si seulement vous vouliez prendre un cap et vous rapprocher d'un quart du lit du vent, vous rouleriez carrosse, je vous en fiche mon billet. Mais, pas de danger ! Je vous connais. Il vous faudra votre lampée de rhum demain, et après ça vous irez vous faire pendre.

— On sait que tu causes comme un pasteur, John, répliqua Israël ; mais y en a eu d'autres qu'étaient capables de serrer une voile et de gouverner aussi bien que toi. Ils aimaient rigoler un peu, pour sûr. Ils prenaient pas des grands airs, ceux-là ; ils s'en payaient une bonne tranche, comme de gais lurons qu'ils étaient.

— Et après ? Veux-tu me dire où ils sont aujourd'hui ? Pew était un de ces gars-là, et, quand il est mort, il mendiait son pain ; Flint aussi faisait partie de la bande, et lui, c'est le rhum qui l'a tué, à Savannah. Sûr et certain que c'était une fameuse équipe !... Seule-emnt, où elle est passée, aujourd'hui ?

— Mais, dites donc, demanda Dick, quand on les aura pris par le travers, qu'est-ce qu'on va en faire ?

— Voilà un garçon qui me plaît ! s'écria le cuisinier d'un ton admiratif. Ça, c'est du sérieux ! Et alors, qu'est-ce que tu en penses ? Est-ce qu'on va les abandonner à terre ? Ça, ç'aurait été la manière d'England. Ou bien, est-ce qu'on va les couper en morceaux comme des cochons ? Ça, ç'aurait été la manière de Flint ou de Billy Bones.

— Billy, c'était bien son genre, déclara Israël. « Morte la bête, mort le venin », qu'il disait. Au bout du compte, il est mort, lui aussi, à présent ; y doit savoir ce qu'y en est, maintenant. Et si jamais y a un rude marin qu'est arrivé au port, c'est bien Billy.

— Là, tu as raison, c'était un sacré marin, expéditif et efficace. Mais, écoutez-moi bien, vous autres : je suis très doux de mon naturel, et, comme vous dites, j'ai de bonnes manières. Seulement, cette fois-ci, c'est sérieux. Le devoir, c'est le devoir, camarades. Je vote la mort. Quand je serai membre du parlement et quand je roulerai carrosse, je veux pas qu'un de ces messieurs de la cabine revienne brusquement au pays, sans qu'on s'y attende, comme le diable pendant la messe. Faut pas se presser, voilà ce que je dis ; mais le moment venu, alors, on lâche tout !

— John, t'es un homme ! s'exclama le patron de canot.

— Tu diras ça, Israël, quand tu m'auras vu au travail. Y a qu'une chose que je me réserve : je veux régler son compte à Trelawney. Celui-là, je lui tordrai le cou et je lui arracherai sa sale tête de veau de mes propres mains... Dick ! ajouta-t-il, en s'interrompant, lève-toi, comme un brave garçon que tu es, et va me chercher une pomme, pour que je me rafraîchisse la dalle.

Vous pouvez imaginer quelle fut ma terreur. Si j'en avais eu la force, j'aurais sauté hors du tonneau et me serais sauvé en courant ; mais le cœur me manquait et les jambes aussi. J'entendis Dick qui se levait ; puis quelqu'un dut l'arrêter, et Hands s'exclama :

— Bah ! laisse donc ça, John ! Tu vas pas te mettre à sucer cette eau de cale. Vaut mieux prendre une lampée de rhum.

— Dick, déclara Silver, je te fais confiance. Je t'avertis qu'y a une jauge au baril. Voilà la clé ; remplis un gobelet et apporte-le ici.

Malgré ma terreur, je ne pus m'empêcher de songer que c'était sans doute par ce moyen que M. Arrow se procurait l'alcool qui avait causé sa perte.

L'absence de Dick fut de courte durée, mais le patron de canot en profita pour parler à l'oreille du cuisinier. Je ne pus saisir que quelques mots, et pourtant j'appris d'importantes nouvelles ; car, outre plusieurs bribes ayant trait au même sujet, j'entendis cette phrase entière : « Y en aura pas un autre qui marchera avec nous. » D'où je conclus qu'il restait encore des hommes fidèles à bord.

Lorsque Dick fut revenu, ils prirent le gobelet à tour de rôle et burent. « A notre réussite », dit l'un. « A la santé du vieux Flint », déclara l'autre. Quant à Silver, il récita sur un ton de mélopée : « A notre santé et tenons le plus près ; beaucoup de butin et le ventre bien plein. »

A ce moment une vague lueur tomba sur moi, au fond du tonneau. Ayant levé les yeux, je vis que la lune venait d'apparaître ; elle argentait le perroquet de fougue et baignait de sa blanche clarté la voile du mât de misaine. Presque au même instant, la voix de la vigie cria : « Terre ! »

XII
Conseil de guerre

Sur le pont retentit un grand bruit de pas précipités. J'entendis les hommes sortir en désordre de la cabine et du poste d'équipage. En un instant, je me glissai hors du tonneau, plongeai derrière la voile du mât de misaine, filai au pas de gymnastique vers l'arrière, et débouchai sur l'embelle juste à temps pour me joindre à Hunter et au docteur Livesey qui couraient en direction du bossoir au vent.

Tout l'équipage s'y trouvait déjà rassemblé. Une ceinture de brouillard s'était dissipée presque en même temps que la lune se levait. Au loin, vers le sud-ouest, nous aperçûmes deux collines distantes de deux milles environ, derrière lesquelles se dressait un autre pic, beaucoup plus élevé, dont le faîte disparaisssait encore dans la brume. Ces trois éminences au sommet pointu étaient de forme conique.

Je vis tout ceci comme dans un rêve car je n'étais pas encore remis de la terrible frayeur que j'avais éprouvée une minute auparavant. Puis, j'entendis la voix du capitaine Smollett lancer des ordres. L'*Hispaniola* vint dans le vent de deux quarts, et suivit une route qui éviterait l'île par le côté est.

— Maintenant, garçons, dit le capitaine quand toutes les voiles furent bordées à bloc, quelqu'un d'entre vous a-t-il déjà vu cette terre ?

— Oui, moi, commandant, répondit Silver. J'ai fait de l'eau ici du temps où j'étais cuisinier sur un bateau marchand.

— Le mouillage est au sud, derrière un îlot, à ce qu'il me semble ?

— Oui, commandant ; l'îlot du Squelette, qu'on l'appelle. Dans le temps, c'était un repaire de pirates, et un matelot qu'on avait à bord connaissait tous les noms qu'ils avaient donnés aux différents endroits de l'île. Cette colline au nord, c'est le Mât de Misaine. Y en a trois à la file, en direction du sud : Misaine, Grand Mât et Artimon. Mais le Grand Mât (c'est la plus haute, qui a un nuage dessus), ils l'appelaient d'habitude la Longue-Vue, parce qu'ils y mettaient une vigie quand ils étaient à l'ancre en train de faire du nettoyage : car c'est là qu'ils nettoyaient leurs bateaux, commandant, sauf votre respect.

— Voici une carte. Dites-moi si c'est bien l'endroit.

Les yeux de Long John étincelèrent, mais, en voyant la blancheur du papier, je compris qu'il allait être déçu. Ce n'était pas le document que nous avions trouvé dans le coffre de Billy Bones, mais une copie exacte, complète en tous points (noms, altitudes, sondages), à l'exception des croix rouges et des notes manuscrites. Bien que sa contrariété dût être grande, Silver eut assez de force de volonté pour la dissimuler.

— Oui, commandant, déclara-t-il. C'est l'endroit, pour sûr, et rudement bien dessiné. Qui a pu faire ça, je me le demande. Je suppose que les pirates étaient trop ignorants. Oui, voilà : « Mouillage du capitaine Kidd »... c'est juste comme ça que mon camarade l'appelait. Y a un fort courant vers le sud qui remonte ensuite au nord en suivant la côte ouest. Vous avez rudement bien fait de venir au vent et de passer sous le vent de l'île. Du moins, si vous avez l'intention de mouiller pour caréner, vu qu'y a pas de meilleur endroit pour ça dans ces eaux-là.

— Merci, mon brave. Je vous demanderai plus tard de nous aider. Vous pouvez disposer.

Je fus étonné du calme avec lequel John avait admis qu'il connaissait l'île, et j'avoue que j'eus un peu peur en le voyant s'approcher de moi. Bien sûr, il ignorait que je l'avais entendu exposer ses projets, au fond du tonneau de pommes ; mais, entre-temps, sa cruauté, sa duplicité et son influence sur les hommes m'avaient inspiré une telle horreur que j'eus beaucoup de mal à réprimer un frisson quand il posa la main sur mon bras.

— Ah, dit-il, c'est un coin merveilleux, cette île ;

un coin merveilleux pour un gars qui veut aller à terre. Tu vas te baigner, grimper aux arbres, chasser les chèvres ; et tu escaladeras les collines comme si tu étais une chèvre toi-même. Ma parole, ça me rajeunit rien que d'y penser : j'ai failli en oublier ma béquille ! C'est bougrement agréable d'être jeune et d'avoir ses dix doigts de pied, je t'en fiche mon billet. Quand tu voudras faire une petite exploration, tu auras qu'à le dire au vieux John : il te préparera un casse-croûte à emporter.

Cela dit, il me donna une tape très amicale sur l'épaule, puis il partit vers l'avant en clopinant et descendit dans sa cuisine.

Le capitaine Smollett, le châtelain et le docteur Livesey se parlaient entre eux sur le gaillard d'arrière. Tout pressé que j'étais de leur raconter mon histoire, je n'osais pas les interrompre ouvertement. Pendant que je me torturais la cervelle pour trouver un prétexte vraisemblable, le docteur Livesey m'appela. Il avait oublié sa pipe dans la cabine, et, comme c'était un fumeur enragé, il voulait me demander d'aller la lui chercher. Mais, dès que je fus assez près de lui pour pouvoir parler sans être entendu des autres, je m'exclamai à voix basse :

— Docteur, écoutez-moi, je vous en prie. Descendez dans la cabine avec le châtelain et le capitaine, puis, trouvez un prétexte pour m'envoyer chercher. J'ai une terrible nouvelle à vous apprendre.

L'espace d'un instant, il changea de visage ; mais il reprit aussitôt son sang-froid.

— Merci, Jim, c'est tout ce que je voulais savoir, dit-il d'une voix forte, comme s'il venait de me poser une question.

Sur ces mots, il fit demi-tour et alla rejoindre les deux autres. Ils s'entretinrent pendant quelques instants, et bien qu'aucun d'eux ne tressaillît, n'élevât la voix, ou même ne poussât un sifflement de surprise, je ne tardai pas à comprendre que le docteur avait communiqué ma requête à ses compagnons, car j'entendis bientôt le capitaine donner un ordre à Job Anderson qui rassembla tout l'équipage sur le pont.

— Garçons, commença le capitaine Smollett, j'ai un mot à vous dire. L'île que vous voyez constitue le but de notre voyage. M. Trelawney, qui, nous le savons tous, est un homme fort généreux, vient de me demander quelques renseignements à votre sujet. Comme j'ai pu lui répondre que vous aviez tous fait votre devoir, du haut en bas, aussi bien que je pouvais le désirer, nous allons, lui, le docteur et moi, descendre dans la cabine pour boire à votre santé et à votre bonne chance, tandis qu'on vous servira du grog pour vous permettre de boire à notre santé et à notre bonne chance. Je vais vous dire ce que je pense de ça : je pense que c'est un très beau geste. Et, si vous êtes de mon avis, vous allez pousser un fameux hourra pour remercier celui qui l'accomplit.

Le hourra retentit aussitôt, naturellement ; mais il fut empreint de tant de force et d'enthousiasme que j'eus du mal à croire, je l'avoue, que ces mêmes hommes complotaient notre mort.

— Un autre hourra pour le capitaine Smollett ! s'écria Long John dès que le premier eut cessé.

Et cette seconde acclamation fut également poussée de tout cœur.

Là-dessus, le capitaine, le châtelain et le docteur quittèrent le pont. Peu de temps après, un matelot vint dire à l'avant qu'on demandait Jim Hawkins dans la cabine.

Je les trouvai attablés tous les trois devant une bouteille de vin d'Espagne et un plat de raisins secs. Le docteur tirait furieusement sur sa pipe ; il avait posé sa perruque sur ses genoux, ce qui trahissait, je le savais, une vive agitation. Le sabord arrière était ouvert, car la nuit était chaude, et on voyait la lune briller sur le sillage de la goélette.

— Hawkins, dit le châtelain, vous avez quelque chose à nous apprendre, paraît-il. Parlez sans contrainte.

Je m'exécutai aussitôt, et racontai, aussi brièvement que je le pus, tous les détails de la conversation entre Silver et ses complices. Aucun des trois hommes ne m'interrompit ni n'esquissa le moindre geste pendant que je parlais ; mais, du commencement à la fin de mon récit, ils gardèrent leur regard fixé sur moi.

— Jim, prends un siège, dit le docteur Livesey.

Ils me firent asseoir à leur table, me versèrent un verre de vin, me remplirent les mains de raisins secs ; puis, l'un après l'autre, ils burent à ma santé en s'inclinant devant moi, et me présentèrent leurs devoirs en me félicitant de ma chance et de mon courage.

— Capitaine, déclara ensuite le châtelain, vous aviez raison et j'avais tort. Je reconnais que je ne suis qu'un sot, et j'attends vos ordres.

— Pas plus sot que moi, monsieur. Je n'ai jamais entendu parler d'un équipage qui, étant prêt à se mutiner, n'ait pas laissé deviner son intention par certains signes permettant à tout homme clairvoyant de découvrir le pot aux roses et de prendre les mesures nécessaires. Mais cet équipage-ci me dépasse !

— Capitaine, dit le docteur, permettez-moi de vous dire que c'est l'œuvre de Silver. Un homme remarquable.

— Il ferait remarquablement bien au bout d'une vergue ! Mais tous ces discours ne nous mènent à rien. Je vois trois ou quatre points, et, avec la permission de M. Trelawney, je vais vous les exposer.

— Vous êtes le capitaine, c'est à vous de parler, répondit le châtelain d'un ton solennel.

— Premier point : nous devons aller de l'avant parce que nous ne pouvons pas revenir en arrière. Si je donnais l'ordre de virer de bord, les hommes se révolteraient sur-le-champ. Second point : nous avons du temps devant nous... en tout cas jusqu'à la découverte du trésor. Troisième point : il reste des matelots fidèles. Or, comme nous serons obligés d'en venir aux mains tôt ou tard, je propose de saisir l'occasion aux cheveux, comme on dit, et d'engager la bataille le jour où ils s'y attendront le moins. Je suppose que nous pouvons compter sur vos domestiques, monsieur Trelawney ?

— Comme sur moi-même.

— Trois et nous quatre (en comptant Hawkins), cela fait déjà sept. Quant aux matelots fidèles...

— Très probablement les hommes de Trelawney, dit le docteur ; ceux qu'il avait engagés avant de rencontrer Silver.

— Non, répliqua le châtelain. Hands était du nombre.

— J'aurais vraiment cru pouvoir me fier à lui, déclara le capitaine Smollett.

— Quand je pense que ce sont tous des Anglais ! s'exclama le châtelain. Ma parole, monsieur, cela me donne envie de faire sauter le navire !

— Ma foi, messieurs, reprit le capitaine, je n'ai pas grand-chose à vous dire. Nous devons mettre à la cape, si vous le voulez bien, et veiller au grain avec la plus grande attention. Je sais que c'est très pénible : il serait plus agréable d'en venir aux mains tout de suite. Mais il n'y a rien à faire tant que nous ne connaîtrons pas nos hommes. Mon avis est de mettre à la cape et de siffler pour avoir du vent.

— Jim, que voici, dit le docteur, peut nous aider plus que tout autre. Les hommes ne se méfient pas de lui, et c'est un garçon éveillé.

— Hawkins, j'ai prodigieusement confiance en vous, ajouta le châtelain.

Là-dessus, je faillis m'abandonner au désespoir, car j'étais conscient de mon impuissance totale. Pourtant, par un étrange concours de circonstances, ce fut bel et bien de moi que vint le salut. En attendant, en dépit de tous les discours, sur vingt-six hommes, nous ne pouvions nous fier qu'à sept ; et, sur ces sept là, il y avait un enfant, de sorte que cela faisait six hommes contre dix-neuf.

Troisième partie
Mon aventure à terre

XIII
Début de mon aventure à terre

Lorsque je montai sur le pont, le lendemain matin, l'île m'apparut sous un aspect tout nouveau. Bien que le vent fût complètement tombé, nous avions fait beaucoup de chemin pendant la nuit. A présent, nous nous trouvions encalminés à un demi-mille environ au sud-ouest de la côte orientale qui était fort basse. Des bois de couleur grisâtre couvraient la plus grande partie de l'île. Cette teinte uniforme était, à vrai dire, interrompue çà et là par des bandes de sable jaune dans les basses terres, et par des arbres de haute futaie, de la famille des pins, qui dominaient les autres soit isolément, soit en bouquets ; mais la couleur générale paraissait monotone et triste. Les collines érigeaient au-dessus de cette végétation leurs flèches de roc dénudé. Elles avaient toutes une forme étrange, et la Longue-Vue, plus haute que les autres de trois ou quatre cents pieds, était aussi la plus bizarre par sa configuration : elle montait à pic presque sur tous les côtés, puis se terminait brusquement par une sorte de piédestal qui semblait attendre une statue.

L'*Hispaniola* roulait, dalots noyés, dans la houle de l'océan. Les bouts-dehors tiraient sur les poulies ; la barre battait à droite et à gauche ; tout le navire craquait, gémissait et sursautait comme une fabrique. J'étais contraint de me cramponner au galhauban, et tout tournait vertigineusement devant mes yeux. Car, j'avais beau être assez bon marin quand nous faisions voile, je n'avais jamais pu supporter d'être ballotté ainsi sur place, comme une bouteille vide, sans ressentir quelques nausées, surtout le matin, l'estomac vide.

Que ce fût en raison de mon malaise, ou bien à cause de l'aspect de l'île avec ses bois mélancoliques et grisâtres, ses flèches de roc désolées, le ressac que je pouvais à la fois voir écumer et entendre mugir sur la grève abrupte, toujours est-il que, malgré le chaud soleil éclatant, malgré les oiseaux qui pêchaient et criaient autour de nous, malgré la présence proche de la terre où j'aurais dû être heureux de me rendre après un si long voyage en mer, je sentis mon cœur se serrer, et, dès ce premier coup d'œil, je pris en horreur l'idée même de l'Ile au Trésor.

Nous avions une pénible matinée de travail en perspective, car il n'y avait pas la moindre brise : il fallait donc mettre les canots à la mer, puis haler la goélette sur trois ou quatre milles pour contourner la pointe de l'île et remonter l'étroit chenal qui menait au havre derrière l'îlot du Squelette. Je m'embarquai comme volontaire à bord d'un de ces canots, où je n'avais, naturellement, rien à faire. Il régnait une chaleur étouffante, et les hommes pestaient furieusement contre leur besogne. Anderson, qui commandait l'embarcation, protestait plus fort que ses matelots au lieu d'essayer de les calmer.

— Bah ! s'exclama-t-il en proférant un juron, ça ne durera pas toujours.

Cela me parut de très mauvais présage, car, jusqu'alors, les hommes avaient fait leur travail avec zèle ; mais, à la vue de l'île, les liens de la discipline s'étaient aussitôt relâchés.

Pendant tout le temps que dura la manœuvre, Long John, debout près du timonier, gouverna le navire. Il connaissait le chenal comme sa poche, et, bien que le sondeur trouvât partout plus de fond qu'il n'en était porté sur la carte, le maître-coq n'hésita pas une seule fois.

— Y a un sérieux nettoyage fait par la marée, déclara-t-il. Cette passe a été creusée comme qui dirait à coups de bêche.

Nous mouillâmes à l'endroit même indiqué par la carte, à un tiers de mille environ du rivage de l'île principale et à la même distance du rivage de l'îlot du Squelette. Le fond était de sable fin. La chute de notre ancre fit s'envoler des nuées d'oiseaux qui se mirent à tournoyer en criant au-dessus des bois ; mais, quelques instants plus tard, ils se posèrent de nouveau et tout redevint silencieux.

L'anse se trouvait complètement enfermée par des terres couvertes de grands bois dont les arbres descendaient jusqu'à la ligne des hautes eaux ; les rives étaient plates ; les collines formaient dans le lointain une sorte d'amphithéâtre. Deux petites rivières, ou plutôt, deux marécages, se déversaient dans l'espèce d'étang où nous avions jeté l'ancre. Sur cette partie de la côte le feuillage avait un éclat vénéneux. Du navire on ne pouvait voir ni le fortin, ni sa palissade, enfouis au milieu des arbres. Sans la présence de la carte étalée sur le capot, nous aurions pu croire que nous étions les premiers à mouiller dans ce lieu depuis que l'île était sortie des flots.

Il n'y avait pas la moindre brise ; on n'entendait aucun bruit sauf le grondement du ressac contre les grèves et les rochers à un demi-mille de distance. Une odeur très particulière stagnait dans l'air : une odeur de feuilles détrempées et de troncs d'arbres pourrissants. J'observai que le docteur était en train de renifler, comme quelqu'un qui flaire un œuf gâté.

— J'ignore s'il y a un trésor ici, déclara-t-il, mais je gagerais ma perruque qu'il y a de la fièvre.

Si la conduite des hommes avait été inquiétante dans

le canot, elle devint franchement menaçante quand ils furent remontés à bord. Ils traînaient çà et là sur le pont en grommelant entre eux. Ils recevaient d'un air furieux l'ordre le plus insignifiant, pour l'exécuter ensuite avec négligence et à contrecœur. Même les marins honnêtes avaient dû se laisser gagner par la contagion, car il n'y avait pas un seul homme à bord qui valût mieux qu'un autre. De toute évidence, la mutinerie était suspendue au-dessus de nous comme une nuée d'orage.

Nous n'étions pas les seuls à percevoir le danger. Long John se dépensait sans compter, allant de groupe en groupe, prodiguant les bons conseils, offrant le meilleur exemple. Il se surpassait en bonne volonté et en gentillesse ; il était tout sourire pour tout le monde. Dès qu'on donnait un ordre, il sautait sur sa béquille, et répondait : « Bien, commandant ! » du ton le plus jovial. Enfin, quand il n'y avait plus rien d'autre à faire, il entonnait une chanson après l'autre, comme pour cacher le mécontentement général.

De tous les éléments sinistres de ce sinistre après-midi, l'anxiété manifeste de Long John était ce qu'il y avait de pire.

Nous tînmes conseil dans la cabine.

— Monsieur, dit le capitaine au châtelain, si je me risque à donner un autre ordre, tout l'équipage va nous tomber dessus immédiatement. Voici comment les choses se présentent. On me répond grossièrement, n'est-ce pas ? Eh bien, si je réplique, ce sera tout de suite la bagarre ; si je me tais, Silver comprendra qu'il y a anguille sous roche, et la partie sera perdue. Nous ne pouvons plus compter que sur un seul homme.

— Et qui donc ? demanda le châtelain.

— Silver, monsieur. Il désire autant que vous et moi calmer cette agitation. Nous sommes en présence d'une petite crise ; il y mettrait fin en parlant à ses hommes s'il en avait l'occasion, et je vous propose de la lui fournir. Accordons-leur un après-midi à terre. S'ils partent tous, nous aurons le bateau à nous pour combattre. S'ils restent tous, nous tiendrons la cabine, et Dieu défendra le bon droit. Si quelques-uns d'entre eux s'en vont, je vous affirme que Silver les ramènera à bord doux comme des agneaux.

Il en fut décidé ainsi. On distribua des pistolets chargés à tous les hommes sûrs. Hunter, Joyce et Redruth furent mis au courant : ils reçurent la nouvelle avec moins d'étonnement et plus de sang-froid que nous ne nous y attendions. Puis, le capitaine monta sur le pont et harangua l'équipage en ces termes :

— Garçons, la journée a été rude, et nous sommes tous fatigués et énervés. Une promenade à terre ne fera de mal à personne. Les canots sont encore à l'eau ; tous ceux qui en ont envie peuvent s'embarquer et passer l'après-midi sur l'île. Je ferai tirer un coup de canon une demi-heure avant le coucher du soleil.

Je crois que ces imbéciles s'imaginaient qu'ils allaient trébucher sur le trésor dès qu'ils seraient à terre. En effet, oubliant aussitôt leur mauvaise humeur, ils poussèrent une acclamation qui réveilla les échos d'une colline lointaine et fit à nouveau s'envoler une nuée d'oiseaux criards autour de nous.

Le capitaine était trop intelligent pour ne pas laisser la place libre. Il s'éclipsa en un moment, abandonnant à Silver le soin d'organiser l'expédition, en quoi j'estime qu'il fit preuve de la plus grande sagesse. En effet, s'il était resté sur le pont, il n'aurait même pas pu feindre d'ignorer une situation aussi claire que le jour : Silver était capitaine, et il avait un équipage fort insubordonné. Les matelots fidèles (j'allais bientôt découvrir qu'il y en avait) devaient être particulièrement stupides. Ou, plutôt, je suppose que tous les hommes avaient été amenés par l'exemple des meneurs à manifester plus ou moins leur mécontentement, mais que certains étaient de trop braves garçons pour se laisser entraîner plus loin. C'est une chose de se montrer fainéant et poltron ; c'en est une autre de s'emparer d'un bateau et d'assassiner des innocents.

Finalement, l'expédition fut organisée. Six hommes devaient rester à bord ; les treize autres, Silver inclus, commencèrent à embarquer.

C'est alors que me vint à l'esprit la première de ces idées folles qui contribuèrent tellement à nous sauver la vie. Puisque Silver avait laissé six hommes à bord, il était clair que notre groupe ne pouvait s'emparer du navire ; mais, puisqu'il n'y avait que six mutins, il était également clair que notre groupe pouvait fort bien se passer de moi. Je résolus aussitôt d'aller à terre. En un clin d'œil je me laissai glisser par-dessus bord, et me blottis à l'avant du canot le plus proche qui poussa au large presque au même instant.

Personne ne fit attention à moi, sauf le rameur de proue qui me dit : « C'est toi, Jim ? Baisse la tête. » Mais Silver, dans l'autre canot, se tourna vivement de notre côté et demanda si c'était bien moi. Dès cet instant, je commençai à regretter ce que j'avais fait.

Les deux équipages rivalisèrent de vitesse pour gagner la grève. Le canot dans lequel je me trouvais, outre qu'il avait un peu d'avance, était plus léger et mieux manœuvré, si bien qu'il distança l'autre de beaucoup. Dès que son avant eut atteint les arbres du rivage, je m'accrochai à une branche, sortis de l'embarcation en me balançant, et m'enfonçai dans le fourré le plus proche, tandis que Silver et les autres étaient encore à cent yards en arrière.

— Jim ! Jim ! appela le maître coq.

Mais vous pouvez imaginer que je ne fis aucune attention à ses cris. Sautant, plongeant, me frayant un passage à travers les fourrés, je courus droit devant moi jusqu'à ce que je fusse à bout de forces.

XIV
Le premier coup

J'étais si content d'avoir faussé compagnie à Long John que je commençai à m'amuser et à regarder avec intérêt le paysage environnant.

Après avoir traversé une étendue marécageuse couverte de saules, de joncs et d'arbres aux formes bizarres, je me trouvais maintenant au bord d'un terrain ondulé, sablonneux, long d'un mille environ, parsemé de quelques pins et de plusieurs arbres rabougris, semblables à des chênes, mais dont le feuillage rappelait celui des saules. De l'autre côté de cet espace découvert se dressait une des collines étrangement couronnée par deux pics abrupts qui étincelaient au soleil.

Je connus alors pour la première fois les joies de l'exploration. L'île était inhabitée. J'avais laissé derrière moi mes compagnons de bord, et je n'avais devant moi que des bêtes et des oiseaux. J'errai au hasard parmi les arbres. Çà et là poussaient des plantes en fleurs que je ne connaissais pas. Parfois, je voyais des serpents ; l'un d'eux, lové sur une saillie rocheuse, darda la tête vers moi et poussa un sifflement assez analogue au ronflement d'une toupie. Je ne me doutais guère que je me trouvais en présence d'un ennemi mortel, et que je venais d'entendre le bruit de crécelle du serpent à sonnettes.

J'arrivai ensuite à un long fourré de ces arbres semblables à des chênes (j'appris par la suite qu'il s'agissait de chênes verts) ; croissant sur le sable comme des ronces, ils avaient des branches curieusement tordues et un feuillage aussi dur que du chaume. Le fourré descendait en s'élargissant du haut d'un tertre sablonneux jusqu'au bord du large marais plein de roseaux à travers lequel la plus proche des deux petites rivières filtrait jusqu'à notre mouillage. Sous l'action du soleil brûlant, le marais exhalait un voile de buée derrière lequel je voyais vibrer les contours de la Longue-Vue.

Brusquement, il y eut une grande agitation parmi les joncs ; un canard sauvage prit son essor en poussant un appel rauque ; un autre le suivit, et bientôt une grande nuée d'oiseaux criards se mit à tourner en cercles sur toute l'étendue du marais. Je jugeai immédiatement que certains de mes compagnons de bord devaient approcher. Je ne me trompais pas, car j'entendis bientôt le son faible et lointain d'une voix humaine qui, tandis que j'écoutais, devint de plus en plus forte.

Ceci m'inspira une grande frayeur. Je rampai sous l'abri du chêne vert le plus proche et m'y blottis, l'oreille au guet, sans faire plus de bruit qu'une souris.

Une seconde voix répondit. Puis, la première (que je reconnus pour celle de Silver) reprit le fil de son histoire pendant longtemps, de façon très volubile, et ne fut interrompue par l'autre que très rarement. D'après leur ton, les deux interlocuteurs devaient discuter sérieusement, même avec violence ; mais je ne pus distinguer un seul mot.

Finalement, il me sembla que les deux hommes avaient fait halte et s'étaient peut-être assis. En effet, non seulement ils cessèrent d'approcher, mais encore les oiseaux commencèrent à se calmer et à reprendre leurs places dans le marais.

Alors, j'eus l'impression que je négligeais ma tâche : puisque j'avais eu la folle témérité d'aller à terre avec ces hommes de sac et de corde, je ne pouvais faire moins que de surprendre leurs propos. De toute évidence, mon devoir était de m'approcher d'eux le plus possible sous le couvert favorable des arbres rabougris.

Je pouvais assez exactement déterminer l'endroit où ils se trouvaient, non seulement d'après le son de leurs voix, mais aussi par l'attitude des rares oiseaux qui planaient encore, pleins d'alarme, au-dessus des intrus.

A quatre pattes, je me mis à avancer avec lenteur mais régulièrement vers eux, et enfin, à travers une trouée dans les feuillages, je pus apercevoir, au creux d'un vallon verdoyant proche du marais et étroitement entouré d'arbres, Long John Silver en conversation avec un des matelots.

Le soleil donnait en plein sur eux. Silver avait jeté son chapeau sur le sol à côté de lui, et il levait vers son compagnon son large visage lisse et blond, tout luisant de sueur, d'un air de prière.

— Camarade, disait-il, c'est parce que j'estime que tu vaux ton pesant d'or, oui, ton pesant d'or, je t'en fiche mon billet ! Si je t'avais pas à la bonne, tu crois que je serais là, à te prévenir ? Tout est réglé maintenant, y a plus rien à faire. C'est pour sauver ta peau que je te cause, et si un de ces sauvages savait ça, dans quels draps je serais, Tom... dis-moi un peu, dans quels draps je serais ?

— Silver, répondit l'autre (je remarquai qu'il avait le visage rouge, et que sa voix, aussi rauque que celle d'un corbeau, vibrait comme une corde tendue), t'es âgé, t'es honnête (du moins ça se dit), et t'as pas mal d'argent, ce qui est pas le cas de beaucoup de matelots ; en plus, t'es courageux, à ce que je pense. Et tu veux me faire croire que tu te laisses entraîner par ce ramassis d'andouilles ? Allons donc ! Pour moi, aussi sûr que Dieu me voit, j'aimerais mieux qu'on me coupe la main plutôt que de marcher avec eux. Si jamais je faisais pas mon devoir...

Soudain, un bruit l'interrompit. Je venais de découvrir un des matelots fidèles, et, à cet instant même, j'eus des nouvelles d'un autre. Au loin, dans le marais, jaillit un cri de colère, suivi immédiatement d'un second cri, puis d'un hurlement horrible et prolongé. Les rochers de la Longue-Vue en répétèrent plusieurs fois les échos, et toute la troupe des oiseaux aquatiques prit de nouveau son essor dans un grand bruissement d'ailes, assombrissant le ciel. Longtemps après, ce cri d'agonie résonnait encore dans ma tête, alors que le silence régnait à nouveau et que la langueur de cet après-midi torride était rompue seulement par le fracas lointain du ressac et le froissement des plumes des oiseaux en train de se poser.

Tom avait sursauté, comme un cheval sous l'éperon, mais Silver était resté impassible. Légèrement appuyé sur sa béquille, il demeurait à la même place, observant son compagnon, tel un serpent prêt à frapper.

— John ! s'écria le matelot en tendant la main.

— Bas les pattes ! dit le cuisinier, qui sauta en arrière d'un bon yard, avec la rapidité et la précision d'un gymnaste exercé.

— Bas les pattes si tu veux, répliqua l'autre. Faut que t'aies bien mauvaise conscience pour avoir peur de moi. Mais, au nom du ciel, dis-moi ce que c'était que ça.

— Ça ? répondit Silver en souriant, mais plus circonspect que jamais, ses yeux, pas plus gros que des pointes d'épingles, étincelant comme des éclats de verre dans son large visage. Ça ? je suppose que c'était Alan.

En entendant ces mots, le pauvre Tom fut pris d'une fureur héroïque.

— Alan ? s'écria-t-il. Qu'il repose en paix, car c'était un vrai marin ! Pour ce qui est de toi, John Silver, t'as été longtemps mon copain, mais c'est bien fini. Si je dois crever comme un chien, je crèverai en faisant mon devoir. Alors, comme ça, vous avez tué Alan ? Eh bien, tue-moi aussi, si tu peux ; mais je t'en défie.

Cela dit, cet homme courageux tourna immédiatement le dos au cuisinier et se mit en marche vers la grève. Il ne devait pas aller bien loin. Poussant un cri de rage, Silver s'accrocha d'une main à une branche d'arbre, enleva rapidement sa béquille de dessous son bras et lança cet étrange projectile qui alla frapper le pauvre Tom, la pointe en avant, avec une force stupéfiante, juste entre les deux épaules. L'infortuné leva les bras, poussa un soupir étouffé, et s'écroula sur le sol.

Nul ne saura jamais dire s'il était légèrement ou grièvement blessé. Selon toute vraisemblance, à en juger par le bruit du coup, sa colonne vertébrale fut brisée net. Mais il n'eut pas le temps de reprendre ses sens. Quelques instants plus tard, Silver, agile comme un singe, même privé de sa béquille, se trouvait courbé au-dessus de sa victime et enfonçait par deux fois son poignard jusqu'à la garde dans ce corps sans défense. De ma cachette, je l'entendis haleter en frappant.

J'ignore ce que peut être au juste un évanouissement

véritable, mais je sais que, pendant les instants suivants, le monde entier disparut devant mes yeux derrière un voile de brume ; Silver, les oiseaux, la cime de la Longue-Vue se mirent à tourner en rond et à la renverse tandis que toutes sortes de cloches et de voix lointaines tintaient à mes oreilles.

Quand je retrouvai mes esprits, le monstre, sa béquille sous le bras, son chapeau sur la tête, avait repris son calme habituel. Tom gisait, inerte, à ses pieds ; mais le meurtrier, sans se soucier de lui le moins du monde, essuyait paisiblement son couteau ensanglanté sur une touffe d'herbe. A part cela, rien n'était changé : le soleil continuait à darder ses rayons implacables sur le marais fumant et la cime altière de la colline, et j'avais peine à croire qu'un crime venait d'être commis, qu'une vie humaine avait été cruellement brisée sous mes yeux, quelques instants auparavant.

Soudain, Long John mit la main dans sa poche et en sortit un sifflet dont il tira plusieurs modulations qui résonnèrent au loin dans l'air surchauffé. Naturellement, j'ignorais le sens de ce signal, mais il éveilla aussitôt mes craintes. D'autres hommes allaient arriver, qui pourraient bien me découvrir. Les mutins avaient déjà tué deux matelots fidèles ; après Tom et Alan, ce serait peut-être mon tour.

Aussitôt, je commençai à me dégager du fourré pour regagner, le plus vite et le plus silencieusement possible, la partie la moins touffue du bois. Ce faisant, j'entendais le vieux boucanier et ses camarades échanger des appels, et ce bruit, signe de danger, me donna des ailes. Dès que je fus hors du fourré, je courus comme je n'avais jamais couru de ma vie, sans me soucier de la direction que je prenais pourvu qu'elle m'éloignât des assassins. Pendant que je fuyais, ma terreur ne cessait de croître, jusqu'à ce qu'elle devînt une espèce de délire.

En vérité, j'étais irrémédiablement perdu. Quand le coup de canon retentirait, comment oserais-je regagner les canots au milieu de ces démons aux mains encore souillées par le sang de leur crime ? Le premier d'entre eux qui me verrait ne me tordrait-il pas le cou comme à un poulet ? Mon absence même ne leur prouverait-elle pas que j'avais peur, et que, par suite, j'étais au courant de leur forfait ? Je songeai que tout était fini. Adieu, *Hispaniola* ; adieu, châtelain, docteur et capitaine ! Il ne me restait plus qu'à mourir de faim ou à succomber sous les coups des bandits.

Pendant tout ce temps-là, comme je l'ai dit, je continuais à courir, et, sans y prendre garde, j'étais arrivé au pied de la colline aux deux pics, dans une partie de l'île où les chênes verts, plus éloignés les uns des autres, ressemblaient davantage, par leur aspect et leurs dimensions, à des arbres de haute futaie. Ils étaient entremêlés de quelques pins qui pouvaient avoir de cinquante à soixante-dix pieds de haut. L'air y semblait plus pur qu'au bord du marais.

Et voici qu'une nouvelle alerte me cloua sur place, le cœur battant à tout rompre.

XV
L'homme de l'île

Du flanc de la colline, qui était à cet endroit abrupte et rocheuse, une petite avalanche de pierres dégringola avec fracas en bondissant parmi les arbres. Ayant tourné les yeux instinctivement dans cette direction, je vis une forme indistincte sauter rapidement derrière le tronc d'un pin. Je fus incapable de discerner si c'était un singe ou un homme. Elle paraissait sombre et velue : je n'en savais pas davantage. Mais la terreur que m'inspira cette nouvelle apparition me cloua sur place.

A présent, ma retraite était, semblait-il, coupée des deux côtés : derrière moi, les assassins ; devant moi, un être indéfinissable. Je commençai aussitôt à préférer les dangers que je connaissais à ceux que j'ignorais. Silver lui-même me semblait moins terrible par comparaison avec cette créature des bois. Je fis donc volte-face, et, tout en lançant de nombreux coups d'œil attentifs par-dessus mon épaule, je rebroussai chemin en direction des canots.

Aussitôt, la silhouette reparut, et, décrivant un grand détour, se mit en devoir de me barrer la route. De toute façon, j'étais épuisé de fatigue ; mais, même si j'avais été aussi frais qu'à mon lever, je n'aurais pu lutter de vitesse avec un tel adversaire. Cette créature filait d'arbre en arbre, aussi rapide qu'un daim. Elle courait sur deux jambes comme un homme, tout en restant presque pliée en deux, ce que je n'avais jamais vu faire à aucun homme. Pourtant, c'en était bien un, je ne pouvais plus conserver le moindre doute à ce sujet.

Je commençai à me rappeler ce que j'avais entendu dire au sujet des cannibales, et je fus sur le point d'appeler au secours. Cependant, le simple fait qu'il s'agissait d'un homme, si sauvage fût-il, m'avait un peu rassuré, et ma crainte de Silver se ranimait en proportion. Je restai donc immobile, cherchant dans ma tête un moyen de fuir. Tandis que je réfléchissais de la sorte, je me rappelai soudain que je n'étais pas sans défense, car j'avais un pistolet sur moi.

A ce moment, il était embusqué derrière un autre tronc d'arbre ; mais il avait dû m'observer très attentivement, car, dès que je commençai à me déplacer dans sa direction, il réapparut et s'avança à ma rencontre. Ensuite, il hésita, battit en retraite, avança de nouveau, puis, à ma stupeur et à ma confusion, il se jeta à mes genoux, tendant ses mains jointes en un geste suppliant.

Je m'arrêtai aussitôt et lui demandai :

— Qui êtes-vous ?

— Ben Gunn, répondit-il d'une voix rauque et mal assurée, qui grinçait comme une serrure rouillée. C'est Ben Gunn que je suis, le pauvre Ben Gunn, et voilà trois ans que j'ai pas causé à un chrétien.

C'était comme moi un homme blanc, aux traits assez agréables. Il avait un visage brûlé par le soleil ; même ses lèvres étaient noires, et ses yeux bleus formaient un contraste saisissant avec ce visage si sombre. Il l'emportait de beaucoup, par ses haillons, sur tous les mendiants

que j'avais pu voir ou imaginer. Il était vêtu de lambeaux de vieille toile à voile et de, vieux cirés ; et cet extraordinaire assemblage était maintenu par un système d'attaches aussi variées que bizarres : boutons de cuivre, bouts de bois, nœuds de sangle goudronnée. Autour de la taille, il portait un vieux ceinturon de cuir à boucle de cuivre, seule partie solide de tout son accoutrement.

— Trois ans ! m'écriai-je. Vous avez donc fait naufrage ?

— Non, camarade, j'ai été « marronné ».

J'avais déjà entendu ce mot ; je savais qu'il désignait un affreux châtiment assez courant parmi les boucaniers : le coupable était abandonné à terre sur une île déserte et lointaine, muni d'un fusil, d'un peu de poudre et de quelques balles.

— Oui, y a trois ans que j'ai été marronné ; y a trois ans que je vis de chèvres, de fruits et d'huîtres. Partout où il est, que je dis, un homme peut se tirer d'affaire tout seul. Mais, tu sais, camarade, je crève d'envie d'un peu de nourriture bonne pour un chrétien. T'aurais pas, des fois, un bout de fromage sur toi ? Non ? Tant pis ! J'en ai passé des nuits et des nuits, à rêver de fromage (surtout grillé), et puis, au réveil, j'étais toujours ici.

— Si jamais je peux retourner à⁻ bord, vous aurez du fromage en quantité, répondis-je.

Pendant que nous parlions, il n'avait pas cessé de palper le drap de ma vareuse, de me caresser les mains, de regarder mes souliers, et de manifester, entre deux répliques, un plaisir enfantin à se trouver en présence d'une créature humaine. Mais, quand il eut entendu mes derniers mots, il redressa la tête d'un air sournois et effaré.

— Si jamais tu peux retourner à bord, que tu dis ? Et qui c'est-y qui va t'en empêcher ?

— Pas vous, je le sais.

— Pour ça, t'as bien raison. Mais... dis-moi, camarade, comment c'est qu'on t'appelle ?

— Jim.

— Jim, Jim, répéta-t-il d'un air enchanté. Eh bien, Jim, la vie que j'ai menée, t'en aurais honte si je te la racontais, tellement que je me suis mal conduit. Par exemple, à me voir comme ça, tu croirais jamais que j'ai eu une mère très pieuse, hein ?

— Ma foi, non ; pas précisément.

— Pourtant, c'est vrai : remarquablement pieuse, qu'elle était. Et moi, j'ai été un petit gars très bien élevé et très pieux, capable de dégoiser mon catéchisme si vite qu'on ne pouvait pas distinguer un mot de l'autre. Et maintenant, tu vois ousque j'en suis, Jim ! Et tout ça a commencé en jouant au bouchon sur les tombes du cimetière. Oui, ça a commencé comme ça, pour aller ensuite beaucoup plus loin ; et ma mère m'avait bien tout prédit, pour sûr, la sainte femme ! Mais c'est la Providence qui m'a mené ici. J'ai eu le temps de réfléchir, tout seul sur cette île, et je suis revenu à la religion. On me prendra plus à goûter du rhum, sauf un dé à coudre, bien sûr, à la première occasion, en manière de réjouissance. J'ai juré d'être honnête, et je sais comment m'y prendre... Et puis, Jim, ajouta-t-il à voix très basse, en jetant un coup d'œil tout autour de lui, je suis riche.

Je fus alors persuadé que le pauvre diable était devenu fou dans sa solitude. Cette pensée dut transparaître sur mon visage, car il répéta avec chaleur :

— Riche ! riche ! que je te dis. Et je te jure, mon petit Jim, que je ferai un homme de toi. Ah ! Jim, tu béniras ton étoile, pour sûr, d'avoir été le premier à me trouver !

Comme il prononçait ces mots, une ombre passa brusquement sur son visage ; il étreignit ma main avec plus de force, leva un index menaçant devant mes yeux, et demanda :

— Dis-moi, Jim, parle sans mentir : c'est pas le bateau de Flint ?

Il me vint alors une inspiration heureuse. Je commençai à croire que j'avais trouvé un allié, et je répondis immédiatement :

— Ce n'est pas le bateau de Flint, et Flint est mort. Mais, pour vous parler sans mentir, comme vous me l'avez demandé, je dois vous dire qu'il y a des hommes de Flint à bord, et c'est tant pis pour les autres.

— Y a pas... un homme... qu'a rien qu'une jambe ? murmura-t-il d'une voix haletante.

— Silver ?

— Oui, Silver ! c'est bien comme ça qu'y s'appelait !

— C'est le cuisinier ; et aussi le meneur de la bande.

En entendant ces mots, il tordit mon poignet qu'il n'avait pas lâché.

— Si t'es envoyé par Long John, mon compte est bon, je le sais... Mais, vous autres, où c'est-y que vous en êtes ?

En un instant j'eus pris ma décision : en guise de réponse, je lui racontai toute l'histoire de notre voyage et lui exposai la situation critique dans laquelle nous nous trouvions. Il m'écouta très attentivement, puis me tapota la tête quand j'eus fini.

— Jim, tu es un bon gars, dit-il, et vous êtes tous dans un drôle de pétrin, pas ? Alors, vous avez qu'à faire confiance à Ben Gunn... Ben Gunn est l'homme qui vous sortira de là. Mais, dis-moi un peu : crois-tu que ton châtelain se montrerait généreux au cas où je vous aiderais, vu que vous êtes dans un drôle de pétrin ?

Je déclarai que le châtelain était le plus généreux des hommes.

— Oui, mais, vois-tu, je veux pas qu'il me donne une porte à garder, ou une livrée de valet : c'est pas ça qui m'intéresse, Jim. Ce que je voulais dire, c'est ceci : crois-tu qu'il irait jusqu'à me refiler... mettons un millier de livres sur un magot qui est déjà comme qui dirait ma propriété ?

— J'en suis sûr. Il avait prévu que tous les matelots auraient leur part.

— Et il me réserverait une place à bord pour le retour ? demanda-t-il d'un air rusé.

— Bien sûr ! m'écriai-je. Le châtelain est un gentilhomme. D'ailleurs, si nous réussissons à nous débarrasser des autres, nous aurons besoin de vous pour nous aider à manœuvrer le bateau.

— Ah, oui, c'est vrai ! s'exclama-t-il d'un ton très soulagé.

« Et maintenant, poursuivit-il, je vais te dire ce que

j'ai à te dire, et pas un mot de plus. J'étais sur le bateau de Flint quand il a enterré le trésor ; y avait lui et six autres... six solides marins que c'était. Ils sont restés à terre près d'une semaine, pendant que nous autres, on louvoyait à bord du vieux *Walrus*. Un beau matin, on entend le signal, et on voit arriver le vieux Flint tout seul dans son canot, la tête bandée d'un foulard bleu. Le soleil se levait, et Flint avait un visage tout pâle. Mais il était là, bien vivant, et les six autres étaient morts... morts et enterrés. Comment qu'il avait pu faire ça, pas un de nous a jamais pu le comprendre. En tout cas, y avait eu bataille, meurtre et mort violente : lui seul contre six. Billy Bones, c'était le second ; Long John, c'était le quartier-maître ; et ils lui ont demandé où se trouvait le trésor. « Ah, qu'il leur a répondu, vous pouvez aller à terre si ça vous chante, et y rester ; mais, pour ce qui est du bateau, mille tonnerres ! il va filer pour en chercher d'autre. » Voilà comment qu'il leur a répondu.

« Trois ans après ça, j'étais dans un autre bateau, et voilà qu'on arrive en vue de cette île. « Les gars, que je dis, le trésor de Flint est ici, on va débarquer et le chercher. » Le capitaine était pas content, mais les camarades ont été d'accord pour descendre à terre. Pendant douze jours qu'on a cherché, et, chaque jour, les autres avaient des mots durs pour moi. Puis, un beau matin, ils sont tous remontés à bord. « Pour ce qui est de toi, Ben Gunn, qu'ils ont dit, voilà un fusil, une pelle et une pioche. Tu vas rester ici, et, le trésor de Flint, tu le chercheras tout seul. »

« E bien, Jim, y a trois ans que je suis ici, et j'ai pas eu une seule bouchée de nourriture chrétienne pendant tout ce temps. Mais regarde-moi, fiston, et dis-moi un peu : est-ce que j'ai l'air d'un simple matelot ? Non, que tu dis. Et, en effet, j'en étais pas un, que je te dis. »

Là-dessus, il m'adressa un clin d'œil, puis me pinça très fort.

— Tu as qu'à répéter ça à ton châtelain, Jim, poursuivit-il. « Et c'en était pas un, non plus », voilà ce qu'il faudra lui dire. « Pendant trois ans il a été l'homme de l'île, de jour et de nuit, par beau temps et par mauvais temps, et, des fois, il pensait à faire une prière (que tu diras), et des fois il pensait à sa pauvre mère (que Dieu lui prête vie !) ; mais le plus gros de son temps (c'est ça que tu lui diras, Jim), le plus gros de son temps, Ben Gunn le passait à autre chose... » Et à ce moment, tu lui feras un pinçon comme ça.

Sur ces mots, il me pinça d'un air très confidentiel.

— Après ça, continua-t-il, tu te redresseras et tu ajouteras ceci : « Gunn, c'est un brave homme (que tu diras), et il a bougrement plus confiance (bougrement plus, dis-lui bien), dans un gentilhomme de naissance que dans ces gentilshommes de fortune, parce qu'il en a été un lui-même. »

— Ma foi, répondis-je, je n'ai pas compris un mot de tout ce que vous venez de me raconter. Mais ça n'a aucune importance puisque je ne sais pas comment je peux retourner à bord.

— Pour sûr, c'est ça le hic. Mais j'ai mon petit bateau, que j'ai fait de mes mains. Je le cache sous le rocher blanc. Si les choses en viennent au pire, on pourra essayer de s'en servir cette nuit... Tiens, qu'est-ce que c'est que ça ?

En effet, bien que le soleil ne dût pas se coucher avant une ou deux heures, le tonnerre d'un coup de canon venait de réveiller tous les échos de l'île.

— La bataille a commencé ! m'écriai-je. Suivez-moi.

Oubliant toutes mes terreurs, je me mis à courir vers le mouillage, accompagné par Ben Gunn qui trottait à côté de moi d'un pas léger.

— A gauche, à gauche ! me disait-il. Tiens-toi sur la gauche, Jim, à l'abri des arbres ! c'est là que j'ai tué ma première chèvre. Elles y viennent plus maintenant ; elles restent sur le ton du mât, dans les collines, parce qu'elles ont eu peur de Benjamin Gunn. Ah ! voilà le cimetière. Regarde un peu les petits monticules. C'est là que j'allais prier, des fois, quand je pensais que ça pouvait être dimanche. Pour sûr, ça remplaçait pas une chapelle, mais ça faisait plus solennel ; et puis, faut te dire que Ben Gunn était un peu démuni : pas de chapelain, pas même une bible ni un pavillon.

Il ne cessait pas de parler ainsi tout en courant avec moi, sans attendre ni recevoir de réponse.

Le coup de canon fut suivi, après un long intervalle, par une salve de mousqueterie.

Il y eut une autre pause, puis, à moins d'un quart de mille devant nous, je vis l'Union Jack flotter dans l'air au-dessus d'un bois.

Quatrième partie
Le fortin

XVI
Récit continué par le docteur : Comment le navire fut abandonné

On venait de « piquer » une heure et demie (comme disent les marins) quand les deux canots quittèrent l'*Hispaniola* pour gagner le rivage. Le capitaine, le châtelain et moi discutions ensemble dans la cabine. S'il y avait eu la moindre brise, nous serions tombés sur les six mutins laissés à bord, puis nous aurions filé notre câble et gagné le large. Mais nul vent ne soufflait ;

et, pour achever de nous réduire à l'impuissance, voilà que Hunter vint nous annoncer que Jim Hawkins était parti dans l'un des canots.

Il ne nous vint pas à l'esprit de douter de lui, mais nous fûmes très inquiets sur son sort. Etant donné l'humeur des hommes, il y avait cinquante chances sur cent que nous ne le revoyions jamais. Nous montâmes sur le pont au pas de course. La poix bouillonnait dans les coutures ; l'infecte puanteur de ce lieu me donna la nausée : si jamais j'ai respiré quelque part la fièvre et la dysenterie, c'est bien dans cet abominable mouillage. Les six coquins grommelaient, assis à l'avant à l'ombre d'une voile; sur le rivage, nous pouvions voir les yoles amarrées tout près de l'embouchure de la rivière, chacune gardée par un homme. L'un d'eux sifflait *Lillibullero* [1].

L'attente nous paraissant insupportable, on décida que Hunter et moi irions à terre dans le petit canot, en quête de renseignements.

Les yoles avaient appuyé sur la droite, mais nous nageâmes droit devant nous, en direction du fortin marqué sur la carte. Les hommes de garde dans les yoles semblèrent fort agités en nous voyant arriver. Le *Lillibullero* s'arrêta net, et les deux coquins commencèrent à discuter sur ce qu'ils devaient faire. S'ils étaient allés avertir Silver, tout aurait pu prendre une autre tournure. Mais je suppose qu'ils avaient reçu l'ordre de ne pas bouger, car ils décidèrent de rester tranquillement où ils étaient, et le *Lillibullero* se fit entendre à nouveau.

La côte présentait une légère pointe, et je gouvernai de façon à la mettre entre nous ; ainsi, avant même de débarquer, nous avions perdu de vue les deux yoles. Je sautai à terre, puis je me mis à marcher aussi rapidement que je l'osai, coiffé d'un grand foulard de soie sous mon chapeau pour me garder la tête au frais, et tenant en main deux pistolets tout amorcés par mesure de prudence.

A peine avais-je parcouru cent yards que j'arrivai au fortin.

---

1. Célèbre ballade tournant en dérision les catholiques irlandais. *(N.d.T.)*

Presque au sommet d'un tertre jaillissait une source d'eau claire. Elle se trouvait enfermée dans une solide cabane de rondins pouvant contenir, au besoin, quarante personnes, et dont les quatre parois étaient percées de meurtrières permettant un feu de mousqueterie. Tout autour, on avait défriché une large étendue de terrain. Une palissade haute de six pieds, dépourvue de toute ouverture, complétait cet ensemble ; elle se composait de pieux trop bien plantés pour être abattus sans beaucoup de temps et de peine, et trop espacés pour abriter les assiégeants. Les occupants du fortin avaient tous les avantages pour eux ; en demeurant tranquillement à couvert, ils fusillaient leurs adversaires comme des perdrix. Il leur suffisait d'avoir assez de vivres et de faire bonne garde. A moins d'une complète surprise, ils auraient pu tenir contre un régiment.

La source me plut tout particulièrement. En effet, si la cabine de l'*Hispaniola* constituait une assez bonne forteresse abondamment pourvue d'armes, de munitions, de vivres et d'excellents vins, nous avions négligé un détail important : elle manquait d'eau. J'étais en train de réfléchir à cela quand j'entendis résonner un cri d'agonie à l'intérieur de l'île. J'avais déjà assisté plusieurs fois à des morts violentes (j'ai servi sous les ordres de Son Altesse Royale, le duc de Cumberland, et j'ai reçu une blessure à Fontenoy), mais je sais que, malgré cela, mon cœur battit la chamade, car je songeai aussitôt : « Ils ont tué Jim Hawkins ! »

C'est quelque chose d'être un vieux soldat, mais c'est mieux encore d'être médecin. On n'a pas le temps de lanterner dans notre profession. Je pris une décision immédiate : sans perdre une seconde, je regagnai le rivage et sautai dans le petit canot.

Par chance, Hunter ramait fort bien. Notre embarcation vola sur les flots. Nous arrivâmes bientôt à la goélette, et je montai à bord.

J'y trouvai mes compagnons profondément bouleversés. Le châtelain était assis, blanc comme un linge, songeant à la tragique aventure dans laquelle il nous avait entraînés, la bonne âme ! Un des six mutins du gaillard d'avant ne valait guère mieux.

— Voilà un homme, dit le capitaine Smollett en le désignant d'un signe de tête, qui est novice dans ce métier. Il a failli s'évanouir, docteur, quand nous avons entendu ce cri. Encore un petit coup de barre, et il viendra avec nous.

J'exposai mon projet au capitaine, puis, à nous deux, nous fixâmes les détails de son exécution.

Le vieux Redruth fut posté dans la coursive reliant la cabine au gaillard d'avant, avec trois ou quatre fusils chargés, et un matelas pour se protéger. Hunter amena le canot sous le sabord de poupe ; après quoi, Joyce et moi entreprîmes d'y embarquer des boîtes de poudre, des fusils, des sacs de biscuits, des barils de porc, un tonnelet de cognac, et mon inestimable pharmacie portative. Pendant ce temps, le châtelain et le capitaine étaient restés sur le pont. M. Smollett héla le patron de canot, l'homme le plus important du petit groupe des mutins.

— Monsieur Hands, déclara-t-il, nous sommes deux ici qui avons chacun une paire de pistolets. Si l'un de vous six essaie de faire le moindre signal, c'est un homme mort.

Les bandits semblèrent passablement déconcertés. Après un bref conciliabule, ils s'engouffrèrent dans le capot avant, avec l'intention manifeste de nous attaquer par-derrière. Mais, après avoir vu Redruth qui les attendait dans la coursive, ils rebroussèrent chemin, et une tête se montra sur le pont.

— A bas, chien ! cria le capitaine.

La tête disparut aussitôt, et, pendant un bon laps de temps, ces six pleutres ne donnèrent plus signe de vie.

Dans l'intervalle, jetant les objets pêle-mêle à mesure qu'ils se présentaient, nous avions chargé le petit canot autant que la prudence le permettait. Joyce et moi descendîmes par le sabord de poupe, et gagnâmes la côte en faisant force de rames.

Ce second voyage suscita une grande agitation chez les guetteurs près de l'embouchure de la rivière. De nouveau le *Lillibullero* s'arrêta, puis, juste avant que nous les eussions perdus de vue, l'un des deux hommes sauta à terre et disparut. Je songeai un instant à modifier

mon plan et à détruire leurs embarcations ; mais je craignais que Silver et les autres ne fussent dans les parages, auquel cas nous aurions risqué de tout perdre en voulant trop gagner.

Après avoir touché terre au même endroit que précédemment, nous nous mîmes en devoir d'approvisionner le fortin. Nous fîmes le premier voyage à trois, lourdement chargés, et lançâmes les vivres par-dessus la palissade. Ensuite, ayant laissé Joyce pour les garder (un seul homme, bien sûr, mais armé d'une demi-douzaine de fusils), Hunter et moi retournâmes au canot pour prendre un nouveau fardeau. Nous continuâmes de la sorte, sans jamais nous arrêter pour souffler, jusqu'à ce que toute la cargaison fût en place : alors, les deux serviteurs se postèrent à l'intérieur du fortin, et je ramai de toutes mes forces vers l'*Hispaniola*.

En risquant un second chargement, nous nous montrâmes beaucoup moins téméraires qu'il ne semble. Bien sûr, les mutins avaient l'avantage du nombre, mais nous avions celui des armes. Aucun des hommes à terre ne possédait de fusil, et, avant qu'ils n'arrivent à portée de pistolet, nous nous flattions de pouvoir mettre hors de combat une bonne demi-douzaine d'entre eux.

Le châtelain m'attendait au sabord de poupe. Il avait retrouvé tout son courage. Il saisit l'amarre et l'attacha, puis nous commençâmes à charger le canot comme si notre vie était en jeu. Cette fois, la cargaison se composa de porc, de poudre et de biscuit, plus un fusil et un coutelas pour chacun de nous : le châtelain, Redruth, le capitaine et moi. Nous jetâmes par-dessus bord ce qui restait d'armes et de poudre, dans deux brasses et demie d'eau, de sorte que nous pouvions voir l'acier briller au soleil, bien au-dessous de nous, sur le fond de sable fin.

La marée commençait à baisser ; la goélette rappelait sur son ancre. Nous entendîmes des voix lointaines se héler du côté des deux yoles, et, bien que nous fussions ainsi rassurés sur le sort de Joyce et Hunter qui se trouvaient beaucoup plus à l'est, cela nous avertit qu'il était temps de partir.

Redruth abandonna son poste dans la coursive, puis se laissa tomber dans le canot, que nous amenâmes ensuite sous la voûte du navire pour permettre au capitaine Smollett de s'y embarquer facilement.

— Holà, garçons, dit-il, m'entendez-vous ?

Aucune réponse ne vint du gaillard d'avant.

— Abraham Gray, c'est à vous que je parle.

Toujours pas de réponse.

— Gray, reprit M. Smollett en forçant un peu la voix, je quitte ce bateau, et je vous ordonne de suivre votre capitaine. Je sais qu'au fond vous êtes un brave homme, et je crois que pas un d'entre vous n'est aussi mauvais qu'il le prétend. J'ai ma montre en main ; je vous donne trente secondes pour venir me rejoindre.

Il y eut un silence.

— Allons, mon ami, reprit le capitaine, ne soyez pas si lent à virer de bord. A chaque seconde, je mets en danger la vie de ces messieurs et la mienne.

Soudain, il y eut un bruit de lutte, puis Abraham Gray, la joue balafrée d'un coup de coutelas, surgit sur le pont et rejoignit en courant son capitaine, comme un chien sifflé par son maître.

— Je suis avec vous, commandant, dit-il.

Un instant plus tard, tous deux sautaient dans le canot, et nous poussions au large.

Nous avions quitté la goélette sans encombre, mais nous n'étions pas encore installés dans notre fortin.

XVII
Récit continué par le docteur:
Le dernier voyage
du petit canot

Ce cinquième voyage fut très différent des autres. En premier lieu, la véritable coquille de noix dans laquelle nous naviguions se trouvait dangereusement surchargée. Cinq hommes, dont trois (Trelawney, Redruth et le capitaine) mesuraient plus de six pieds, c'était déjà plus qu'elle n'aurait dû en porter. Ajoutez-y la poudre, le porc et les sacs de biscuit. A l'arrière, l'eau affleurait le bordage. Nous en embarquâmes un peu à plusieurs reprises, et mes culottes et les basques de mon habit furent complètement trempées avant que nous eussions fait cent yards.

Le capitaine nous fit mieux répartir la cargaison, de façon à rétablir l'équilibre du canot. Mais, malgré cela, c'est à peine si nous osions respirer.

En second lieu, nous étions en plein jusant : un fort courant hérissé de vaguelettes poussait vers l'ouest à travers le mouillage, puis vers le sud, en direction du large, le long de la passe que nous avions empruntée le matin. Les vaguelettes, à elles seules, constituaient un danger pour notre embarcation surchargée ; mais le pis était que nous nous trouvions entraînés hors de notre route, loin de notre débarcadère derrière la pointe. Si nous suivions le courant, nous allions accoster près des yoles, où les pirates pouvaient surgir d'un moment à l'autre.

— Je n'arrive pas à maintenir le cap sur le fortin, dis-je au capitaine. (En effet, j'étais à la barre, tandis que lui et Redruth, tous deux frais et dispos, maniaient les avirons.) La marée ne cesse pas de nous entraîner. Pourriez-vous souquer un peu plus ferme ?

— Non, car nous ferions couler le bateau, répondit-il. Vous devez laisser porter, monsieur, s'il vous plaît..., laisser porter jusqu'au moment où vous verrez que vous gagnez sur le courant.

J'essayai, et constatai par expérience que la marée nous emportait régulièrement vers l'ouest tant que je ne mettais pas le cap en plein est, c'est-à-dire à peu près à angle droit avec la route que nous aurions dû suivre.

— Nous n'arriverons jamais à la côte à cette allure, dis-je.

— Du moment que c'est la seule route que nous puissions tenir, monsieur, nous devons la tenir, répliqua le capitaine. Nous devons absolument lutter contre le courant. Voyez-vous, monsieur, si jamais nous nous laissions entraîner sous le vent du débarcadère, il est bien difficile de dire où nous irions aborder..., sans compter que nous courrions le risque d'être attaqués par les yoles. Au contraire, dans la direction où nous allons, le courant perdra peu à peu de sa force ; alors, nous pourrons biaiser et nous glisser le long de la côte.

— Le courant a déjà faibli, monsieur, déclara le matelot Gray, assis à l'avant. Vous pouvez mollir un peu.

— Merci, mon garçon, répondis-je, exactement comme si rien ne s'était passé (car nous avions tous convenu tacitement de le traiter comme un des nôtres).

Soudain, le capitaine reprit la parole, et il me sembla que sa voix avait un peu changé.

— Le canon ! s'exclama-t-il.

— J'y ai déjà pensé, dis-je (car j'étais certain qu'il songeait à un bombardement possible du fortin). Ils ne pourront jamais le transporter à terre, et, même s'ils y parvenaient, ils seraient incapables de le hisser à travers bois.

— Regardez en arrière, docteur, répliqua-t-il.

Nous avions complètement oublié la longue pièce de neuf ; or, maintenant, à notre grande horreur, nous voyions les cinq coquins s'affairer autour d'elle et lui ôter son « habit » (comme ils appelaient le prélart qui la recouvrait habituellement). Au même instant, il me vint brusquement à l'esprit que nous avions laissé à bord les boulets et la poudre, et qu'un seul coup de hache permettrait aux scélérats de s'en emparer.

— Israel était le canonnier de Flint, dit Gray d'une voix rauque.

A tout risque, je mis le cap droit sur le débarcadère. Nous étions à présent assez loin du fort du courant pour pouvoir maintenir notre erre, malgré notre allure nécessairement lente, et je réussis à gouverner ferme en direction du but. Malheureusement, en suivant cette route, nous présentions notre flanc et non plus notre arrière à l'*Hispaniola*, offrant ainsi une cible aussi large qu'une porte cochère.

Je pus voir et entendre ce scélérat d'Israel Hands, au visage d'ivrogne, laisser tomber un boulet sur le pont.

— Qui est le meilleur tireur ? demanda le capitaine.

— M. Trelawney, sans l'ombre d'un doute.

— Monsieur Trelawney, voulez-vous, s'il vous plaît me descendre un de ces coquins ? Hands de préférence.

Le châtelain vérifia l'amorce de son arme avec le plus grand sang-froid.

— Allez-y doucement, monsieur, s'écria le capitaine ; sans quoi vous allez faire couler le canot. Que tout le monde soit prêt à rétablir l'équilibre quand il visera.

Le châtelain épaula son fusil, les rameurs cessèrent de nager, et nous nous penchâmes tous de l'autre côté pour faire contrepoids. La manœuvre fut exécutée avec tant de précision que nous n'embarquâmes pas une seule goutte d'eau.

Cependant, les mutins avaient fait pivoter le canon à bord de la goélette, et Hands, qui se trouvait près de la gueule, écouvillon en main, était, en conséquence, le plus exposé. Mais nous n'eûmes pas de chance, car, juste au moment où Trelawney tirait, le pirate se baissa : la balle siffla au-dessus de sa tête, et ce fut un autre des quatre hommes qui tomba.

Le cri qu'il poussa fut répété non seulement par ses compagnons à bord, mais encore par un grand nombre de voix sur le rivage. Ayant jeté un regard

dans cette direction, je vis les pirates déboucher en troupe du bois et s'entasser pêle-mêle dans leurs embarcations.

— Voilà les yoles qui arrivent ! m'écriai-je.

— En ce cas, filons vivement, au risque de couler, répondit le capitaine. Si nous ne parvenons pas à gagner la terre, tout est perdu.

— Ils n'arment qu'une des yoles, ajoutai-je. L'équipage de l'autre va sans doute faire le tour par le rivage pour nous couper.

— Ils auront chaud à courir, monsieur. Les marins à terre ne valent pas grand-chose, vous savez. Ce qui m'inquiète, c'est le canon. Ils ont la partie belle : pas plus difficile que de faire rouler une boule sur un tapis. Une fillette ne pourrait pas nous manquer. Monsieur Trelawney, avertissez-nous au moment où vous verrez la mèche, et nous dénagerons.

Cependant, nous avions fait route à assez bonne allure pour un canot si lourdement chargé, tout en embarquant très peu d'eau. Nous nous trouvions maintenant près du rivage ; encore trente ou quarante coups d'aviron et nous toucherions terre, le reflux ayant déjà laissé à découvert une étroite bande de sable au pied des arbres. La yole n'était plus à craindre, car la petite pointe nous l'avait déjà cachée. Le jusant, qui nous avait si cruellement retardés, nous faisait maintenant réparation en retardant nos adversaires. Le canon constituait la seule source de danger.

— Si j'osais, déclara le capitaine, je m'arrêterais pour descendre un autre de ces bandits.

Mais, de toute évidence, les pirates avaient l'intention de tirer, quoi qu'il advînt. Ils n'avaient même pas accordé un regard à leur camarade tombé, bien qu'il ne fût par mort car je le voyais essayer de s'éloigner en rampant.

— Attention ! cria le châtelain.

— Nage à culer ! répondit comme un écho la voix du capitaine.

Là-dessus, Redruth et lui renversèrent les avirons avec tant de force que notre arrière s'enfonça complètement sous l'eau. Le canon retentit presque au même instant

Ce fut la première détonation que Jim entendit, le coup de fusil du châtelain n'étant pas arrivé à ses oreilles. Nul d'entre nous ne sut où passa le boulet ; mais je suppose qu'il dut filer au-dessus de nos têtes et que le déplacement d'air contribua sans doute à notre désastre.

Quoi qu'il en fût, le canot sombra tout doucement par l'arrière, dans trois pieds d'eau, nous laissant, le capitaine et moi, debout l'un en face de l'autre. Nos trois compagnons prirent un bain complet, la tête la première, puis réapparurent, trempés et crachotant.

Tout cela n'avait rien de dramatique. Nous étions sains et saufs, et pouvions gagner le rivage sans aucun danger en pataugeant. Mais nos vivres s'en étaient allés par le fond, et, circonstance aggravante, deux fusils sur cinq seulement étaient encore utilisables. Poussé par une sorte d'instinct, j'avais enlevé le mien de sur mes genoux pour le tenir au-dessus de ma tête. Quant au capitaine, il portait son arme en bandoulière, et, en homme avisé, la platine en l'air. Les trois autres avaient sombré avec le canot.

Pour ajouter à notre embarras, nous entendîmes des voix qui s'approchaient de nous dans les bois le long de la côte. Non seulement nous étions en danger d'être coupés du fortin, dans notre état de demi-impuissance, mais encore nous pouvions craindre que Hunter et Joyce n'eussent pas assez de bon sens et de courage pour tenir ferme, s'ils étaient attaqués par six ou sept ennemis. Nous savions pouvoir compter sur Hunter, mais nous avions des doutes au sujet de Joyce : ce valet agréable et poli, qui s'entendait à merveille à brosser des vêtements, nous semblait peu apte à faire un soldat.

L'esprit plein de ces préoccupations, nous gagnâmes le rivage aussi vite que possible, laissant derrière nous le malheureux petit canot, et une bonne moitié de notre poudre et de nos vivres.

XVIII
Récit continué par le docteur : Fin de la première journée de combat

Nous franchîmes à vive allure l'étroite bande de terrain boisé qui nous séparait de la palissade. A mesure que nous avancions, les voix des boucaniers résonnaient plus proches. Bientôt, nous entendîmes le bruit de leurs pas pressés, et le craquement des branches quand ils traversaient un fourré.

Je commençai à comprendre que nous allions avoir une sérieuse escarmouche, et je vérifiai mon amorce.

— Capitaine, dis-je, Trelawney est un tireur sans rival. Donnez-lui votre fusil ; le sien est inutilisable.

Ils échangèrent leurs armes, et le châtelain, silencieux et froid comme il n'avait pas cessé de l'être depuis le début de l'affaire, s'arrêta un instant pour s'assurer que son fusil était prêt à servir. A ce moment, m'étant aperçu que Gray n'avait pas d'arme, je lui tendis mon coutelas. Cela nous mit du baume dans le cœur de le voir cracher dans ses mains, froncer les sourcils et faire siffler la lame dans l'air : toute son attitude montrait que notre nouvelle recrue valait le pain qu'elle mangeait.

Quarante pas nous amenèrent à la lisière du bois, en vue de la palissade. Nous atteignîmes celle-ci au milieu du côté sud, et, presque au même instant, sept mutins commandés par Job Anderson, le maître d'équipage, arrivèrent à fond de train à l'angle sud-ouest.

Ils s'arrêtèrent en nous voyant, comme frappés de stupeur. Sans leur laisser le temps de se ressaisir, le châtelain et moi nous fîmes feu, imités aussitôt par

Hunter et Joyce à l'abri dans le fortin. Les quatre coups formèrent une salve assez irrégulière, mais ils furent efficaces : un de nos adversaires tomba ; les autres, sans hésiter, tournèrent les talons et disparurent sous les arbres.

Après avoir rechargé nos armes, nous descendîmes le long de la palissade pour voir l'ennemi abattu. Il était raide mort, tué d'une balle en plein cœur.

Nous commencions à nous réjouir de notre succès lorsqu'un coup de pistolet retentit dans la brousse ; une balle siffla à mon oreille, et l'infortuné Tom Redruth trébucha et s'abattit de tout son long. Le châtelain et moi ripostâmes aussitôt, mais, comme nous n'avions pas de cible, il est probable que nous gâchâmes notre poudre. Après avoir rechargé, nous nous occupâmes du pauvre Tom que le capitaine et Gray examinaient déjà ; d'un coup d'œil je vis qu'il était perdu.

Notre prompte riposte avait dû disperser à nouveau les mutins, car nous pûmes, sans être inquiétés, hisser le vieux garde-chasse par-dessus la palissade et le transporter dans le fortin, gémissant et saignant.

Depuis le début de nos malheurs jusqu'à ce moment-là, le pauvre vieux n'avait pas ouvert la bouche une seule fois pour s'étonner ou se plaindre, pour manifester ses craintes ou son approbation. Il avait tenu son poste derrière son matelas, dans la coursive, avec une fermeté toute romaine ; il avait exécuté tous les ordres sans souffler mot, avec beaucoup de soin et de ténacité ; il était de vingt ans plus âgé que nous tous ; et maintenant, ce vieux serviteur bourru et dévoué allait mourir.

Le châtelain s'agenouilla à son côté, puis lui baisa la main, en pleurant comme un enfant.

— C'est-y que je m'en vas, docteur ? me demanda le blessé.

— Tom, mon ami, vous arrivez au terme du voyage.

— J'aurais ben voulu leur faire tâter un peu de mon fusil avant de partir.

— Tom, implora le châtelain, dites-moi que vous me pardonnez !

— Ça serait-y convenable, de moi à vous, monsieur ?... Enfin, puisque vous le voulez, ainsi soit-il, amen !

Après un court silence, il demanda si quelqu'un ne pourrait pas lire une prière.

— C'est l'habitude, monsieur, déclara-t-il en manière d'excuse.

Quelques instants plus tard, sans ajouter un mot, il rendit l'âme.

Pendant ce temps, le capitaine, dont la poitrine et les poches m'avaient paru prodigieusement gonflées, en avait sorti plusieurs objets hétéroclites : un pavillon britannique, une bible, un rouleau de corde assez forte, une plume, de l'encre, le journal de bord, et plusieurs livres de tabac. Ayant trouvé dans l'enclos un grand sapin abattu et ébranché, il l'avait dressé, avec l'aide de Hunter, à un coin du fortin où les troncs entrecroisés formaient un angle. Puis, ayant grimpé sur le toit, il avait déployé et hissé le pavillon de ses propres mains.

Cela sembla lui apporter un grand réconfort. Ensuite il rentra dans le fortin pour procéder à l'inventaire de nos provisions comme si rien d'autre n'existait. Mais pourtant, il ne perdit pas Tom de vue, car, lorsque celui-ci eut rendu l'âme, il s'avança avec un autre pavillon qu'il étendit pieusement sur le cadavre.

— Ne vous affligez pas, monsieur, dit-il en serrant la main du châtelain. Tout est bien pour lui. Il n'y a rien à craindre pour un homme qui est tombé en accomplissant son devoir envers son maître et son capitaine. Ce n'est peut-être pas de bonne théologie, mais c'est un fait.

Ensuite il me prit à part et me demanda :

— Docteur, dans combien de semaines attendez-vous l'arrivée du bateau de secours ?

Je lui répondis que ce n'était pas une question de semaines, mais de mois. Blandly devait envoyer à notre recherche si nous n'étions pas rentrés à la fin août : ni plus tôt, ni plus tard.

— Vous pouvez faire le calcul vous-même, ajoutai-je en guise de conclusion.

— Oui, bien sûr, déclara-t-il en se grattant la tête ; et je dois vous avouer, monsieur, que, même en tenant compte largement des dons de la Providence, nous sommes vraiment au plus près.

— Qu'entendez-vous par là ?

— J'entends qu'il est fort regrettable que nous ayons perdu notre seconde cargaison. Pour la poudre et les balles, cela ira. Mais les rations sont très maigres... si maigres, docteur, qu'il vaut peut-être mieux pour nous avoir une bouche de moins à nourrir.

Et il montra du doigt le cadavre étendu sous le pavillon.

Juste à ce moment, un boulet passa en sifflant bien au-dessus du toit du fortin et tomba lourdement dans le bois, loin derrière nous.

— Oh ! oh ! s'exclama le capitaine. Tirez tant que vous voudrez, mes gaillards ! Vous n'avez déjà pas tellement de poudre.

Au deuxième essai, le canon fut mieux pointé : le projectile tomba dans l'enclos, mais sans faire d'autre dégât que de soulever un nuage de sable.

— Capitaine, dit le châtelain, le fortin est complètement invisible de la goélette. Ils doivent viser le drapeau. Ne serait-il pas plus sage de l'enlever ?

— Amener mes couleurs, monsieur ! Non, jamais de la vie !

Dès qu'il eut dit ces mots, je crois que nous fûmes tous d'accord avec lui. En effet, outre qu'il exprimait là un sentiment courageux, digne d'un bon marin, il se montrait excellent stratège en faisant voir à nos ennemis que nous méprisions cette canonnade.

Leur feu continua pendant toute la soirée. Les boulets tombaient généralement en deçà ou au-delà du fortin. Certains faisaient voler le sable dans l'enclos, mais les mutins devaient pointer si haut que leurs projectiles s'enfonçaient mollement dans le sol : en conséquence, nous n'avions pas à craindre de ricochets. A vrai dire, un boulet perça le toit et le plancher du fortin, mais nous nous habituâmes très vite à ce jeu brutal et n'y fîmes pas plus attention que s'il s'était agi de balles de cricket.

— Il y a une seule bonne chose dans tout cela, déclara le capitaine : le bois devant nous est probablement libre. La marée a beaucoup baissé depuis notre arrivée : nos provisions doivent être à découvert. Je demande des volontaires pour aller chercher du porc.

Gray et Hunter s'avancèrent les premiers. Bien armés, ils sortirent furtivement de l'enclos, mais leur entreprise se révéla inutile. Les mutins étaient plus hardis que nous ne l'avions imaginé, ou bien ils avaient toute confiance dans les talents de canonnier d'Israel Hands. En effet, quatre ou cinq d'entre eux, pataugeant dans l'eau, s'affairaient à transporter nos vivres dans une des yoles qui se trouvait tout près et qu'un rameur maintenait ferme contre le courant à petits coups d'aviron. Silver, assis à l'arrière, commandait la manœuvre. Chaque mutin avait un fusil provenant d'une réserve connue d'eux seuls.

Le capitaine s'assit pour rédiger son journal de bord, et écrivit les lignes suivantes :

« Alexandre Smollett, capitaine ; David Livesey, médecin du bord ; Abraham Gray, charpentier en second ; John Trelawney, armateur ; John Hunter et Richard Joyce, domestiques de l'armateur, terriens ; seuls membres de l'équipage du bateau qui soient restés fidèles, munis de vivres pour dix jours à demi-ration, ont débarqué aujourd'hui et hissé le pavillon britannique sur le fortin de l'Ile au Trésor. Thomas Redruth, domestique de l'armateur, terrien, a été tué par les mutins ; Jim Hawkins, mousse... »

Au moment même où je me demandais ce qu'était devenu le pauvre garçon, un appel s'éleva du côté de la terre.

— Quelqu'un nous hèle, dit Hunter, qui était de garde.

— Docteur ! Monsieur Trelawney ! Capitaine ! Holà, Hunter, est-ce vous ? criait une voix.

Je courus à la porte juste à temps pour voir Jim Hawkins, sain et sauf, escalader la palissade.

XIX
Récit continué par Jim Hawkins:
La garnison du fortin

Dès que Ben Gunn vit flotter le pavillon, il s'arrêta, me retint par le bras, et s'assit.

— Ça, vois-tu, me dit-il, sûr et certain que c'est tes amis.

— Je crois plutôt que ce sont les mutins.

— Allons donc ! Dans un endroit pareil, où personne vient jamais sauf des gentilshommes de fortune, je te jure que Silver hisserait le pavillon noir. Non, c'est tes amis. De plus, y a eu de la bagarre, et je pense que tes amis ont gagné. A présent, ils sont dans le vieux fortin qui a été bâti par Flint y a des années. Ah ! ce Flint ! il en avait une caboche ! Il a jamais trouvé son maître, à part le rhum. Il avait peur de personne, Flint... sauf de Silver... parce que Silver était tellement distingué.

— Ma foi, c'est bien possible, et je souhaite que ce soit vrai : dans ce cas, raison de plus pour que je me dépêche d'aller les rejoindre.

— Non, camarade, pas encore. Tu es un bon garçon, à moins que je me trompe ; mais au bout du compte, tu es jamais qu'un gamin. Or, vois-tu, Ben Gunn, .c'est un fin matois. Même pour avoir du rhum, j'irais pas où tu vas aller... tant que j'aurai pas vu ton gentilhomme et qu'il m'aura pas donné sa parole d'honneur. Et surtout, oublie pas mes paroles : « Bougrement plus confiance » (que tu lui diras), oui « bougrement plus confiance »... Et là-dessus, tu lui feras un pinçon.

En disant ces mots, le pauvre diable me pinça pour la troisième fois en prenant un air rusé.

— Et quand on aura besoin de Ben Gunn Jim, tu sauras où le trouver : juste à l endroit ou tu l'as trouvé aujourd'hui. Et celui qui viendra faudra qu'il ait quelque chose de blanc à la main, et faudra qu'il vienne seul. Ah ! et puis tu ajouteras ça : « Ben Gunn », que tu diras, « il a des raisons à lui. »

— Bon, je crois que j'ai compris : vous avez une proposition à faire ; vous voulez voir le châtelain ou le docteur ; on vous trouvera où je vous ai trouvé. C'est tout ?

— Et quand ça ? que tu dis, poursuivit-il. Eh bien, depuis midi au soleil jusqu'à ce qu'on ait piqué trois heures.

— Parfait. Maintenant, est-ce que je peux partir ?

— Tu oublieras pas ? demanda-t-il d'un ton inquiet. « Bougrement plus confiance », et « ses raisons à lui », que tu diras. « Ses raisons à lui », ça, c'est le principal ; d'homme à homme... Maintenant, je pense que tu peux partir (ajouta-t-il sans me lâcher). Mais, des fois que tu rencontrerais Silver, Jim, tu vendrais pas Ben Gunn ? Même si on t'écartelait, tu ouvrirais pas la bouche, hein ? Non, que tu dis. Et si ces pirates venaient camper à terre cette nuit, Jim, qu'est-ce que tu parierais qu'y aurait des veuves demain matin ?

A ce moment, il fut interrompu par une violente détonation, et un boulet, fracassant les branches des arbres, s'enfonça dans le sable à moins de cent yards de l'endroit où nous étions en train de parler. Un instant plus tard, nous avions pris nos jambes à notre cou, chacun de notre côté.

Pendant une bonne heure, de nombreuses détonations ébranlèrent l'île tout entière, et des boulets ne cessèrent de tomber avec fracas à travers les arbres. J'allais de cachette en cachette, ayant l'impression d'être toujours poursuivi par ces projectiles terrifiants. Néanmoins, vers la fin du bombardement, sans oser encore m'aventurer dans la direction de l'enclos où les boulets tombaient en plus grand nombre, j'avais commencé à reprendre un certain courage : après avoir fait un long détour vers l'est, je me glissai sous les arbres en bordure de la côte.

Le soleil venait de se coucher ; la brise marine faisait bruire les feuilles et ridait la surface grise du mouillage ; la marée basse laissait à découvert de grandes étendues de sable ; l'air froid qui avait succédé à la chaleur de la journée me glaçait à travers ma vareuse.

L'*Hispaniola* se trouvait toujours à l'ancre au même endroit, mais, effectivement, c'était bien le *Jolly Roger* (le pavillon noir des pirates) qui flottait au pic de brigantine. Au moment même où je regardais la goélette, il y eut un autre éclair rouge suivi d'une autre détonation qui éveilla tous les échos de l'île, et un nouveau boulet siffla dans les airs : ce fut le dernier de cette canonnade.

Je restai étendu pendant quelque temps pour observer l'agitation qui suivit cette attaque. Sur la grève, près du fortin, des hommes démolissaient quelque chose à la hache : notre pauvre petit canot, comme je l'appris plus tard. Au loin, à côté de l'embouchure de la rivière, un grand feu brillait sous les arbres ; une yole faisait la navette entre cet endroit et le navire. Les matelots, que j'avais vus si maussades, ramaient en poussant des cris joyeux, comme des enfants. Mais l'intonation de leurs voix me fit comprendre qu'ils avaient bu.

Finalement, j'estimai que je pouvais rejoindre le fortin. Je m'étais avancé assez loin sur la langue de sable qui ferme le mouillage à l'est et qui, à marée basse, rejoint l'îlot du Squelette. Au moment où je me levais, je vis, à quelque distance de cette pointe, se dressant au milieu des buissons, un roc isolé, assez haut, d'un blanc particulièrement net. Il me vint à l'esprit que ce pouvait être le rocher dont Ben Gunn m'avait parlé, et que je saurais où trouver un canot le jour où j'en aurais besoin.

Ensuite, je longeai les bois, et j'arrivai enfin à l'arrière du fortin, du côté du rivage, où je fus chaleureusement accueilli par mes compagnons.

Après avoir raconté mon histoire, je me mis à regarder autour de moi. Les murs, le toit et le plancher étaient faits de troncs de pins non équarris. En plusieurs endroits, le plancher se trouvait à un pied ou un pied et demi au-dessus du sable. A l'entrée, il y avait un porche sous lequel jaillissait une petite source dans un bassin artificiel d'un genre assez bizarre : un grand chaudron de fer défoncé, enfoui dans le sable jusqu'à ras du bord.

Il restait peu de chose en dehors de la charpente

du fortin ; mais, dans un coin, se trouvaient une dalle de pierre en guise de foyer et un vieux panier de fer rouillé destiné à contenir le feu.

Sur les pentes du tertre et à l'intérieur de l'enclos, on avait abattu les arbres pour construire le fortin. D'après les couches qui subsistaient, nous pouvions juger de la luxuriance de la haute futaie ainsi détruite. Le terrain avait été en grande partie emporté par la pluie ou s'était amoncelé au bas de la pente, après la disparition des arbres ; mais, à l'endroit où un ruisselet s'échappait du chaudron, un épais tapis de mousse, quelques fougères et des buissons de plantes rampantes verdoyaient encore au milieu du sable. Très près de la palissade (trop près pour la défense, disaient mes compagnons), la forêt se dressait, haute et touffue, composée uniquement de pins du côté de la terre, mais avec une forte proportion de chênes verts du côté de la mer.

La froide brise nocturne dont j'ai déjà parlé sifflait à travers toutes les fentes de la grossière bâtisse et couvrait le plancher d'une pluie continuelle de sable fin. Nous avions du sable dans les yeux, du sable dans la bouche, du sable dans nos aliments ; et nous voyions danser du sable au fond du chaudron où jaillissait la source, semblable à du porridge sur le point de bouillir. Notre cheminée consistait en un trou carré percé dans le toit. Cette ouverture ne laissait échapper que fort peu de fumée ; le reste tourbillonnait dans la maison, nous faisant tousser et nous piquant les yeux.

Ajoutez à cela que Gray, notre nouvelle recrue, portait un bandage autour de la figure (car il avait été blessé en s'échappant des mains des mutins), et que le cadavre de Redruth gisait encore le long du mur, tout raide sous le pavillon britannique.

Si on nous avait permis de rester inactifs, nous nous serions abandonnés au désespoir ; mais le capitaine Smollett ne l'entendait pas ainsi. Il nous fit tous appeler et nous divisa en deux bordées : d'une part, le docteur, Gray et moi ; de l'autre, le châtelain, Hunter et Joyce. Sans égard à notre fatigue, il nous assigna aussitôt différentes tâches : deux hommes allèrent chercher du bois ; deux autres creusèrent une tombe pour Redruth ;

le docteur fut nommé maître coq ; je fus posté à la porte comme sentinelle. Le capitaine allait de l'un à l'autre, nous encourageant et donnant un coup de main chaque fois qu'il le fallait.

De temps en temps, le docteur venait à la porte pour respirer un peu d'air pur et reposer ses yeux aveuglés par la fumée. En ces occasions, il ne manquait jamais de m'adresser la parole :

— Ce Smollett, déclara-t-il une fois, vaut bien mieux que moi. Et quand je dis cela, Jim, ça veut dire beaucoup de choses.

Un peu plus tard, il revint me trouver, resta silencieux pendant quelques instants, puis, penchant la tête de côté, me regarda avec attention, et me demanda :

— Ce Ben Gunn est-il un homme normal ?

— Je ne sais trop, monsieur ; je ne suis pas sûr qu'il ait toute sa raison.

— Du moment que tu conserves un doute à ce sujet, il n'est pas fou. Un homme qui a passé trois ans à se ronger les ongles sur une île déserte ne peut pas paraître aussi sain d'esprit que toi ou moi : ce serait contraire à la nature humaine. Tu m'as bien dit qu'il avait grande envie de fromage ?

— Oui, monsieur.

— Eh bien, Jim, vois comme il peut être utile d'être gourmand. Tu connais bien ma tabatière, n'est-ce pas ? et tu ne m'as jamais vu y prendre une prise. C'est parce que j'y garde un morceau de parmesan, un fromage très nourrissant, fait en Italie. Eh bien, Jim, ce sera pour Ben Gunn !

Avant de souper, nous ensevelîmes le vieux Tom Redruth dans le sable, et nous restâmes quelques instants debout autour de sa tombe, tête nue dans le vent. Une bonne provision de bois se trouvait accumulée à l'intérieur du fortin, mais il n'y en avait pas assez au gré du capitaine qui nous dit en hochant la tête qu'il faudrait se remettre à la besogne le lendemain matin avec un peu plus d'ardeur. Puis, quand nous eûmes mangé notre porc et avalé un grand verre de grog très fort, les trois chefs se réunirent dans un coin pour examiner notre situation.

A ce qu'il semble, ils ne savaient vraiment que faire, car nous avions si peu de vivres que la famine nous obligerait à nous rendre longtemps avant l'arrivée d'un secours. Notre seul espoir était de tuer le plus grand nombre possible de boucaniers jusqu'à ce qu'ils baissent pavillon ou prennent la fuite à bord de l'*Hispaniola*. De dix-neuf, ils se trouvaient déjà réduits à quinze ; deux autres étaient blessés, et l'un d'entre eux (celui qui avait été touché près du canon) devait être sérieusement atteint, sinon mort. Chaque fois que nous aurions l'occasion de tirer sur eux, nous devions en profiter, tout en nous protégeant avec le plus grand soin. En outre, nous possédions deux puissants alliés : le rhum et le climat.

Pour ce qui est du premier, bien que nous fussions à un demi-mille de distance, nous pûmes entendre les mutins chanter et hurler très tard dans la nuit ; pour ce qui est du second, le docteur gageait sa perruque que, campant dans le marais et dépourvus de remèdes, les pirates seraient presque tous sur le flanc avant une semaine.

— Par conséquent, ajouta-t-il, si nous ne sommes pas tous tués d'ici là, ils seront trop heureux de filer à bord de la goélette. C'est toujours un bateau, et je suppose qu'ils pourront se remettre à la flibuste.

— C'est le premier navire que j'aie jamais perdu, déclara le capitaine Smollett.

J'étais mort de fatigue, comme vous pouvez l'imaginer ; aussi, lorsque je parvins à trouver le sommeil, après m'être tourné et retourné en tous sens, je dormis comme une souche.

Les autres avaient déjà eu le temps de déjeuner et d'augmenter de moitié la pile de bois de chauffage quand je fus réveillé par une grande agitation et le bruit de plusieurs voix.

— Le drapeau blanc ! s'exclama un de mes compagnons, qui ajouta aussitôt en poussant un cri de surprise :

— Silver en personne !

Là-dessus, je me levai d'un bond, et, me frottant les yeux, courus jusqu'à une meurtrière.

XX
L'ambassade de Silver

Il y avait effectivement deux hommes à l'extérieur de l'enclos : l'un d'eux agitait un morceau de toile blanche ; l'autre, Silver en chair et en os, se tenait tranquillement à son côté.

Il était encore très tôt et il faisait très froid, un froid qui vous transperçait jusqu'à la moelle. Au-dessus de nous s'étendait un ciel sans nuages, et le soleil baignait la cime des arbres d'une lueur rose. Mais l'endroit où se trouvaient Silver et son lieutenant était encore plongé dans l'ombre, et une vapeur blanchâtre, exhalée du marais au cours de la nuit, leur montait jusqu'aux genoux. Ce froid et ce brouillard donnaient une fort piètre idée de l'île : à n'en pas douter, c'était un lieu insalubre, humide, où régnait la fièvre.

— Restez à l'intérieur, mes amis, dit le capitaine. Je parie à dix contre un qu'il s'agit d'un piège.

Puis, il interpella le boucanier en ces termes :

— Qui vive ? Halte, ou nous faisons feu.

— Parlementaire ! cria Silver.

Le capitaine s'abritait prudemment sous le porche, en prévision d'une balle perfide. Il se tourna vers nous et dit :

— La bordée du docteur, en vigie ! Docteur Livesey, prenez le côté nord, s'il vous plaît ; Jim, à l'est ; Gray, à l'ouest. L'autre bordée chargera les fusils. Vivement, garçons, et ouvrez l'œil.

Ensuite, se tournant vers les mutins, il s'écria :

— Que me voulez-vous, avec votre parlementaire ?

Cette fois, ce fut l'autre qui répliqua en hurlant :

— Le capitaine Silver demande à venir à bord pour conclure un arrangement.

— Le capitaine Silver ? Connais pas. Qui est-ce ? demanda le capitaine Smollett.

Puis il ajouta pour lui-même :

— Capitaine, ma parole ! J'appelle ça de l'avancement !

— C'est moi, commandant, dit alors Long John. Ces pauvres gars m'ont choisi pour capitaine après votre désertion, commandant (il appuya fortement sur le mot « désertion »). Nous, on veut bien se soumettre, si on peut arriver à un accord, et pas d'histoire. Tout ce que je demande, capitaine Smollett, c'est votre parole de me laisser sortir sain et sauf de cet enclos, et de me donner une minute pour me mettre hors de portée avant que vous commenciez à tirer.

— Mon garçon, je n'ai pas la moindre envie de causer avec vous. Si vous désirez me parler, vous pouvez venir, c'est tout. S'il y a la moindre trahison, elle sera de votre côté, et que Dieu vous garde !

— Ça me suffit, commandant, lança Silver avec entrain. Un mot de vous, j'en demande pas davantage. Je sais ce que c'est qu'un honnête homme, je vous en fiche mon billet !

Nous vîmes que le porteur du drapeau blanc essayait de retenir son chef, ce qui n'avait rien de surprenant, étant donné la réponse cavalière du capitaine. Mais Silver se moqua de lui en riant et lui donna une grande tape dans le dos, comme s'il trouvait absurde qu'on pût éprouver la moindre crainte. Puis, il gagna la palissade, jeta sa béquille par-dessus, l'enjamba, et, avec beaucoup de force et d'adresse, retomba sans aucun mal de l'autre côté.

Je dois avouer que je prenais un trop grand intérêt à ce qui se passait pour avoir la moindre utilité en tant que sentinelle. En vérité, j'avais déjà déserté ma meurtrière pour me glisser derrière le capitaine maintenant assis sur le seuil, les coudes sur les genoux, la tête entre les mains, les yeux fixés sur l'eau bouillonnante qui jaillissait du chaudron et s'écoulait sur le sable. Il sifflait entre ses dents : « Venez, garçons et filles [1] ».

1. Chanson populaire du XVIIᵉ siècle. (N.d.T.)

Silver eut beaucoup de mal à gravir le tertre. A cause de la raideur de la pente, des grosses souches et du sable mou, il était, avec sa béquille, aussi désemparé qu'un navire pris devant. Néanmoins, il persévéra comme un brave, en silence, et arriva finalement devant le capitaine qu'il salua de façon impeccable. Il était paré de ses plus beaux atours : un immense habit bleu, orné de plusieurs boutons de cuivre, lui pendait jusqu'aux genoux, et il portait un magnifique tricorne galonné incliné sur la nuque.

— Vous voilà, mon garçon, dit le capitaine en levant la tête. Vous feriez bien de vous asseoir.

— Vous allez pas me laisser entrer, commandant ? demanda Long John d'une voix plaintive. Sûr et certain qu'il fait bougrement froid pour rester assis dehors sur le sable.

— Ma foi, Silver, s'il vous avait plu de rester honnête homme, vous pourriez être bien au chaud dans votre cuisine en ce moment-ci. Vous n'avez qu'à vous en prendre à vous. Ou bien vous êtes maître-coq à mon bord, et en ce temps-là, vous étiez fort bien traité, ce me semble ; ou bien vous êtes le capitaine Silver, un vulgaire mutin, un pirate, et alors vous pouvez aller vous faire pendre !

— Bien, bien, commandant, répondit le cuisinier en s'asseyant sur le sable comme on l'y avait invité. Il faudra m'aider à me relever, voilà tout. Vous êtes rudement bien installés ici. Tiens, voilà Jim. Bien le bonjour, Jim. Docteur, je vous présente mes compliments. Vous êtes tous, comme qui dirait, réunis en famille.

— Si vous avez quelque chose à dire, mon garçon, le plus tôt sera le mieux, déclara le capitaine.

— Pour ça, vous avez raison, commandant. Le devoir, c'est le devoir, pour sûr. Alors voilà : vous avez fait un beau coup cette nuit. Y en a parmi vous qui savent rudement bien se servir d'un anspect. Et j'essaierai pas de nier que plusieurs de mes hommes ont été secoués ; peut-être tous, qu'ils l'ont été ; peut-être moi aussi que je l'ai été ; et peut-être c'est pour ça que je suis venu ici essayer de m'entendre avec vous. Mais, faites bien attention, commandant : ça n'arrivera pas deux fois, mille tonnerres ! Nous monterons la garde et nous mollirons un peu sur le rhum. Peut-être que vous croyez que nous avions tous pas mal de vent dans les voiles. Eh bien, laissez-moi vous dire que j'étais sobre ; seulement, j'en pouvais plus de fatigue. Si je m'étais réveillé une seconde plus tôt, je vous aurais pincé la main dans le sac, pour sûr. Il était pas encore mort quand je suis arrivé près de lui.

— Et après ? fit le capitaine Smollett, avec le plus grand calme.

Tout ce que Silver venait de dire était une énigme pour lui, mais on ne l'aurait jamais deviné d'après son ton de voix. Quant à moi, je commençais à comprendre, car les derniers mots de Ben Gunn me revenaient à l'esprit : il avait dû rendre visite aux boucaniers pendant qu'ils dormaient, assommés par le rhum, autour de leur feu. Je calculai avec allégresse que nous n'avions plus que quatorze ennemis à combattre.

— Voilà donc de quoi il retourne, déclara Silver. Nous voulons ce trésor, et nous l'aurons : ça, c'est notre affaire ! Vous, je suppose que vous aimeriez autant sauver votre peau : c'est votre affaire à vous ! Vous avez une carte, n'est-ce pas ?

— C'est possible.

— Oh, oui, je sais que vous l'avez. Pas besoin d'être aussi sec avec moi : il s'agit pas de service dans cette histoire, je vous en fiche mon billet. Nous voulons cette carte, sans plus. Personnellement, j'ai jamais eu l'intention de vous faire du mal.

— Ça ne prend pas avec moi, mon garçon. Nous savons exactement ce que vous aviez l'intention de faire, et nous nous en moquons, car, maintenant, vous ne pouvez plus le faire.

Sur ces mots, le capitaine regarda son interlocuteur avec calme, et se mit à bourrer sa pipe.

— Si Abe [1] Gray..., commença Silver.

— Halte-là, mon garçon ! Gray ne m'a rien dit et je ne lui ai rien demandé. Plûtôt que de lui poser une question, je préférerais vous voir tous deux sauter en l'air

1. *Abe* : diminutif d'Abraham. (*N.d.T.*)

avec l'île tout entière. Voilà mon opinion sur ce sujet, si vous voulez la connaître.

Ce petit accès de colère sembla calmer le cuisinier. Jusqu'alors, il avait manifesté une irritation croissante, mais, à partir de ce moment, il se ressaisit.

— Ça se peut, déclara-t-il. C'est pas moi qui vais fixer ce que les honnêtes gens trouvent régulier ou pas, selon le cas. Et puisque je vous vois préparer une pipe, commandant, je vais prendre la liberté d'en faire autant.

Il bourra sa pipe et l'alluma ; puis les deux hommes se mirent à fumer en silence pendant un bon moment, tantôt se dévisageant, tantôt tassant leur tabac, tantôt se penchant en avant pour cracher. On se serait cru au spectacle !

— Donc, reprit Silver, voilà comment je vois la chose. Vous nous donnez la carte pour qu'on trouve le trésor, et vous cessez de canarder les pauvres matelots et de leur défoncer le crâne pendant leur sommeil. Vous faites ça, et nous, on vous offre un choix. Ou bien vous venez à bord avec nous, une fois le trésor embarqué, et alors je vous donne ma parole d'honneur de vous déposer à terre quelque part sains et saufs. Ou bien, si c'est pas à votre goût, vu que certains de mes hommes sont un peu durs et qu'ils ont des comptes à régler rapport à ce qu'on les a fait trop travailler, vous pouvez rester ici. Nous partagerons les vivres de façon que chacun reçoive la même ration, et je vous donne ma parole d'honneur de prévenir le premier bateau que je rencontre et de vous l'envoyer. Avouez que ça, c'est parler. Vous pourriez pas attendre mieux, pour sûr. Et j'espère (ici, il éleva la voix) que tous ceux qui sont dans ce fortin feront bien attention à mes paroles, car ce que j'ai dit à un, je l'ai dit à tous.

Le capitaine Smollett se leva, puis fit tomber les cendres de sa pipe dans la paume de sa main gauche.

— C'est tout ? demanda-t-il.

— C'est mon dernier mot, mille tonnerres ! Si vous refusez ça, je vous offrirai rien de plus que des balles de fusil.

— Parfait, mon garçon. Dans ce cas, écoutez-moi. Si vous venez ici l'un après l'autre, sans armes, je m'engage à vous mettre tous aux fers et à vous ramener en Angleterre où vous serez jugés équitablement. Si vous refusez mes conditions, je vous rappelle que je me nomme Alexandre Smollett, que j'ai hissé le pavillon de mon souverain, et que je me charge de vous envoyer tous boire à la grande tasse. Vous ne pouvez pas trouver le trésor. Vous ne pouvez pas manœuvrer le navire : pas un seul d'entre vous n'en est capable. Vous ne pouvez pas combattre contre nous : Gray, ici présent, a échappé à cinq des vôtres. Votre bateau est aux fers, maître Silver ; vous vous trouvez sur une côte sous le vent, et vous vous en apercevrez bientôt. Je reste ici et je vous le dis ; et ce sont les dernières bonnes paroles que vous entendrez de moi, car, par le Ciel, la prochaine fois que je vous rencontrerai, je vous collerai une balle dans le dos. Filez, mon garçon. Déguerpissez immédiatement, main sur main, au pas gymnastique.

Le visage de Silver était à peindre ; la colère lui faisait sortir les yeux de la tête. Il vida sa pipe puis s'écria :

— Aidez-moi à me relever !

— Ne comptez pas sur moi, répliqua le capitaine.

— Qui va m'aider ? hurla Silver.

Personne ne bougea. Grommelant les pires imprécations, il se traîna sur le sable jusqu'à ce qu'il pût se cramponner au porche et se hisser à nouveau sur sa béquille. Ensuite, il cracha dans la source.

— Voilà ce que je pense de vous ! cria-t-il. D'ici une heure, je défoncerai votre vieux fortin comme un tonneau de rhum. Riez, mille tonnerres, riez ! Avant une heure, vous rirez jaune. Ceux qui mourront seront les plus heureux.

Ayant proféré un affreux juron, il s'éloigna clopin-clopant, labourant le sable. Après quatre ou cinq tentatives infructueuses, il parvint à franchir la palissade, aidé par l'homme au drapeau blanc, puis disparut en un instant parmi les arbres.

XXI
L'attaque

Dès que Silver se fut enfoncé sous bois, le capitaine, qui l'avait observé attentivement, se tourna vers l'intérieur du fortin et constata que nul d'entre nous n'était à sa place, à l'exception de Gray. Pour la première fois, nous le vîmes vraiment en colère.

— A vos postes ! hurla-t-il.

Puis, quand nous eûmes obéi, tout penauds, il ajouta :

— Gray, j'inscrirai votre nom sur le journal de bord : vous avez fait votre devoir en vrai marin. Monsieur Trelawney, voilà qui m'étonne de vous, monsieur. Quant à vous, docteur, je croyais que vous aviez porté l'uniforme du roi ! Si c'est ainsi que vous avez servi à Fontenoy, monsieur, vous auriez mieux fait de rester dans votre lit.

La bordée du docteur avait regagné les meurtrières ; les autres étaient fort occupés à recharger les fusils de réserve ; chacun de nous avait le visage rouge et, comme on dit, l'oreille basse.

Le capitaine nous regarda en silence pendant quelques instants, puis il prit la parole en ces termes :

— Mes enfants, j'ai envoyé une fameuse bordée à Silver. J'ai fait exprès de tirer à boulets rouges, et, avant qu'une heure soit écoulée, comme il l'a dit, nous allons être attaqués. Vous savez qu'ils nous sont très supérieurs en nombre, mais nous combattrons à couvert, et, il y a seulement une minute, j'aurais ajouté : avec discipline.

Je suis sûr que nous pouvons les rosser, si vous le voulez bien.

Ensuite il fit sa ronde et constata, comme il le dit, que tout était paré.

Sur les deux parois les moins longues du fortin, à l'est et à l'ouest, il n'y avait que deux meurtrières ; au sud, du côté du porche, il y en avait deux également ; au nord, il y en avait cinq. Pour nous sept, nous disposions d'une vingtaine de fusils. Nous avions entassé le bois de chauffage en quatre piles formant tables ; sur chacune d'elles, placée au milieu d'une paroi, se trouvaient quelques munitions et quatre fusils chargés à portée de main des défenseurs. Au centre de la pièce étaient rangés les coutelas.

— Jetez le feu, dit le capitaine ; le froid est passé, et il ne faut pas que nous ayons de la fumée dans les yeux.

M. Trelawney emporta le panier de fer à l'extérieur, et les braises s'éteignirent lentement dans le sable.

— Hawkins n'a pas encore déjeuné, reprit le capitaine. Sers-toi, Hawkins, et retourne à ton poste pour manger. Fais vite, mon garçon, car tu vas en avoir besoin. Hunter, servez une tournée générale d'eau-de-vie.

Tout en parlant, il complétait dans sa tête son plan de défense.

— Docteur, vous vous posterez à la porte, reprit-il enfin. Veillez à ne pas vous exposer ; restez à l'intérieur et faites feu par le porche. Hunter, mettez-vous là, du côté est. Joyce, mon garçon, installez-vous à l'ouest. Monsieur Trelawney, vous êtes le meilleur tireur : vous et Gray allez prendre le côté nord avec ses cinq meurtrières, car c'est là qu'est le danger. Si jamais ils arrivaient jusque-là et tiraient sur nous à travers nos propres sabords, les choses prendraient une vilaine tournure. Hawkins, ni toi ni moi ne valons rien comme tireurs ; nous resterons là pour recharger les armes et prêter main-forte en cas de besoin.

Comme le capitaine l'avait dit, le froid était passé. Dès que le soleil fut monté au-dessus de la ceinture d'arbres autour de nous, il darda ses rayons avec force sur la clairière et aspira d'un seul trait le brouillard de la nuit. Bientôt le sable fut brûlant, et la résine commença à fondre dans les troncs de pins du fortin. On se débarrassa des vareuses et des habits ; on ouvrit le col des chemises dont on retroussa les manches jusqu'aux épaules. Puis chacun attendit à son poste, enfiévré par la chaleur et l'anxiété.

Une heure s'écoula.

— Que le diable les emporte ! s'exclama le capitaine. C'est aussi ennuyeux qu'un calme plat. Gray, sifflez donc pour faire venir le vent.

Juste à ce moment, nous eûmes la première nouvelle de l'attaque.

— S'il vous plaît, commandant, demanda Joyce, est-ce que je dois tirer si je vois quelqu'un ?

— Bien sûr, je vous l'ai dit !

— Merci, commandant, répondit l'autre avec la même politesse tranquille.

Rien ne se produisit pendant un certain temps, mais la question de Joyce nous avait tous mis sur le qui-vive, l'oreille au guet, les yeux écarquillés. Les tireurs tenaient leur arme à la main ; le capitaine était debout au milieu du fortin, lèvres serrées, sourcils froncés.

Quelques secondes passèrent. Soudain, Joyce épaula vivement son fusil et tira. Dès que le bruit de la détonation se fut éteint, une salve éparpillée venant de tous les côtés de la palissade lui répondit du dehors, les coups se succédant comme un chapelet d'oies. Plusieurs balles frappèrent le fortin, mais aucune ne pénétra à l'intérieur. Lorsque la fumée se fut dissipée, l'enclos et les bois environnants nous semblèrent aussi vides et aussi calmes qu'auparavant. Pas une branche ne bougeait ; pas un canon de fusil ne luisait, révélant la présence des ennemis.

— Avez-vous touché votre homme ? demanda le capitaine.

— Non, commandant, je ne crois pas, répondit Joyce.

— Quand on s'est trompé, murmura le capitaine, mieux vaut dire la vérité. Recharge son fusil, Hawkins. Docteur, combien pensez-vous qu'ils étaient de votre côté ?

— Je peux vous le dire exactement. On a tiré trois coups par ici. J'ai vu les trois éclairs : deux près l'un de l'autre, le troisième plus à l'ouest.

— Et combien de votre côté, monsieur Trelawney ?

Cette fois, la réponse ne fut pas aussi nette. Il y avait eu plusieurs coups au nord : sept selon le châtelain ; huit ou neuf, selon Gray. A l'est et à l'ouest, un seul coup avait été tiré. Donc, l'attaque partirait du nord, et, sur les trois autres côtés, nous serions simplement harcelés par un simulacre d'hostilités. Mais le capitaine Smollett ne changea rien à ses dispositions. Si les mutins réussissaient à franchir la palissade, disait-il, ils s'empareraient de toute meurtrière non défendue, et nous abattraient comme des rats dans notre forteresse.

D'ailleurs, nous n'eûmes guère le temps de réfléchir. Soudain, en poussant une violente clameur, une troupe de pirates bondit hors des bois du côté nord et courut droit vers l'enclos. Simultanément, une nouvelle fusillade éclata sous les arbres ; une balle entra en sifflant par la porte et fit voler en éclats le fusil du docteur.

Agiles comme des singes, les assaillants escaladèrent la palissade. Le châtelain et Gray firent feu coup sur coup. Trois hommes tombèrent : un en avant, à l'intérieur de l'enclos ; deux en arrière, à l'extérieur. Mais l'un de ces derniers avait eu sans doute plus de peur que de mal, car il se releva en un clin d'œil et disparut aussitôt au milieu des arbres.

Deux avaient mordu la poussière, un avait fui, quatre avaient réussi à prendre pied à l'intérieur de nos retranchements, tandis que, sous le couvert des arbres, sept ou huit hommes, pourvus chacun, sans aucun doute, de plusieurs fusils, ne cessaient de diriger sur nous un feu nourri mais inefficace.

Les quatre assaillants coururent en hurlant droit vers le fortin, encouragés par les cris de leurs camarades embusqués sous bois. Plusieurs coups de feu furent tirés du fortin, mais avec tant de précipitation qu'aucun d'eux ne porta. En un instant, les pirates eurent gravi le tertre et furent sur nous.

La tête de Job Anderson, le maître d'équipage, apparut à la meurtrière centrale.

— Sus, sus, tous ensemble ! hurla-t-il d'une voix de tonnerre.

Au même instant, un autre mutin empoigna le fusil de Hunter par le canon, lui arracha l'arme des mains, la tira au dehors par la meurtrière, puis, d'un violent coup de crosse, étendit le malheureux, inanimé, sur le sol. Cependant, un troisième pirate, après avoir fait le tour du fortin au pas de course sans recevoir aucune blessure, surgit brusquement sur le seuil de la porte, et, le couteau levé, se jeta sur le docteur.

La situation se trouvait complètement renversée. Un moment auparavant, nous tirions, à l'abri, sur un ennemi à découvert ; maintenant, nous étions découverts à notre tour, et incapables de riposter.

Le fortin était plein de fumée, ce qui nous assurait une sécurité relative. A mes oreilles résonnaient des cris confus, les détonations des coups de pistolets ainsi qu'une plainte déchirante.

— Dehors, garçons, dehors ! Combattons en plein air ! s'écria le capitaine. Aux coutelas !

Je saisis un couteau sur le tas. Un de mes compagnons qui, au même moment, en empoignait un autre, me fit sur les doigts une estafilade que je sentis à peine. Je franchis le seuil et me précipitai au dehors, à la lumière du soleil. J'étais serré de près par quelqu'un dont j'ignorais l'identité. Droit devant moi, le docteur poursuivait son assaillant jusqu'au bas du tertre ; juste au moment où mes yeux se posaient sur lui, il le désarma et l'envoya rouler sur le dos, les quatre fers en l'air, avec une grande entaille à travers le visage.

— Faites le tour, mes enfants ! cria le capitaine (et, même au sein du tumulte, je perçus un changement dans sa voix).

Obéissant machinalement, je contournai le coin est du fortin, le couteau levé. Un instant plus tard, je me trouvais face à face avec Anderson. Poussant un hurlement féroce, il brandit son arme qui brilla au soleil. Je n'eus pas le temps d'avoir peur : tandis que le coup était encore en suspens, je fis un bond de côté et, ayant mal posé mon pied sur le sable mou, je roulai rapidement jusqu'au bas de la pente.

Au moment où je sortais du fortin, les autres pirates avaient déjà commencé à escalader la palissade pour en

finir avec nous. L'un d'eux, coiffé d'un bonnet rouge, son coutelas entre les dents, avait même réussi à passer une jambe de notre côté. Or, les choses étaient allé si vite que, lorsque je me relevai, rien n'avait changé : l'homme au bonnet rouge se trouvait toujours à califourchon sur la palissade, tandis qu'un autre montrait sa tête au-dessus des pieux. Néanmoins, ce bref laps de temps avait suffi pour mettre fin au combat et nous assurer la victoire.

Gray, qui me suivait de très près, avait abattu le maître d'équipage sans lui donner le temps de reprendre son équilibre après avoir manqué son coup. Un autre pirate avait été atteint d'une balle au moment même où il tirait dans le fortin par une meurtrière ; à présent, il agonisait sur le sol, tenant encore en main son pistolet fumant. Le docteur, je l'ai déjà dit, en avait mis un autre hors de combat. Sur les quatre mutins qui venaient de pénétrer dans l'enclos, un seul restait indemne : ayant abandonné son coutelas sur le champ de bataille, il était en train d'escalader la palissade en sens inverse, en proie à la terreur de la mort.

— Feu ! feu du fortin ! cria le capitaine. Et vous, garçons, mettez-vous à l'abri.

Mais personne n'entendit ses paroles, personne ne tira, et le dernier assaillant parvint à fuir avec les autres sous les arbres. En trois secondes, il ne resta plus trace des pirates, à l'exception des cinq qui étaient tombés : quatre à l'intérieur et un à l'extérieur de l'enclos.

Le docteur, Gray et moi courûmes à toutes jambes nous mettre à l'abri. Les survivants ne tarderaient pas à regagner l'endroit où ils avaient laissé leurs armes à feu, et la fusillade pouvait recommencer d'un moment à l'autre.

La fumée s'était un peu dissipée à l'intérieur du fortin, et nous vîmes d'un coup d'œil de quel prix nous avions payé la victoire. Hunter, assommé, gisait près de sa meurtrière ; Joyce était étendu près de la sienne, immobile à jamais, tué d'une balle dans la tête ; au centre de la pièce, le châtelain soutenait le capitaine, et tous deux étaient fort pâles.

— Le capitaine est blessé, dit M. Trelawney.

— Ont-ils fui ? demanda M. Smollett.

— Tous ceux qui l'ont pu, n'en doutez pas, répondit le docteur. Mais il y en a cinq qui ne fuiront plus jamais.

— Cinq ! s'écria le capitaine. Allons, voilà qui est mieux. Cinq contre trois, cela nous laisse à quatre contre neuf. Nos chances sont meilleures qu'au début : nous étions sept contre dix-neuf, ou, du moins, nous le pensions, ce qui est aussi désagréable à supporter [1].

1. Les mutins ne furent bientôt plus que huit, car l'homme qu'avait blessé M. Trelawney à bord de la goélette mourut le soir même. Mais, naturellement, nous n'apprîmes ceci que plus tard. *(Note de l'auteur.)*

Cinquième partie
Mon aventure en mer

XXII
Début de mon aventure en mer

Il n'y eut pas de nouvelle attaque ; les mutins ne tirè-
rent même pas un seul coup de feu. Ils avaient eu « leur
ration pour la journée », comme le dit le capitaine ;
nous eûmes donc tout le temps d'examiner tranquillement
les blessés et de préparer notre déjeuner. Le châtelain
et moi, nous fîmes la cuisine dehors, en dépit du danger,
et, même dans ces conditions, nous n'avions guère la
tête à nous, tant nous étions bouleversés par les plaintes
des patients du docteur.

Sur les huit hommes tombés au combat, trois seulement
respiraient encore : le pirate blessé devant la meurtrière,
Hunter, et le capitaine Smollett. Les deux premiers étaient
considérés comme perdus. En fait, le mutin mourut sous
le bistouri du docteur, et Hunter, malgré tous nos efforts,
ne reprit jamais connaissance en ce bas monde. Il traîna
toute la journée, respirant très fort comme le vieux
boucanier de « L'Amiral Benbow » pendant son attaque
d'apoplexie ; mais il avait eu les côtes enfoncées par le

coup, et il s'était fracturé le crâne en tombant. Au cours de la nuit, sans un mot, sans un geste, il rendit l'âme.

Quant au capitaine, ses blessures étaient graves mais non pas dangereuses. Aucun organe ne se trouvait mortellement atteint. La balle de Job Anderson (qui avait tiré sur lui le premier) avait brisé l'omoplate et touché très légèrement le poumon ; le second projectile avait seulement déchiré et déplacé quelques muscles du mollet. Il ne pouvait manquer de guérir, déclara le docteur, mais, pendant plusieurs semaines, il ne devait ni marcher ni remuer le bras, ni même parler si ce n'était pas nécessaire.

Ma coupure en travers des doigts était une simple égratignure. Le docteur Livesey y colla un peu de taffetas d'Angleterre, et me tira les oreilles par-dessus le marché.

Après déjeuner, le châtelain et le docteur tinrent conseil un bon moment au chevet du capitaine. Vers midi et demi, quand ils eurent parlé tout leur content, le docteur prit son chapeau et ses pistolets, passa un coutelas à sa ceinture, fourra la carte dans sa poche, puis, un fusil sur l'épaule, franchit la palissade du côté nord et s'enfonça sous les arbres d'un pas rapide.

Gray et moi étions assis à l'autre extrémité du fortin, pour ne pas entendre la conversation de nos chefs. Mon compagnon fut tellement ébahi par le départ du docteur qu'il ôta sa pipe de sa bouche et faillit oublier de l'y remettre.

— Par le diable, s'exclama-t-il, est-ce que le docteur Livesey est fou ?

— Certes non. Je suis sûr qu'il serait le dernier de nous tous à le devenir.

— Eh bien, camarade, tu as peut-être raison ; mais si c'est pas lui qui est fou, alors, c'est moi qui le suis, tu m'entends ?

— Pour moi, le docteur a son idée, et, si je ne me trompe pas, il va rendre visite à Ben Gunn.

J'avais raison, ainsi que je l'appris plus tard. Mais, en attendant, comme une chaleur étouffante régnait dans le fortin et comme la petite étendue de sable à l'intérieur de l'enclos flamboyait sous le soleil de midi, il me vint en tête une idée parfaitement déraisonnable. Je me mis à envier le docteur qui se promenait sous le frais ombrage des bois, écoutant le chant des oiseaux, respirant l'agréable odeur des pins, tandis que j'étais là, à griller entre les parois du fortin, mes vêtements collés à la résine brûlante. Il y avait autour de moi tant de sang et tant de pauvres morts, que mon dégoût de ce lieu devint presque aussi fort que de la terreur.

Pendant que je nettoyais le fortin et lavais la vaisselle du déjeuner, ce dégoût et cette envie ne cessèrent de croître. Enfin, à un moment où je me trouvais près d'un sac à pain et où personne ne m'observait, je fis le premier pas vers mon escapade en bourrant de biscuits les deux poches de ma vareuse.

J'étais stupide, je l'admets, et j'allais certainement me lancer dans une aventure insensée ; mais j'étais bien résolu à agir en prenant le maximum de précautions. S'il m'arrivait quelque chose de fâcheux, ces biscuits m'empêcheraient, à tout le moins, de souffrir de la faim jusqu'au lendemain soir.

Je m'emparai ensuite d'une paire de pistolets, et, comme j'étais déjà muni d'une poire à poudre et de balles, je me jugeai suffisamment armé.

Le projet que j'avais en tête n'était pas mauvais en soi. Je me proposais de gagner l'extrémité de la pointe sablonneuse qui sépare la baie de la haute mer du côté est, de trouver le rocher blanc que j'avais aperçu la veille au soir, et de m'assurer que c'était bien là que Ben Gunn cachait un canot (la chose valait la peine d'être faite, j'en suis persuadé encore aujourd'hui). Mais, comme j'étais sûr qu'on ne me permettrait pas de quitter le fortin, je n'avais pas d'autre solution que de m'esquiver en cachette, au moment où personne ne me verrait : cette vilaine façon d'agir suffisait à rendre mon escapade condamnable, mais je n'étais qu'un gamin, et j'avais pris une décision inébranlable.

Une excellente occasion se présenta : le châtelain et Gray étant fort occupés à panser le capitaine, la voie se trouvait libre. Je me précipitai vers la palissade, la franchis d'un bond, et me glissai au cœur des arbres. Avant que mes compagnons aient pu s'apercevoir de mon absence, j'étais hors de portée de voix.

Ce fut là ma seconde sottise, bien plus grave que la première, car, à la suite de mon départ, il ne restait plus que deux hommes valides pour garder le fortin ; mais, tout comme ma précédente escapade, elle contribua à nous sauver tous.

Je me dirigeai droit vers la côte est de l'île, dans l'intention de longer la pointe de sable du côté de la mer pour éviter tout risque d'être vu du mouillage. L'après-midi était déjà assez avancée, bien qu'elle fût encore chaude et ensoleillée. Tout en me faufilant sous la haute futaie, j'entendais devant moi non seulement le tonnerre incessant du ressac, mais encore un bruissement de feuilles et un grincement de branches qui m'annonçaient que la brise marine s'était levée plus forte qu'à l'ordinaire. Bientôt je sentis des courants d'air frais, et, en quelques pas, j'atteignis la lisière du bois. Je découvris alors la mer bleue et ensoleillée étalée jusqu'à l'horizon, et les vagues écumeuses déferlant sur la grève.

Je n'ai jamais vu la mer calme autour de l'Ile au Trésor. Même quand le soleil flamboyait dans le ciel, quand l'air était sans un souffle et la surface des eaux bleues parfaitement calme, de grandes lames ne cessaient jamais de déferler nuit et jour sur la côte, avec un fracas retentissant. Je ne crois pas qu'il existe dans l'île un seul point où l'on puisse ne pas entendre leur bruit.

Je pris grand plaisir à marcher le long du ressac, puis, estimant que j'étais allé suffisamment loin vers le sud, je profitai du couvert de quelques gros buissons pour gagner prudemment l'arête de la pointe de sable.

Derrière moi s'étendait la mer ; devant moi, le mouillage. La brise (d'autant plus vite épuisée, semblait-il, qu'elle avait soufflé avec une violence inhabituelle), venait déjà de tomber. Elle avait fait place à des coups de vent légers, variables, venus du sud et du sud-est, chargés de grands bancs de brume. Le mouillage, abrité par l'îlot du Squelette, était couleur de plomb, comme au jour de notre arrivée. Sur ce miroir bien lisse, l'*Hispaniola* se reflétait dans ses moindres détails, depuis la pomme des mâts jusqu'à la ligne de flottaison, y compris le pavillon noir qui pendait au pic de brigantine.

Silver (que je ne manquais jamais de reconnaître)

était assis à l'arrière d'une yole qui se trouvait contre la goélette. Deux des mutins se penchaient par-dessus le bastingage à la poupe du navire : l'un d'eux, coiffé d'un bonnet rouge, était ce même scélérat que j'avais vu, quelques heures auparavant, à califourchon sur la palissade. Les trois hommes semblaient bavarder en riant, mais, naturellement, vu la distance d'un bon mille qui nous séparait, je ne pouvais entendre un seul mot de leur conversation. Soudain retentirent des cris horribles, inhumains, qui, tout d'abord, m'inspirèrent une grande frayeur ; mais je ne tardai pas à reconnaître la voix du « capitaine Flint », et je crus même pouvoir distinguer, à son brillant plumage, l'oiseau perché sur le poignet de son maître.

Peu après, le canot poussa au large en direction de la côte, et les deux hommes à bord de la goélette descendirent par le capot.

A peu près simultanément, le soleil s'était couché derrière la Longue-Vue, et, comme le brouillard s'amassait très vite, le jour se mit à baisser pour de bon. Je compris que je n'avais pas de temps à perdre si je voulais trouver le bateau de Ben Gunn ce soir-là.

Le rocher blanc, très visible au-dessus des broussailles, était encore à deux cents yards de distance vers l'extrémité de la pointe sablonneuse, et il me fallut pas mal de temps pour l'atteindre, en avançant le plus souvent à quatre pattes au milieu des fourrés. La nuit était presque tombée quand je posai la main sur son flanc rugueux. Juste au-dessous se trouvait un petit creux de terrain tapissé d'herbe verte, caché par des talus et d'épais taillis qui me venaient à hauteur de genoux. Au milieu de ce minuscule vallon il y avait une petite tente en peaux de chèvre, semblable à celles que transportent les Bohémiens en Angleterre.

Je sautai dans le trou, soulevai un côté de la tente, et découvris le canot de Ben Gunn : objet rudimentaire s'il en fut jamais. C'était une carcasse de bois dur, grossière et toute de guingois, tendue de peau de chèvre, le poil en dedans. Cette embarcation était très petite, même pour moi, et j'ai peine à imaginer qu'elle ait pu porter un homme fait. Elle contenait un banc très bas, une espèce d'appui-pied à l'avant, et une double pagaie en guise de propulseur.

En ce temps-là, je n'avais pas encore vu de « coracle » tel qu'en fabriquaient les Bretons d'autrefois. J'en ai vu un depuis, et, pour vous donner une idée parfaitement exacte du bateau de Ben Gunn, je vous dirai qu'il ressemblait au premier et au plus mauvais coracle qui soit jamais sorti des mains de l'homme. En tout cas, il en possédait certainement le principal avantage, car il était fort léger et très facile à transporter.

Maintenant que j'avais trouvé le bateau, on aurait pu croire que mon désir de vagabondage était satisfait. Mais, entre-temps, une autre idée avait germé dans ma cervelle, et je m'en étais tellement entiché que je l'aurais, je crois, mise à exécution au nez et à la barbe du capitaine Smollett en personne. Ce nouveau projet consistait à me glisser furtivement jusqu'à la goélette sous le couvert de l'obscurité, à couper ses amarres, et à la laisser partir à la dérive pour s'échouer où bon lui semblerait. J'étais persuadé que les mutins, après leur échec de la matinée, désiraient par-dessus tout lever l'ancre et prendre le large. J'estimais que ce serait leur jouer un bon tour que de les en empêcher ; or, comme je venais de voir qu'ils laissaient les gardiens de l'*Hispaniola* dépourvus de canots, je croyais pouvoir y réussir sans grand danger.

M'étant assis pour attendre que l'obscurité fût complète, je fis un copieux repas de biscuits. Cette nuit était entre mille la plus propice à la réalisation de mon projet. Le brouillard avait maintenant recouvert toute l'étendue du ciel. A mesure que les dernières lueurs du jour diminuaient, puis disparaissaient, une obscurité dense se referma sur l'Ile au Trésor. Lorsque, finalement, je mis le coracle sur mon dos, et quittai, en trébuchant à l'aveuglette, le creux de terrain où je venais de souper, il n'y avait plus que deux points visibles sur toute la surface du mouillage.

L'un d'eux, sur la côte, dans le marécage, était le grand feu près duquel les pirates vaincus se livraient à leurs beuveries. L'autre, faible tache de clarté dans la nuit, indiquait la position du navire à l'ancre. Le reflux l'ayant fait virer de bord, son avant était maintenant tourné vers moi. Les seules lumières à bord se trouvaient dans la cabine, et ce que je voyais était un simple reflet dans le brouillard du flot de clarté provenant du sabord de poupe.

Comme la marée baissait déjà depuis assez longtemps, je dus patauger à travers une longue zone fangeuse où j'enfonçai à plusieurs reprises jusqu'au-dessus de la cheville, avant d'atteindre le bord du flot descendant. Je fis quelques pas dans l'eau, puis, au prix d'un peu de force et d'adresse, je posai le coracle, la quille en bas, sur la surface de la mer.

XXIII
Marée basse

Le coracle (j'eus de bonnes raisons de le savoir pendant tout le temps que je l'utilisai) était, pour quelqu'un de ma taille et de mon poids, un bateau très sûr, d'une grande flottabilité, tenant bien la mer ; mais c'était aussi l'embarcation la plus capricieuse, la plus têtue, la plus difficile à diriger qui eût jamais existé. On avait beau faire, il manifestait une tendance marquée à voguer à la dérive, et la manœuvre qu'il réussissait le mieux consistait à tourner en rond. Ben Gunn lui-même a reconnu par la suite qu'il « n'était pas commode à manier tant qu'on ne connaissait pas ses façons de faire ».

De toute évidence, je ne les connaissais pas. Il tournait dans toutes les directions sauf celle que je voulais prendre. La plupart du temps, nous nous présentions par le travers, et je suis certain que, sans la marée, nous n'aurions jamais atteint la goélette. Par bonheur, quelle que fût la façon dont je pagayais, le jusant ne cessait de m'entraîner avec lui, et l'*Hispaniola* était juste en plein milieu de la passe, de sorte que je ne pouvais guère la manquer.

Tout d'abord elle surgit devant moi comme une tache plus sombre que l'obscurité ; puis, ses espars et sa coque commencèrent à prendre forme ; puis l'instant d'après, me sembla-t-il (car, plus j'avançais, plus le courant était rapide), je me trouvai à côté de l'amarre et je m'en saisis.

Le câble était tendu comme la corde d'un arc, tant le navire tirait sur son ancre. Tout autour de la coque, dans les ténèbres, les vaguelettes du courant bouillonnaient et babillaient comme un petit torrent de montagne. Un seul coup de mon coutelas, et la goélette filerait à la dérive emportée par la marée.

Jusque-là, tout allait bien. Mais je me rappelai aussitôt qu'une haussière tendue, coupée brusquement, est aussi dangereuse qu'un cheval en train de ruer. Si je commettais l'imprudence de séparer l'*Hispaniola* de son ancre, il y avait dix chances contre une pour que le coracle et moi soyons projetés en l'air.

Cette idée m'arrêta net. Une fois encore, si le hasard ne m'avait pas singulièrement favorisé, j'aurais dû renoncer à mon projet. Mais les brises légères qui s'étaient d'abord mises à souffler du sud et du sud-est avaient tourné au sud-ouest après la tombée de la nuit. Pendant que je réfléchissais, un coup de vent saisit la goélette et la poussa à contre-courant. A ma grande joie, je sentis l'haussière mollir sous mes doigts, et la main par laquelle je la tenais plongea dans l'eau pendant une seconde.

Aussitôt je pris ma décision. Je tirai mon couteau de ma poche, puis, l'ayant ouvert avec les dents, je sciai peu à peu le câble, jusqu'à ce que le navire ne fût plus retenu que par deux torons. Ensuite, je m'arrêtai, attendant, pour trancher ces derniers, qu'un nouveau coup de vent détendît un peu plus l'haussière.

Pendant tout ce temps, je n'avais pas cessé d'entendre des voix bruyantes résonner dans la cabine. Mais, à vrai dire, j'étais tellement préoccupé par d'autres pensées que je n'avais guère écouté. A présent, n'ayant plus rien à faire, je commençai à prêter une oreille attentive.

Je reconnus d'abord la voix du patron de canot, Israel Hands, qui avait été jadis le canonnier de Flint. L'autre était, naturellement, celle de mon ami au bonnet rouge. De toute évidence, les deux hommes étaient ivres et continuaient à boire, car, pendant que j'écoutais, l'un d'eux, en poussant un cri inarticulé, ouvrit le sabord de poupe et jeta à la mer un objet pesant, sans doute une bouteille vide. Mais, outre qu'ils étaient pris de boisson, ils semblaient en proie à une violente colère. Les jurons volaient dur comme grêle, et, de temps à autre, il y avait une explosion de fureur qui, j'en étais persuadé, ne pouvait finir que par des coups. Pourtant, chaque fois la querelle s'apaisait et les voix grommelaient un peu plus bas jusqu'au début d'une nouvelle crise qui, à son tour, se terminait sans dégénérer en rixe.

Sur le rivage, je voyais la lueur du grand feu de camp en train de flamber à travers les arbres. Un des boucaniers chantait une vieille complainte de marin, lente et monotone ; chacun de ses couplets se terminait par un trémolo modulé d'une voix chevrotante, et elle semblait ne devoir finir qu'avec la patience du chanteur. Je l'avais entendue maintes fois au cours de notre voyage, et je me rappelais les deux vers suivants :

> *Sur les soixante-quinze qu'avaient embarqué,*
> *Il en restait qu'un de vivant.*

Je songeai que ce refrain convenait un peu trop cruellement à une troupe qui avait subi des pertes si graves au cours de la matinée. Mais, en vérité, d'après ce que j'avais vu, tous ces hommes étaient aussi insensibles que la mer sur laquelle ils naviguaient.

Enfin, la brise se leva. La goélette se déplaça de biais et vint plus près de moi dans les ténèbres. Ayant senti l'haussière mollir à nouveau dans ma main, je tranchai les dernières fibres d'un geste vigoureux.

Comme la brise exerçait fort peu d'action sur le coracle, je fus presqu'aussitôt entraîné contre l'avant de l'*Hispaniola*. Au même instant, la goélette se mit à pivoter lentement sur son arrière et à éviter au courant.

Je me démenai comme un beau diable, car je m'attendais à couler d'un moment à l'autre. Ayant constaté que je ne pouvais pas éloigner directement le coracle, je poussais droit vers l'arrière. Finalement, je parvins à dépasser mon dangereux voisin. Au moment où je donnais un dernier coup de pagaie, ma main rencontra un mince cordage qui pendait du bastingage de proue ; je l'empoignai aussitôt.

Je ne saurais dire pourquoi je fis ce geste purement instinctif. Mais, dès que j'eus saisi la corde et constaté qu'elle tenait ferme, le démon de la curiosité s'empara de moi : je résolus de jeter un coup d'œil à travers la fenêtre de la cabine.

Je tirai sur le câble, main sur main, puis, lorsque je me jugeai assez près, je me mis sur pied et me levai à demi, au risque de chavirer, de façon à apercevoir le plafond et une partie de l'intérieur de la cabine.

Pendant ce temps, la goélette et son petit compagnon glissaient rapidement sur l'eau : en fait, nous étions déjà arrivés presque à la hauteur du feu de camp. Le navire « parlait » fort, comme disent les marins, son étrave coupant les rides innombrables de l'eau avec un clapotis incessant. C'est seulement lorsque mon regard fut au niveau de la fenêtre que je compris pourquoi les deux hommes de garde n'avaient conçu aucune inquiétude. Un seul coup d'œil me suffit (et, de mon esquif instable, je n'aurais pas osé en risquer un second) : Hands et son camarade, engagés dans une lutte à mort, étaient en train de s'étrangler l'un l'autre.

Je me laissai retomber sur le banc juste à temps pour ne pas passer par-dessus bord. Pendant quelques secondes, je fus incapable de voir autre chose que ces deux visages empourprés et furieux, oscillant sous la lampe fumeuse. Je dus fermer les yeux pour les habituer de nouveau à l'obscurité.

Là-bas, autour du feu de camp, l'interminable ballade avait pris fin, et toute la bande des mutins réduits en nombre venait d'entonner le refrain que j'avais entendu si souvent :

Ils étaient quinze sur le coffre du mort...
Oh, hisse ! et une bouteille de rhum !
La boisson et le diable avaient réglé leur compte
                              [aux autres...
Oh, hisse ! et une bouteille de rhum !

J'étais en train de penser que le diable et la boisson travaillaient ferme à ce moment même dans la cabine de l'*Hispaniola,* lorsque je fus surpris par une soudaine embardée du coracle. Presqu'aussitôt, mon esquif sembla changer brusquement de direction et augmenta étrangement sa vitesse.

J'ouvris les yeux. Tout autour de moi, des vaguelettes légèrement phosphorescentes déferlaient avec un bruit sec. A quelques yards de distance, l'*Hispaniola,* qui m'entraînait encore dans son sillage, semblait hésiter dans sa course. Je vis ses espars osciller dans l'obscurité, et, en regardant mieux, je constatai qu'elle virait également vers le sud.

Je tournai la tête, et mon cœur bondit dans ma poitrine. La lueur du feu de camp se trouvait juste derrière moi. Le courant avait viré à angle droit, emportant avec lui le grand navire et le petit coracle bondissant sur les flots : de plus en plus rapide, bouillonnant et murmurant de plus en plus fort, il filait le long de la passe, droit vers la haute mer.

Soudain, la goélette fit une violente embardée, et tourna d'au moins vingt degrés. Presque au même instant, plusieurs cris se succédèrent à bord. J'entendis des pas pesants monter l'échelle du capot, et je compris que les deux ivrognes, ayant enfin interrompu leur querelle, avaient pris conscience du péril où ils se trouvaient.

Je me couchai à plat au fond de mon pitoyable esquif, et recommandai pieusement mon âme à son Créateur. A l'extrémité de la passe, j'en étais sûr, nous allions trouver une barre de vagues en furie, où toutes mes peines prendraient fin rapidement ; or, si je pouvais, à la rigueur, supporter de mourir, j'étais incapable de regarder approcher mon destin.

Je dus rester ainsi pendant plusieurs heures, continuellement secoué par les vagues, trempé de temps à autre par les embruns, attendant la mort à chaque plongeon. Peu à peu, la fatigue s'empara de moi ; un engourdissement étrange envahit mon esprit au milieu de mes terreurs ; finalement, je cédai au sommeil, et, au fond de mon coracle ballotté par les flots, je rêvai du pays et de notre vieille auberge.

XXIV
Le voyage du coracle

Il faisait grand jour quand je m'éveillai et me trouvai en train de voguer à l'extrémité sud-ouest de l'Ile au Trésor. Le soleil, déjà levé, m'était encore caché par l'énorme masse de la Longue-Vue qui, de ce côté, descendait presque jusqu'à la mer en formidables falaises.

Près de moi se dressaient le cap Hisse-la-Bouline et la colline du Mât d'Artimon : l'un était entouré de falaises de quarante à cinquante pieds de haut, et bordé de grosses masses de rocs éboulés ; l'autre était nue et noirâtre. Comme un quart de mille à peine me séparait du rivage, je songeai tout d'abord à pagayer vers la terre et à débarquer.

J'eus tôt fait de renoncer à cette idée. De grosses lames déferlaient en mugissant parmi les rocs éboulés ; de lourdes gerbes d'embruns jaillissaient et retombaient de seconde en seconde avec un bruit retentissant ; je compris que, si je m'aventurais plus près, ou bien je serais fracassé contre cette côte sauvage, ou bien je m'épuiserais en vains efforts pour escalader ces falaises en surplomb.

En outre, je voyais, rampant en groupes sur des roches plates ou se laissant tomber dans la mer avec fracas, d'énormes monstres visqueux, semblables à des limaces d'une taille incroyable. Il y en avait environ cinquante ou soixante, et leurs aboiements faisaient retentir les échos.

J'ai su depuis que j'avais eu affaire à des lions marins, animaux absolument inoffensifs. Mais leur présence, ajoutée à l'aspect rébarbatif du rivage et à la violence du ressac, fut plus que suffisante pour m'ôter toute envie d'aborder à cet endroit. Je préférais mourir de faim en mer qu'affronter de tels périls.

Cependant, j'estimais avoir devant moi un meilleur lieu de débarquement. Au nord du cap Hisse-la-Bouline, la terre s'avance très loin dans les flots, laissant à découvert, à marée basse, une longue bande de sable jaune. Plus au nord encore se trouve un autre cap (portant, sur la carte, le nom de cap des Bois), couvert de grands pins verdoyants qui descendent jusqu'au bord de l'eau.

Je me rappelais ce que m'avait dit Silver sur le courant qui portait au nord tout le long de la côte ouest de l'Ile au Trésor. Ayant pu constater, d'après ma position, que je me trouvais déjà soumis à son influence, je préférai laisser derrière moi le cap Hisse-la-Bouline et réserver mes forces pour tenter d'aborder sur le cap des Bois à l'aspect moins rébarbatif.

Une longue houle calme parcourait la mer. Une douce brise, soufflant régulièrement du sud, ne contrariait pas le courant ; c'est pourquoi les vagues s'élevaient et retombaient sans se briser.

S'il en avait été autrement, je n'aurais pas manqué de périr noyé ; mais, en l'occurrence, mon léger petit bateau voguait avec une aisance et une sûreté surprenantes. Souvent, tandis que, étendu sans bouger au fond de l'embarcation, je risquais timidement un œil par-dessus le plat-bord, je voyais une énorme montagne bleue s'ériger au-dessus de moi ; pourtant le coracle bondissait avec souplesse, dansait comme sur des ressorts, puis retombait dans le creux de la vague, aussi léger qu'un oiseau.

Je ne tardai pas à m'enhardir, et je me redressai pour me mettre à pagayer. Mais le moindre changement dans la répartition du poids produit des changements brutaux dans le comportement d'un coracle. A peine avais-je bougé que le bateau, abandonnant son gracieux mouvement de danse, glissa vivement le long d'une pente liquide si raide que j'en eus le vertige ; puis, au milieu d'une grande gerbe d'écume, il piqua droit dans le flanc de la vague suivante.

Trempé et terrifié, je repris aussitôt ma première position ; là-dessus, le coracle, redevenant raisonnable, me conduisit aussi doucement qu'auparavant au milieu des lames. De toute évidence, il ne fallait pas le contrarier, et, à cette allure, puisque je ne pouvais absolument pas modifier sa route, quel espoir me restait-il d'atteindre le rivage ?

En dépit de mon horrible frayeur, je gardai toute ma tête. D'abord, avec d'infinies précautions, j'écopai peu à peu le coracle au moyen de mon bonnet de marin. Ensuite, risquant à nouveau un œil par-dessus le plat-bord, je me mis à observer comment mon esquif parvenait à glisser si aisément sur les flots.

Je découvris que chaque vague qui, vue de la terre ou du pont d'un navire, présente l'aspect d'une grosse montagne lisse et luisante, est, en réalité, exactement semblable à une chaîne de montagnes terrestres, avec ses pics, ses plateaux et ses vallées. Le coracle, livré à lui-même, roulant d'un bord sur l'autre, se faufilait, pour ainsi dire, à travers les régions les plus basses, évitant les pentes raides et les sommets croulants de la vague.

« Ma foi, me dis-je, il est évident que je dois rester où je suis afin de ne pas rompre l'équilibre ; mais il est non moins évident que je peux passer la pagaie par-dessus bord, et, de temps à autre, dans les endroits les plus calmes, en donner quelques coups pour pousser le bateau vers la terre. »

Aussitôt pensé, aussitôt fait. Couché au fond de mon embarcation, appuyé sur les coudes, je me mis à donner deux ou trois légers coups de pagaie, quand l'occasion se présentait, pour orienter la proue en direction du rivage.

C'était un travail très lent et très pénible, mais je gagnais visiblement du terrain. En approchant du cap des Bois, je constatai que, si je devais inévitablement manquer cette pointe, j'avais pourtant gagné une centaine de yards vers l'est. En vérité, je me trouvais très près de la terre. Je voyais les cimes des arbres, fraîches et verdoyantes, se balancer au souffle de la brise, et je me sentis sûr d'atteindre le promontoire suivant.

Il était grand temps, car la soif commençait à me torturer. L'éclat du soleil dans le ciel et ses innombrables reflets sur les vagues, l'eau qui tombait et séchait sur moi, enduisant mes lèvres mêmes d'une pellicule de sel, se liguaient pour me brûler la gorge et m'endolorir le cerveau. La vue des arbres si proches m'avait fait éprouver un désir presque douloureux, mais le courant eut vite fait de m'entraîner au-delà de la pointe. Lorsqu'une nouvelle étendue d'eau m'apparut, je vis un spectacle qui changea le cours de mes pensées.

L'*Hispaniola* voguait sur les flots, à moins d'un demi-mille droit devant moi. Naturellement, j'étais sûr d'être fait prisonnier, mais je souffrais tellement de la soif que je ne savais trop si cette perspective m'affligeait ou me réjouissait. Bien avant d'en arriver à une conclusion sur ce point, j'éprouvai une telle surprise que je me contentai d'ouvrir de grands yeux, d'un air complètement abasourdi.

La goélette naviguait sous sa grand-voile et ses deux focs : la belle toile blanche brillait au soleil comme de l'argent ou de la neige. Lorsque mes yeux se posèrent sur elle pour la première fois, toutes ses voiles portaient et elle se dirigeait vers le nord-ouest : d'où je conclus que les deux hommes à bord avaient entrepris de faire le tour de l'île pour regagner le mouillage. Mais, bientôt, le navire se mit à obliquer vers l'ouest, de sorte que je pus croire que les pirates m'avaient aperçu et s'apprêtaient à me donner la chasse. Finalement, elle tomba en plein dans le lit du vent, fut rejetée en arrière et s'immobilisa pendant un moment, les voiles frémissantes.

« Quels maladroits ! me dis-je ; ils doivent être encore ivres morts. » Et je songeai à la façon dont le capitaine Smollett les aurait secoués.

La goélette « abatta » peu à peu, entama une nouvelle bordée, fila rapidement pendant deux ou trois minutes, puis s'arrêta net une fois encore en plein dans le lit du vent. Cette manœuvre se renouvela à plusieurs reprises. De ci, de là, en avant, en arrière, au nord, au sud, à l'est et à l'ouest, l'*Hispaniola* naviguait par brusques élans, chaque bordée se terminant comme elle avait commencé, voiles battantes. Je compris que personne ne gouvernait. Mais, dans ce cas, où se trouvaient les hommes ? Ou bien ils étaient ivres morts, ou bien ils avaient abandonné le navire. Dans l'un et l'autre cas, je songeai que, si je pouvais monter à bord, je parviendrais peut-être à rendre l'*Hispaniola* à son capitaine.

Le courant entraînait vers le sud, à une même allure,

le coracle et la goélette. Mais cette dernière naviguait de façon si désordonnée, si intermittente, et restait si souvent bloquée dans le lit du vent, qu'elle perdait plutôt qu'elle ne gagnait sur moi. Si seulement j'osais m'asseoir et pagayer, j'étais certain de pouvoir la rattraper. Ce projet avait un caractère aventureux qui ranima mes forces, et la pensée du baril de galère près du capot avant redoubla mon courage.

M'étant redressé, je fus salué presque aussitôt par une gerbe d'embruns. Mais, cette fois, je persistai dans ma résolution, et j'entrepris, avec toute la vigueur et la prudence dont j'étais capable, de pagayer à la poursuite de l'*Hispaniola* en dérive. A un certain moment, j'embarquai un paquet de mer si violent que je dus m'arrêter pour écoper, le cœur battant à tout rompre. Puis, peu à peu, je m'habituai à la manœuvre de mon esquif, et je le guidai au milieu des vagues sans autre inconvénient qu'un choc brutal contre l'avant et un jet d'écume en plein visage de temps à autre.

A présent, je gagnais rapidement sur la goélette. Je pouvais voir briller les cuivres de la barre du gouvernail, cognant de côté et d'autre, mais pas une âme ne se montrait sur le pont. Il me fallait donc supposer que le navire était abandonné. Sinon, les hommes, ivres morts, dormaient en bas : dans ce cas, peut-être pourrais-je les emprisonner en condamnant les panneaux, et disposer ensuite du bâtiment comme il me plairait.

Depuis un bon moment, l'*Hispaniola* s'était comportée d'une façon extrêmement fâcheuse pour moi. Elle avait le cap presque en plein sud, mais sans jamais cesser naturellement de faire des embardées. Chaque fois qu'elle abattait, ses voiles se gonflaient à demi, ce qui l'emmenait aussitôt droit dans le vent. J'ai dit que c'était là une chose extrêmement fâcheuse pour moi. En·effet, la goélette avait beau sembler réduite à l'impuissance, avec ses voiles claquant comme des coups de canon et ses poulies roulant et cognant contre le pont, elle n'en continuait pas moins à s'éloigner de moi, non seulement à cause de la vitesse du courant mais encore sous l'effet de sa dérive qui était considérable.

Enfin, la chance me favorisa. Pendant quelques secondes la brise tomba presque complètement, et, poussée peu à peu par le courant, l'*Hispaniola* tourna lentement sur son axe de manière à me présenter sa poupe : la fenêtre de la cabine était encore grande ouverte ; la lampe brûlait toujours sur la table. La grand-voile pendait mollement comme un drapeau. Sans le courant, le navire serait resté parfaitement immobile.

Pendant les derniers instants, j'avais perdu du terrain ; mais, à présent, redoublant d'efforts, je commençai de nouveau à rattraper la fugitive.

Je me trouvais à cent mètres à peine de ma proie quand il y eut un coup de vent soudain ; les voiles s'enflèrent alors que le bateau était bâbord amures, et il fila de nouveau sur la mer, penché sur le flanc, rasant l'eau comme une hirondelle.

Je commençai par m'abandonner au désespoir pour me livrer presque aussitôt à des transports de joie. La goélette vira lentement jusqu'à me présenter son travers ; ensuite, continuant à tourner, elle couvrit la moitié, puis les deux tiers, puis les trois quarts de la distance qui nous séparait. Les vagues crêtées de blanc bouillonnaient sous son brion. Vue du fond de mon coracle, elle me parut d'une hauteur démesurée.

Alors, brusquement, je commençai à comprendre la situation. Je n'eus guère le temps de penser ; j'eus à peine le temps d'agir et de me sauver. Je me trouvais au faîte d'une lame quand la goélette dévala du haut de la lame suivante. J'aperçus le beaupré juste au-dessus de ma tête. Je me dressai aussitôt et sautai en l'air, envoyant le coracle sous l'eau d'un coup de pied. J'empoignai le bout-dehors d'une main, tandis que mon pied se logeait entre l'étai et le bras ; comme j'étais encore cramponné là, tout haletant, un coup sourd m'apprit que la goélette venait de heurter et de broyer le coracle : désormais, je me trouvais sur l'*Hispaniola*, sans possibilité de retraite.

XXV
J'amène le pavillon noir

A peine m'étais-je installé sur le beaupré que le clin-foc reprit le vent en sens contraire, et se gonfla avec un bruit semblable à un coup de canon. La goélette trembla jusqu'à la quille ; mais, un instant plus tard, les autres voiles continuant à porter, le foc revint à sa position première et pendit, inerte.

Le choc avait failli me jeter à la mer. C'est pourquoi, sans perdre de temps, je rampai le long du beaupré et dégringolai sur le pont, la tête la première.

Je me trouvais du côté sous le vent du gaillard d'avant, et la grand-voile, qui portait encore, me cachait une partie du pont arrière. On ne voyait pas une âme. Les planches, n'ayant pas été faubertées depuis la mutinerie, gardaient l'empreinte de plusieurs pas ; une bouteille au goulot cassé roulait çà et là dans les dalots comme un être vivant.

Soudain l'*Hispaniola* entra en plein dans le vent. Derrière moi les focs claquèrent avec violence ; la barre se mit à battre ; le navire frémissant se souleva si brutalement que j'en eus la nausée ; en même temps le gui du grand mât revint vers l'intérieur de la goélette, et la voile, grinçant dans les poulies, me laissa voir la partie sous le vent du pont arrière.

Les deux hommes de garde étaient bien là. Le pirate au bonnet rouge gisait sur le dos, raide comme un anspect, les bras en croix, ses lèvres écartées découvrant ses dents. Israel Hands était appuyé contre le bastingage, le menton sur la poitrine, les mains ouvertes posées devant lui sur le pont, et le visage aussi blanc, sous son hâle, qu'une chandelle de suif.

Pendant quelque temps, le navire ne cessa pas de bondir et de faire des écarts comme un cheval rétif ; les voiles se gonflaient tantôt d'un côté, tantôt de l'autre, et le gui se balançait en tous sens, si bien que le mât gémissait sous l'effet de la tension. Parfois, aussi, une gerbe d'embruns passait par-dessus le bastingage, et l'étrave heurtait lourdement la lame. Bref, ce grand voilier tenait la mer beaucoup moins bien que mon coracle primitif, tout de guingois, maintenant au fond de l'eau.

A chaque bond de la goélette, l'homme au bonnet rouge glissait d'un côté à l'autre ; mais, spectacle effroyable, ce traitement brutal ne modifiait ni son attitude ni son rictus immuable. A chaque bond, également, Hands semblait s'affaisser davantage sur lui-même et s'étaler sur le pont, ses pieds glissant toujours plus loin, tout son corps penchant vers l'arrière. Peu à peu son visage même me fut caché ; finalement, je ne distinguai plus qu'une de ses oreilles et l'extrémité ébouriffée d'un de ses favoris.

En même temps, je remarquai des flaques de sang noir sur le pont autour des deux hommes, et je commençai à penser qu'ils s'étaient entretués dans leur fureur d'ivrognes.

Tandis que je les contemplais ainsi en réfléchissant, Hands, au cours d'une brève accalmie pendant laquelle le navire demeura immobile, se retourna à demi, puis, poussant un gémissement sourd, parvint à reprendre la position où je l'avais vu tout d'abord. Ce gémissement (qui exprimait une vive souffrance et une faiblesse extrême) ainsi que la façon dont sa mâchoire inférieure pendait me touchèrent droit au cœur. Mais la conversation que j'avais entendue dans le tonneau de pommes m'étant revenue à la mémoire, toute pitié m'abandonna.

Je me dirigeai vers l'arrière et m'arrêtai au pied du grand mât.

— Je suis venu à bord, monsieur Hands, dis-je d'un ton ironique.

Il promena autour de lui un regard vague, mais il était trop épuisé pour exprimer la moindre surprise. Tout ce qu'il put faire fut de murmurer un seul mot : « Eau-de-vie ».

Je me rendis compte qu'il n'y avait pas de temps à perdre : évitant le gui qui balayait le pont une fois de plus, je me précipitai à l'arrière et descendis dans la cabine.

Il y régnait un désordre inimaginable. Les pirates avaient éventré tout ce qui fermait à clé, dans l'espoir de trouver la carte. Le plancher était couvert de boue aux endroits où ils s'étaient assis pour boire ou pour tenir conseil après avoir pataugé dans les marécages autour de leur camp. Sur les cloisons peintes en blanc, ornées de moulures dorées, se trouvaient plusieurs empreintes de mains sales. Des douzaines de bouteilles vides s'entre-choquaient dans les coins à chaque coup de roulis. Un des livres de médecine du docteur était ouvert sur la table ; on en avait arraché la moitié des feuillets pour en faire sans doute des allume-pipes. Au milieu de ce chaos, la lampe répandait encore une clarté fumeuse, couleur de terre d'ombre.

Je pénétrai dans la cambuse. Tous les tonneaux avaient disparu, et un nombre surprenant de bouteilles avaient été vidées et jetées sur place. A coup sûr, depuis le début de la mutinerie, pas un seul de ces hommes n'avait dégrisé.

En furetant partout, je finis par trouver une bouteille contenant encore un peu d'eau-de-vie que je pris pour la donner à Hands. D'autre part, je découvris, pour mon usage personnel, du biscuit, des fruits en conserve, une grosse grappe de raisins secs et un morceau de fromage. Je remontai sur le pont, chargé de ces provisions, et posai ma part derrière la tête du gouvernail ; puis, ayant bien soin de passer hors de portée du patron de canot, je gagnai l'avant et me désaltérai longuement au baril de galère. Alors, mais alors seulement, je donnai l'eau-de-vie à Hands.

Il dut en avaler près d'une demi-pinte avant de retirer la bouteille de sa bouche.

— Ah, tonnerre ! s'exclama-t-il ; j'avais bougrement besoin de ça.

Je m'étais déjà assis dans mon coin, et j'avais commencé à manger.

— Grièvement blessé ? lui demandai-je.

Il poussa un grognement, ou, plutôt, une espèce d'aboiement, puis il répondit :

— Si ce foutu docteur était à bord, j'serais remis d'aplomb en un rien de temps ; mais, vois-tu, j'ai jamais eu d'veine dans la vie, c'est ça qu'a toujours cloché pour moi... Pour ce qu'est de c'te foutue andouille, ajouta-t-il en montrant l'homme au bonnet rouge, il est mort, et bien mort. D'ailleurs, c'était pas un marin... Et toi, d'où c'est qu'tu sors ?

— Ma foi, monsieur Hands, je suis venu à bord pour prendre possession du bateau, et, jusqu'à nouvel ordre, je vous prierai de bien vouloir me considérer comme votre capitaine.

Il me jeta un regard assez aigre, mais sans répliquer un seul mot. Ses joues avaient repris un peu de couleur, bien qu'il parût encore bien mal en point et continuât de glisser et de s'affaler à chaque embardée du navire.

— A propos, poursuivis-je, je ne peux pas tolérer ces couleurs, monsieur Hands ; avec votre permission, je vais les amener. Il vaut mieux ne pas en avoir du tout.

Esquivant de nouveau le gui, je courus aux drisses du pavillon, amenai leur maudit drapeau noir et le jetai par-dessus bord.

— Dieu sauve le roi ! dis-je en agitant mon bonnet. Voici la fin du capitaine Silver !

Le patron de canot me jeta un regard attentif et sournois, le menton toujours baissé sur sa poitrine.

— J'imagine, dit-il enfin, j'imagine, capitaine Hawkins, que tu aimerais bien maintenant aller à terre. Si on causait, nous deux ?

— Ma foi, très volontiers, monsieur Hands. Parlez donc.

Et je continuai mon repas de fort bon appétit.

— Ce gars-là, commença-t-il en désignant le cadavre d'un faible signe de tête... O'Brien qu'y s'appelait... et c'était un sale cochon d'Irlandais... Donc, ce gars-là et moi, on a hissé les voiles pour ramener le bateau au mouillage. Mais, lui, v'là qu'il est mort, à c'te heure ; et j'vois pas du tout qui c'est qui va gouverner. Si j'te donne pas de conseil, t'en seras pas capable, à ce qu'y me semble. Alors, voilà ma proposition : toi, tu m'donnes à manger et à boire, et une vieille écharpe ou un vieux mouchoir pour bander ma blessure ; moi, j't'indique la manœuvre. Ça me paraît régulier pour nous deux, qu'est-ce que t'en penses ?

— Il faut que je vous dise une chose, monsieur Hands, c'est que je ne veux pas revenir au mouillage du capitaine Kidd. J'ai l'intention de gagner la baie du Nord, et d'y échouer tranquillement le bateau.

— Ça, j'm'y attendais ! s'exclama-t-il. Après tout, j'suis pas complètement idiot. J'y vois clair, non ? J'ai tenté ma chance, j'ai perdu, et c'est toi qu'as gagné. La baie du Nord ? Pour sûr ! J'ai pas le choix ! Mille tonnerrres, j't'aiderais tout pareil à naviguer jusqu'au Quai des Exécutions, tu peux m'en croire !

Ces paroles me semblèrent assez raisonnables. Nous conclûmes le marché sans plus attendre. Trois minutes plus tard, l'*Hispaniola* filait vent arrière le long de la côte de l'Ile au Trésor. J'avais bon espoir de doubler la pointe nord avant midi et de louvoyer ensuite jusqu'à la baie du Nord avant la marée haute afin de pouvoir échouer la goélette sans aucun mal en attendant que la marée descendante nous permît de débarquer.

J'attachai donc la barre et descendis chercher dans mon coffre un fin mouchoir de soie appartenant à ma mère. Je m'en servis pour bander la grande plaie saignante que Hands avait à la cuisse. Après avoir pris un peu de nourriture et avalé deux ou trois gorgées d'eau-de-vie, il commença manifestement à se sentir mieux, se tint beaucoup plus droit, parla d'une voix plus forte et plus claire, et parut un tout autre homme.

La brise nous servait admirablement. La goélette glissait sur les vagues, rapide comme un oiseau ; la côte passait devant nos yeux à toute allure, et la vue changeait à chaque instant. Bientôt, nous eûmes dépassé les hautes terres, et nous longeâmes une région basse et sablonneuse, maigrement parsemée de pins rabougris, que nous dépassâmes peu de temps après pour doubler enfin la pointe rocheuse à l'extrémité nord de l'île.

Mon nouveau commandement me transportait d'aise. J'étais ravi par le temps clair et ensoleillé ainsi que par les différents aspects de la côte. J'avais maintenant de l'eau en abondance et de bonnes choses à manger. Ma conscience, qui m'avait tout d'abord durement reproché ma désertion, était apaisée par l'importante prise que je venais de faire. Je crois que je n'aurais eu plus rien à désirer si Israel Hands n'eût suivi tous mes mouvements d'un regard ironique, en arborant perpétuellement un étrange sourire. C'était un sourire qui exprimait à la fois la souffrance et la faiblesse, un sourire hébété de vieillard ; mais j'y discernais également un peu de dérision, une ombre de perfidie, tandis que le patron de canot m'observait sans relâche d'un air rusé au cours de mon travail.

XXVI
Israel Hands

Conformément à nos désirs, le vent tourna à l'ouest. En conséquence, nous pouvions naviguer d'autant plus facilement de la pointe nord-est de l'île jusqu'à l'entrée de la baie du Nord. Mais, comme nous n'avions plus d'ancre, et comme nous n'osions pas échouer le bateau tant que la marée n'aurait pas monté davantage, nous avions pas mal de temps devant nous. Le patron de canot m'expliqua ce qu'il fallait faire pour mettre le navire à la cape. J'y parvins après plusieurs tentatives infructueuses ; puis nous nous assîmes tous deux en silence devant un autre repas.

— Capitaine Hawkins, dit-il enfin avec le même sourire inquiétant, tu voudrais pas, des fois, jeter mon vieux copain O'Brien par-dessus bord ? J'suis pas très délicat, pour sûr, et j'ai pas de remords de lui avoir réglé son compte ; mais j'le trouve pas très décoratif, qu'est-ce que t'en penses ?

176

— Je ne suis pas assez fort pour ça, et ce genre de travail ne me plaît pas du tout. En ce qui me concerne, il peut rester là : ça m'est parfaitement égal.

— Quel fichu bateau de malheur, Jim, cette *Hispaniola* ! reprit-il en clignant les yeux. Y a eu des tas d'hommes tués à son bord, des tas de pauvres marins qu'ont disparu depuis que toi et moi on a embarqué à Bristol. J'ai jamais vu une pareille déveine, pour sûr ! Tiens, par exemple, mon copain O'Brien, il est mort, non ? Eh bien, vois-tu, moi, j'suis pas un savant, mais, toi, t'es un gars qui sait lire et compter... Alors j'te pose la question franchement : d'après toi, c'est-y qu'un mort est mort pour de bon, ou c'est-y qu'il peut ressusciter ?

— On peut tuer le corps, monsieur Hands, mais pas l'âme, vous devez le savoir. O'Brien est dans l'autre monde, et peut-être qu'il nous regarde en ce moment.

— Ma foi, c'est bien dommage ! Autant dire que ça sert à rien de tuer les gens. En tout cas, les âmes, ça compte pas pour beaucoup, d'après c'que j'ai vu. J'veux bien tenter ma chance contre les âmes, Jim... Et maintenant que tu m'as causé franchement, ça me ferait bougrement plaisir si que tu descendrais dans la cabine pour me chercher une... mille sabords ! j'peux pas me rappeler le nom... ah, oui ! Jim, va donc me chercher une bouteille de vin : cette eau-de-vie est trop forte pour ma pauvre tête.

L'hésitation du patron de canot me sembla fort peu naturelle, et, d'autre part, je ne crus pas un seul instant qu'il préférât le vin à l'eau-de-vie. De toute évidence, il voulait me faire quitter le pont, mais je n'arrivais pas à deviner pour quel motif. Son regard ne rencontrait jamais le mien : il errait en tous sens, tantôt se levant vers le ciel, tantôt glissant furtivement sur le cadavre d'O'Brien. Il ne cessait pas de sourire, la langue entre ses lèvres, d'un air si embarrassé, si coupable, qu'un enfant aurait compris qu'il méditait une perfidie. Néanmoins, ma réponse fut prompte, car je vis où était mon avantage, et, avec un individu si lourdement stupide, je pouvais facilement dissimuler mes soupçons jusqu'au bout.

— Du vin ? dis-je. En effet, c'est bien meilleur. Préférez-vous du blanc ou du rouge ?

— Ma foi, camarade, pour moi, c'est du pareil au même. Pourvu qu'il soit fort et qu'y en ait beaucoup, qu'est-ce que ça peut me fiche ?

— C'est bon. Je vais vous donner du porto, monsieur Hands. Mais il me faudra le temps de le chercher.

Sur ces mots, je dégringolai la descente en faisant autant de bruit que possible, ôtai mes souliers, filai silencieusement le long de la coursive, montai l'échelle du gaillard d'avant, et passai la tête hors du capot. Je savais qu'il ne s'attendrait pas à me voir là, mais je ne négligeai aucune précaution. En fait, mes pires soupçons ne se révélèrent que trop justifiés.

Hands s'était dressé sur les mains et les genoux, et, bien que sa jambe le fît beaucoup souffrir quand il se déplaçait (car je l'entendis pousser un gémissement sourd), il traversa le pont assez rapidement. En trente secondes, il eut atteint les dalots de bâbord et tira d'un rouleau de cordage un long couteau, ou plutôt un court poignard, teinté de sang jusqu'à la garde. L'espace d'un instant, il le regarda d'un air farouche, en avançant la mâchoire inférieure ; puis, après en avoir essayé la pointe sur sa main, il le dissimula vivement sous sa vareuse, et se traîna de nouveau jusqu'à sa place contre le bastingage.

C'était tout ce que je voulais savoir. Israel pouvait se déplacer ; il possédait une arme. Donc, s'il s'était donné tant de mal pour m'éloigner, il semblait évident que je devais être sa victime. Naturellement, je ne pouvais dire ce qu'il ferait ensuite : peut-être essaierait-il de traverser l'île en se traînant depuis la baie du Nord jusqu'au camp du marécage ; peut-être tirerait-il un coup de canon dans l'espoir que ses camarades viendraient à son secours.

Néanmoins, j'étais sûr de pouvoir lui faire confiance en ce qui concernait la manœuvre de la goélette, car nos intérêts coïncidaient sur ce point : nous désirions tous deux l'échouer dans un lieu sûr et abrité, de façon à pouvoir la remettre à flot, quand le moment serait venu, avec le minimum de travail et de risque. J'estimais donc que, tant que cela ne serait pas fait, ma vie ne se trouvait pas en danger.

Pendant que je réfléchissais de la sorte, mon corps n'était pas demeuré inactif. J'avais regagné furtivement la cabine, remis mes souliers et pris une bouteille de vin au hasard. Ensuite, je remontai sur le pont.

Hands gisait dans la position où je l'avais laissé, affalé sur lui-même, les paupières closes comme s'il était trop faible pour supporter la lumière. Pourtant, il leva les yeux dès que j'arrivai, brisa le goulot de la bouteille en homme habitué à ce genre d'exercice, et avala une bonne gorgée de vin en portant son toast favori : « A notre bonne chance ! » Ensuite, il resta un moment sans bouger, et enfin, tirant de sa poche une corde de tabac, il me pria de lui couper une chique.

— Fais ça pour moi, Jim, dit-il, car j'ai pas de couteau, et même si que j'en avais un, c'est tout juste si j'aurais la force de m'en servir. Ah, Jim, Jim, j'crois bien que j'ai manqué à virer ! Coupe-moi une chique, mon petit gars ; tu sais, ça sera sans doute la dernière, car, y a pas d'erreur, j'vais m'embarquer pour le grand voyage.

— Ma foi, je veux bien vous couper un bout de tabac ; mais, si j'étais à votre place et si je me sentais si mal, je me mettrais à dire mes prières, comme un bon chrétien.

— Pourquoi ça ? Voyons, dis-moi pourquoi ?

— Pourquoi ? Tout à l'heure, vous m'avez demandé ce que devenaient les morts. Vous avez renié votre parole jurée ; vous avez vécu dans le péché, dans le mensonge et dans le sang ; au moment même où je vous parle, un homme que vous avez tué gît à vos pieds. Et vous me demandez pourquoi ! Pour implorer la miséricorde divine, monsieur Hands, voilà pourquoi !

J'avais parlé avec une certaine chaleur, en pensant au poignard ensanglanté caché dans sa poche, avec lequel l'infâme coquin se proposait de me tuer. Quant à lui, il avala une bonne rasade, puis il me répondit d'une voix solennelle :

— J'ai bourlingué pendant trente ans, et j'en ai vu de toutes les couleurs : du bon et du mauvais, du meilleur et du pire, du beau temps et des tempêtes, les vivres épuisés, les couteaux entrant en danse, et tout un sacré fourbi. Eh bien, faut que j'te dise une chose :

179

j'ai jamais vu rien de bon sortir de la bonté. Pour moi, çui-là qui frappe le premier, c'est çui-là qu'a raison. Morte la bête, mort le venin : voilà mon avis, amen, ainsi soit-il. Et maintenant, poursuivit-il en changeant brusquement de ton, on a dit assez de bêtises comme ça. La marée est assez haute à présent. Exécute mes ordres, capitaine Hawkins : on va naviguer droit vers la côte et en finir avec ce travail.

Tout compte fait, il nous restait à peine deux milles à parcourir, mais la navigation présentait bien des difficultés. En effet, outre que l'entrée de ce mouillage nord était étroite et peu profonde, elle se trouvait orientée d'est en ouest, de sorte qu'il fallait piloter la goélette avec beaucoup de délicatesse pour l'y faire pénétrer. Je crois que je fus un bon et diligent subalterne, et je suis certain que Hands était un excellent pilote ; en effet, après avoir viré à maintes reprises, nous pénétrâmes dans la passe en rasant les rives, avec une sûreté et une précision qui faisaient plaisir à voir.

A peine avions-nous dépassé l'entrée du goulet que la terre se referma autour de nous. Les rivages de la baie du Nord étaient aussi boisés que ceux du mouillage sud. Mais elle avait une forme plus étroite et plus allongée, et ressemblait davantage à un estuaire (ce qu'elle était en réalité). Droit devant nous, à l'extrémité sud, nous vîmes l'épave d'un navire complètement délabré. Ce grand trois-mâts, exposé depuis des années aux intempéries, se trouvait envahi par un véritable réseau d'algues ruisselantes ; sur le pont avaient pris racine des buissons du rivage, à présent tout couverts de fleurs. Ce spectacle attristant nous prouvait combien le mouillage était calme.

— Tiens, me dit Hands, voilà un coin épatant pour échouer un bateau. Un beau fond de sable fin ; jamais une risée ; des arbres tout autour ; et des fleurs qui poussent sur ce vieux rafiot pareil que dans un jardin.

— Et une fois échoué, comment le remettrons-nous à flot ?

— Eh bien, voilà : à marée basse, tu portes une amarre à terre sur l'autre rive ; tu l'attaches après un de ces gros pins, tu la ramènes ici, puis tu l'attaches après le

cabestan, et tu mets à la cape en attendant la marée. Quant la mer est haute, tout l'équipage tire sur le câble, et la goélette s'en va, douce comme un mouton. A présent, mon gars, attention. On approche de l'endroit, et le bateau prend beaucoup trop d'erre. Tribord un peu... là... tout droit... tribord... bâbord un peu... tout droit... tout droit !

J'exécutai ces ordres sans prendre le temps de respirer, jusqu'au moment où il s'écria soudain :

— Et maintenant, mon brave, loffe !

Aussitôt, je mis la barre dessus de toutes mes forces. L'*Hispaniola* vira rapidement, puis fila droit vers la rive basse et boisée.

L'agitation provoquée en moi par ces dernières manœuvres avait un peu relâché la surveillance assez étroite que j'avais exercée jusqu'alors sur le patron de canot. J'étais tellement absorbé, dans l'attente de l'échouage du navire, que j'avais tout à fait oublié le danger suspendu au-dessus de ma tête : penché sur le bastingage de tribord, je regardais les rides s'élargir sur l'eau devant l'étrave. Peut-être serais-je mort sans avoir pu lutter pour me défendre, si je n'avais pas tourné la tête sous l'effet d'une soudaine inquiétude. Peut-être que j'entendis un craquement et aperçus du coin de l'œil une ombre mouvante ; peut-être que j'obéis à un instinct semblable à celui des chats : toujours est-il que, en me retournant, je vis Hands, à mi-chemin entre le bastingage et moi, son poignard à la main.

Nous dûmes hurler tous les deux à la fois quand nos yeux se rencontrèrent ; mais alors que je poussai un cri aigu de terreur, lui beugla comme un taureau furieux en train de charger. Au même instant, il fonça en avant, et je bondis de côté vers le bossoir. Ce faisant, je lâchai la barre qui se rabattit brusquement vers bâbord. Je crois que cela me sauva la vie, car elle frappa Hands en pleine poitrine, l'arrêtant net momentanément.

Avant qu'il se fût remis du choc, j'étais sorti du coin où je me trouvais acculé, et j'avais devant moi toute l'étendue du pont où je pouvais facilement esquiver mon adversaire. Arrivé au pied du grand mât, je m'arrêtai, tirai un pistolet de ma poche, visai avec le plus grand sang-froid (bien que le patron de canot eût déjà fait demi-tour et marchât droit vers moi), et pressai la détente. Le chien s'abattit, mais il n'y eut ni éclair ni détonation : l'eau de mer avait rendu l'amorce inutilisable. Je me reprochai amèrement ma négligence. Pourquoi n'avais-je pas depuis longtemps rechargé et réamorcé mes seules armes ? Alors, je n'aurais pas été réduit à fuir comme un mouton devant ce boucher.

C'était merveille de voir la rapidité avec laquelle il se déplaçait malgré sa blessure. Ses cheveux grisonnants retombaient sur son visage qui, sous l'effet de la hâte et de la fureur, était aussi rouge qu'un pavillon de la marine marchande. Je n'avais pas le temps de me servir de mon autre pistolet ; en vérité, je n'y tenais guère, car j'étais sûr qu'il serait inutilisable. Ce que je voyais clairement, c'est que je ne devais pas me contenter de battre en retraite devant lui : sans quoi il aurait vite fait de m'acculer à l'avant, comme il avait failli m'acculer à l'arrière quelques instants plus tôt. Si je me laissais coincer de la sorte, neuf ou dix pouces du poignard teinté de sang seraient ma dernière aventure en ce monde. Je posai mes paumes contre le grand mât, qui était d'une bonne grosseur, et j'attendis, tous nerfs tendus.

Voyant que j'avais l'intention de m'esquiver, il s'arrêta à son tour. Pendant quelques instants il esquissa deux ou trois feintes auxquelles je répondis par des mouvements appropriés. J'avais souvent joué à ce jeu chez nous, parmi les rochers de la baie de la Colline Noire ; mais, vous pouvez m'en croire, mon cœur n'avait jamais battu si vite. Pourtant, comme je l'ai dit, c'était un jeu d'enfant, et j'estimais pouvoir triompher aisément d'un marin d'âge mûr blessé à la cuisse. En vérité, j'avais repris tant de courage que je me permis quelques pensées rapides sur la fin éventuelle de cette affaire : tout en ayant la certitude de prolonger la lutte pendant assez longtemps, je ne voyais, en fin de compte, aucun espoir de salut.

Les choses en étaient là quand, soudain, la goélette toucha le fond, chancela, râcla le sable l'espace d'un instant, puis, d'un seul coup, se coucha sur bâbord, si bien que le pont se trouva incliné à quarante-cinq degrés et qu'une grosse masse d'eau jaillit par les dalots pour aller former une mare entre le bastingage et le pont.

Renversés en une seconde, nous roulâmes tous les deux presque ensemble dans les dalots, où le cadavre rigide de l'homme au bonnet rouge, les bras toujours écartés, dégringola à notre suite. En fait, nous étions si près l'un de l'autre que ma tête heurta le pied du patron de canot avec tant de force que mes dents s'entrechoquèrent. En dépit du coup, je fus le premier sur pied, Hands s'étant empêtré dans le cadavre d'O'Brien. La brusque inclinaison du navire m'interdisait de courir sur le pont. Il me fallait trouver un nouveau moyen de fuite, et cela, immédiatement, car mon ennemi me touchait presque. Rapide comme la pensée, je bondis dans les haubans d'artimon, grimpai main sur main à toute allure, et ne repris haleine qu'une fois installé sur les barres de hune.

Ma promptitude me sauva : le poignard se ficha à moins d'un demi-pied au-dessous de moi, tandis que j'effectuais mon ascension. Israel Hands resta sur place, la bouche ouverte, le visage tourné vers moi, parfaite statue de la surprise et de la déception.

Maintenant que je disposais d'un moment de répit, j'en profitai pour changer sans plus attendre l'amorce de mon pistolet ; puis, certain d'avoir une arme prête à servir, j'entrepris, pour plus de sûreté, de retirer la charge de l'autre et de le recharger complètement.

Cette opération frappa Hands de stupeur. Il commença à comprendre que la chance tournait contre lui. Après avoir nettement hésité, il se hissa lui aussi lourdement dans les haubans, et, le poignard entre les dents, il commença une ascension lente et pénible. Il lui fallut un temps infini et force gémissements pour traîner sa jambe blessée : j'avais paisiblement terminé tous mes préparatifs qu'il lui restait encore à parcourir plus des deux tiers du trajet. Alors, tenant un pistolet dans chaque main, je lui parlai en ces termes :

— Un pas de plus, monsieur Hands, et je vous fais sauter la cervelle !... Morte la bête, mort le venin, n'est-ce pas ? ajoutai-je en ricanant.

Il s'arrêta aussitôt. D'après ses jeux de physionomie, je compris qu'il essayait de réfléchir, opération si longue et laborieuse que, fort de ma sécurité retrouvée, j'éclatai

d'un rire bruyant. Après avoir avalé sa salive une ou deux fois, il se décida enfin à parler, son visage conservant toujours la même expression d'extrême perplexité. Afin de parler, il dut retirer son poignard de la bouche, mais il ne fit aucun autre mouvement.

— Jim, dit-il, j'crois bien qu'on est salement engagés, toi et moi, et va falloir qu'on signe un traité. J'aurais eu ta peau sans cette fichue embardée ; mais j'ai jamais eu d'veine dans la vie, pour sûr. A cette heure, faut que j'amène mon pavillon, et c'est dur, vois-tu, pour un vieux mathurin comme moi, de mettre les pouces devant un moussaillon de ton espèce.

Tandis que je buvais ses paroles en souriant, fier comme un coq perché sur un mur, il rejeta soudain sa main droite en arrière par-dessus son épaule. Quelque chose siffla dans l'air comme une flèche. Je sentis un choc, puis une douleur aiguë, et je me trouvai cloué au mât par l'épaule. Sous l'effet de la surprise et de la souffrance (je ne saurais dire que j'agis volontairement, et je suis sûr que je ne visai pas mon ennemi), mes deux pistolets partirent, puis m'échappèrent des mains. Ils ne tombèrent pas seuls. Poussant un cri étouffé, le patron de canot lâcha les haubans, pour plonger ensuite dans l'eau, la tête la première.

XXVII
«Pièces de huit»

Comme la goélette donnait fortement de la bande, la majeure partie des mâts surplombait l'eau, et, du haut de mon perchoir sur les barres de hune, je n'avais rien que la surface de la baie au-dessous de moi. Hands, ayant grimpé moins haut et se trouvant, par conséquent, plus près du navire, tomba entre moi et le bastingage. Il remonta une seule fois à la surface, dans un remous d'écume et de sang, puis il coula à nouveau pour de bon.

Quand l'eau fut redevenue calme, je pus le voir, tout recroquevillé sur le sable clair et brillant, dans l'ombre du navire. Deux ou trois poissons glissèrent rapidement près de son corps. Parfois, sous l'effet des ondulations de l'eau, il semblait bouger un peu, comme s'il eût essayé de se lever. Mais il était bien mort, tué par mes balles et noyé en même temps. Son cadavre allait servir de nourriture aux poissons, à l'endroit même où il avait projeté de m'assassiner.

Dès que je fus certain de ce fait, je commençai à me sentir malade de fatigue et de terreur. Le sang coulait sur mon dos et sur ma poitrine. Le poignard, à l'endroit où il avait cloué mon épaule au mât, me brûlait comme un fer rouge. Pourtant, ce n'était pas ces souffrances réelles qui me torturaient le plus, car je me sentais capable de les supporter sans une plainte ; mais j'avais affreusement peur de tomber de mon perchoir dans cette eau verte et calme, à côté du cadavre du patron de canot.

Je me cramponnai des deux mains jusqu'à en avoir mal aux ongles, en fermant les yeux comme pour me cacher le danger. Peu à peu, mon pouls reprit un rythme normal et je retrouvai ma présence d'esprit.

Ma première idée fut d'arracher le poignard ; mais, soit qu'il fût trop enfoncé, soit que le cœur me manquât, je renonçai à ce projet en frissonnant violemment. Chose assez bizarre, ce frisson même me délivra. En fait, le poignard avait bien failli me manquer. Il me tenait simplement par un tout petit morceau de peau qui se déchira. A vrai dire, le sang n'en coula que plus fort ; mais je me retrouvai libre de mes gestes, n'étant plus fixé au mât que par ma vareuse et ma chemise.

Je me dégageai d'une brusque secousse, puis je gagnai le pont par les haubans de tribord. Bouleversé comme je l'étais, je ne me serais pour rien au monde aventuré à nouveau sur les haubans de bâbord en surplomb, d'où Hands venait de tomber si peu de temps auparavant.

Une fois en bas, je pansai ma blessure de mon mieux. Elle me faisait très mal et saignait encore abondamment ; mais elle n'était ni profonde ni dangereuse, et elle ne me gênait pas beaucoup quand je me servais de mon bras.

Ensuite, je regardai autour de moi, et, comme le bateau était devenu en quelque sorte ma propriété, je songeai à le débarrasser de son dernier passager : l'Irlandais mort.

Il avait roulé, je l'ai déjà dit, contre le bastingage, où il gisait tel un horrible pantin disgracieux : de grandeur nature, il est vrai, mais n'ayant plus rien des couleurs et de la beauté des formes qu'anime la vie. Dans la position où il se trouvait, je pouvais facilement en venir à bout ; l'habitude des aventures tragiques ayant presque entièrement émoussé ma terreur des morts, je le saisis par la taille comme si c'eût été un sac de son, et, d'une bonne poussée, je le renversai par-dessus bord. Il tomba dans la mer avec un plongeon retentissant. Le bonnet rouge se détacha de sa tête, et flotta à la surface. Dès que le clapotement eut cessé, je vis les deux cadavres côte à côte, oscillant sous l'effet des ondulations de l'eau. O'Brien, bien qu'il fût encore jeune, était complètement chauve. Sa tête dénudée reposait sur les genoux de l'homme qui l'avait tué, et les poissons, rapides comme des flèches, évoluaient autour d'eux.

A présent, je me trouvais seul à bord. La marée venait de changer. Le soleil était si près de se coucher que, déjà, l'ombre des pins de la rive ouest s'étendait à travers le mouillage et traçait des dessins sur le pont. La brise du soir s'était levée. Bien qu'elle fût arrêtée du côté de l'ouest par la colline aux deux pics, les cordages chantaient doucement et les voiles inertes claquaient de-ci de-là.

Le navire me parut en danger. J'eus tôt fait d'amener les focs, qui s'abattirent sur le pont, mais la grand-voile présentait un problème beaucoup plus difficile. Naturellement, lorsque la goélette s'était mise à la bande, le gui avait glissé hors bord, de sorte que son extrémité et deux pieds de la voile trempaient dans l'eau. Je jugeai que ceci rendait la situation encore plus dangereuse ; mais la tension était si forte que j'avais peur d'intervenir. Finalement, je pris mon couteau et coupai les drisses. Le pic tomba aussitôt, et un gros ballon de toile vint s'étaler sur l'eau. C'est là tout ce que je pus faire, car j'eus beau tirer, je ne parvins pas à ébranler le halebas. Quant au reste, la goélette devait s'en remettre à la chance, comme moi-même.

Pendant ce temps l'ombre avait envahi tout le mouillage. Les derniers rayons du soleil, je m'en souviens, se glissaient par une clairière du bois et brillaient comme des joyaux sur le manteau fleuri de l'épave. Il commençait à faire froid. Le reflux filait vers le large à vive allure ; l'*Hispaniola* était de plus engagée.

Après avoir rampé jusqu'à l'avant, je me penchai par-dessus le bastingage. L'endroit m'ayant paru peu profond, j'empoignai à deux mains l'haussière coupée pour plus de sécurité, et me laissai tomber doucement dans la mer. L'eau me venait à peine jusqu'à la taille ; le sable était ferme et couvert de rides. Plein d'entrain, je pataugeai vers le rivage, laissant la goélette couchée sur le flanc, sa grand-voile flottant sur la baie. A ce même instant, le soleil disparut presque tout à fait, et la brise se mit à siffler doucement dans le crépuscule, en agitant la cime des pins.

A tout le moins, j'en avais fini avec la mer, et je ne revenais pas de mon aventure les mains vides. La goélette était là, enfin débarrassée des boucaniers, prête à recevoir nos hommes pour reprendre le large. Je n'avais plus qu'une envie : regagner au plus vite le fortin pour me vanter de mes exploits. Peut-être me reprocherait-on un peu mon escapade, mais la capture de l'*Hispaniola* était un argument sans réplique, et j'espérais que le capitaine Smollett lui-même reconnaîtrait que je n'avais pas perdu mon temps.

Plein d'allégresse à cette idée, je me mis en route vers le fortin et mes compagnons. Je me rappelais que, des deux rivières au cours paresseux qui vont se jeter dans la baie du capitaine Kidd, l'une, située plus à l'est, descendait de la colline aux deux pics, sur ma gauche. Je dirigeai mes pas dans cette direction, afin de pouvoir franchir le cours d'eau avant qu'il fût trop large. Les arbres étaient assez clairsemés, et, en longeant les contreforts inférieurs, j'eus tôt fait de contourner la colline ; peu de temps après, je franchissais la rivière à gué, avec de l'eau jusqu'au mollet.

Ceci m'amena près de l'endroit où j'avais rencontré

Ben Gunn, et je commençai à avancer avec plus de prudence, en regardant attentivement de tous côtés. La nuit était presque tombée. Lorsque la brèche entre les deux pics apparut à mes yeux, j'aperçus une lueur vacillante dans le ciel, et j'en conclus que l'homme de l'île devait faire cuire son souper devant un feu ronflant. Néanmoins, je m'étonnai beaucoup de son imprudence, car, si je voyais cette clarté, ne pouvait-elle pas aussi bien frapper l'œil de Silver et de ses compagnons dans leur campement au milieu du marécage ?

Peu à peu, la nuit devenant plus noire, j'eus beaucoup de mal à me diriger vers mon but, même approximativement. La double colline derrière moi et la Longue-Vue à ma droite s'estompaient de plus en plus. Les étoiles étaient rares et sans éclat. Sur les basses terres où j'errais, je ne cessais de trébucher au milieu des buissons et de tomber dans des trous sablonneux.

Soudain, je fus baigné d'une vague clarté. Une lueur pâle nimbait le sommet de la Longue-Vue, et, peu de temps après, je vis un large disque d'argent surgir, très bas à l'horizon, derrière les arbres : la lune venait de se lever.

Guidé par cette lumière, je franchis rapidement le trajet qui me restait encore à couvrir ; tantôt marchant, tantôt courant, je me rapprochai du fortin, plein d'impatience. Néanmoins, au moment de pénétrer dans le bois situé devant la palissade, j'eus assez de bon sens pour ralentir le pas et avancer avec prudence : en effet, c'eût été finir piteusement mon aventure que de me faire tuer par erreur par mes propres amis.

La lune devenait plus haute ; sa clarté commençait à tomber çà et là en larges flaques dans les parties les moins touffues du bois. Soudain, droit devant moi, une lueur de couleur différente apparut parmi les arbres. Elle était d'un rouge ardent, et, parfois, elle s'obscurcissait un peu, comme si elle provenait des tisons d'un énorme feu sur le point de s'éteindre.

Je n'avais pas la moindre idée de ce que cela pouvait être.

Finalement, j'arrivai à la limite de la clairière. Son extrémité ouest était déjà baignée de clair de lune ; le reste, et le fortin lui-même, demeuraient encore plongés dans une obscurité opaque, zébrée de longues bandes de lumière argentée. De l'autre côté du fortin, un énorme feu achevait de se consumer en braises de couleur vive dont le rouge éclat contrastait fortement avec la douce pâleur de la lune. Pas une âme ne bougeait ; il n'y avait pas d'autre bruit que le sifflement de la brise.

Je m'arrêtai, en proie à la surprise et, peut-être, à une certaine terreur. Nous n'avions pas l'habitude de faire de grands feux, car, par ordre du capitaine, nous ménagions beaucoup le bois à brûler. Je commençai donc à craindre qu'un malheur ne fût arrivé au cours de mon absence.

Je fis le tour de la palissade par l'extrémité est, en ayant soin de rester dans l'ombre ; puis je la franchis à un endroit propice où les ténèbres étaient particulièrement denses.

Pour ne négliger aucune précaution, je me mis à quatre pattes et rampai sans faire de bruit vers le coin du fortin. Soudain, tandis que j'approchais du but, j'éprouvai un grand soulagement. Ce n'est pas un bruit agréable en soi, et j'ai eu souvent l'occasion de m'en plaindre en d'autres circonstances, mais, à ce moment-là, ce fut une véritable musique pour mon oreille d'entendre mes amis ronfler en chœur, si fort et si paisiblement. L'appel de la vigie en mer, ce magnifique « Tout va bien », ne m'apporta jamais un si grand réconfort.

Néanmoins, il y avait une chose certaine : ils se gardaient d'une façon déplorable. En supposant que Silver et ses acolytes se fussent trouvés à ma place, pas un seul homme de notre groupe n'aurait vu le lever du jour. « Cela ne se serait pas produit », me dis-je, « si le capitaine n'était pas blessé. » Et, de nouveau, je me reprochai vivement de les avoir abandonnés dans un danger pareil, alors qu'ils étaient si peu nombreux pour veiller.

Cependant, j'étais arrivé à la porte, et je me redressai. Je ne pus rien distinguer à l'intérieur où régnaient d'opaques ténèbres. D'autre part, je n'entendais que le ronflement régulier des dormeurs, et, parfois, de petits bruits semblables à des froissements de plumes ou à des coups de bec, parfaitement inexplicables pour moi.

J'entrai d'un pas ferme, les bras tendus en avant.

J'avais l'intention (et j'en riais en silence) d'aller m'étendre à ma place habituelle, pour me moquer ensuite de la mine que feraient mes compagnons quand ils me trouveraient le lendemain matin. Mon pied heurta un objet mou : la jambe d'un dormeur qui se retourna en grognant mais sans s'éveiller.

Puis, brusquement, une voix stridente se mit à crier dans les ténèbres : « Pièces de huit ! pièces de huit ! pièces de huit ! pièces de huit ! pièces de huit ! » et ainsi de suite, sans arrêt ni changement de ton, comme le cliquetis d'un minuscule moulin.

Capitaine Flint, le perroquet vert de Silver ! C'était lui que j'avais entendu becqueter un morceau d'écorce ; c'était lui qui, montant la garde mieux qu'aucun être humain, annonçait ainsi mon arrivée avec sa fastidieuse rengaine.

Je n'eus pas le temps de retrouver mes esprits. Eveillés par la voix grinçante du perroquet, les dormeurs se levèrent d'un bond. Puis, j'entendis Silver proférer un horrible blasphème et crier : « Qui va là ? »

Je fis demi-tour pour m'enfuir, me cognai violemment contre quelqu'un, reculai, puis tombai dans les bras d'un second individu qui les referma aussitôt et me tint solidement.

— Apporte une torche, Dick, ordonna Silver quand ma capture fut ainsi assurée.

Sur ce, un des hommes sortit du fortin et revint bientôt porteur d'un tison enflammé.

Sixième partie
Le capitaine Silver

XXVIII
Dans le camp ennemi

A la lueur rouge de la torche éclairant l'intérieur du fortin, je vis que mes pires craintes se trouvaient réalisées. Les pirates étaient en possession des lieux et des provisions : il y avait là, comme auparavant, le tonnelet de cognac, le porc et le biscuit ; mais, ce qui décupla mon horreur, il n'y avait pas la moindre trace de prisonniers. Ceci m'amenait à conclure que mes compagnons avaient tous péri, et ma conscience me reprocha amèrement de n'avoir pas été là pour mourir avec eux.

Je comptai en tout six boucaniers ; les autres étaient morts. Cinq d'entre eux, brusquement tirés du premier sommeil de l'ivresse, se tenaient debout autour de moi, le visage rouge et bouffi. Le sixième n'avait pu que se soulever sur un coude ; il était d'une pâleur mortelle ; le bandage taché de sang qui lui entourait la tête révélait qu'il venait d'être blessé récemment et pansé plus récemment encore. Je me rappelai que, lors de la grande attaque, un pirate, atteint d'un coup de feu, s'était sauvé dans les bois, et je ne doutai pas que ce fût lui.

Perché sur l'épaule de Long John, le perroquet se lissait les plumes. Silver lui-même me parut plus pâle et plus sérieux que d'habitude. Il avait encore le bel habit de drap fin qu'il portait au moment de son ambassade, mais ce costume était en bien piteux état, maculé de glaise, déchiré par les ronces du bois.

— Tiens ! s'exclama-t-il, voilà Jim Hawkins, mille sabords ! Tu es venu nous faire visite, hein ? Allons, avance ; je trouve ça très aimable de ta part.

Ce disant, il s'assit sur le tonnelet d'eau-de-vie et commença à bourrer sa pipe.

— Passe-moi donc la torche, Dick, reprit-il.

Puis, quand son tabac fut bien pris, il ajouta :

— Ça va, mon gars. Colle la camoufle sur le tas de bois. Et vous, messieurs, mettez en panne ! Pas la peine de rester debout pour M. Hawkins ; il vous excusera, je vous en fiche mon billet... Ainsi, Jim, te voilà, et c'est une agréable surprise pour le vieux John. J'ai compris que tu étais un malin la première fois que je t'ai vu, mais, ce coup-ci, tu m'épates bougrement !

Comme on peut l'imaginer, je ne répondis pas un mot à tout ceci. On m'avait placé le dos contre le mur, et je restai là debout, regardant Silver bien en face, dans une attitude assez crâne, je l'espère, mais le cœur plein d'un profond désespoir.

·Long John tira deux ou trois bouffées de sa pipe avec le plus grand calme, puis reprit la parole en ces termes :

— Ma foi, mon petit Jim, du moment que te voilà, je vais te causer franchement. Je t'ai toujours eu à la bonne, parce que tu es un gars courageux, mon portrait tout craché du temps que j'étais jeune et beau. J'ai toujours eu envie que tu viennes avec nous, pour que tu prennes ta part du magot et que tu finisses tes jours dans la peau d'un type de la haute ; or, maintenant, mon gaillard, tu peux pas faire autrement. Le capitaine Smollett, c'est un bon marin, je suis le premier à la reconnaître, mais il est drôlement à cheval sur la discipline. « Le devoir, c'est le devoir », qu'il dit, et il a bougrement raison. T'approche pas du capitaine, Jim. Même le docteur est très monté contre toi, et te traite de « chenapan ingrat ». En deux mots, voilà toute l'histoire : tu peux pas rejoindre tes amis parce qu'ils veulent pas de toi, et, sauf que tu veuilles faire une troisième bande à toi tout seul (ce qui manquerait de compagnie), faut que tu passes du côté du capitaine Silver.

Jusque-là, tout allait bien. Mes amis étaient donc encore en vie : tout en croyant qu'ils m'en voulaient de ma désertion, comme l'affirmait Silver, je me sentais plus soulagé qu'alarmé par ce que je venais d'entendre.

— J'insiste pas sur le fait que tu es entre nos mains, poursuivit le cuisinier, et pourtant tu y es bien, je t'en fiche mon billet. Moi, je suis pour les raisonnements ; les menaces, ça donne jamais rien de bon. Si ça te plaît de servir sous mes ordres, viens avec nous ; si ça te plaît pas, Jim, ma foi, tu es libre de répondre non..., libre comme l'air, camarade. Que le diable m'emporte si jamais un marin a parlé plus loyalement !

— Est-ce que je dois répondre ? demandai-je d'une voix tremblante, car, tout au long de ce discours sarcastique, j'avais senti la menace de la mort suspendue au-dessus de ma tête, de sorte que mes joues étaient en feu et que mon cœur battait douloureusement dans ma poitrine.

— Mon petit gars, personne te presse. Fais ton relèvement. Nous, on te bousculera pas, camarade ; le temps passe très agréablement en ta compagnie.

— Eh bien, répliquai-je en m'enhardissant, s'il me faut choisir, j'estime que j'ai le droit de savoir de quoi il retourne, pour quelle raison vous êtes ici, et où se trouvent mes amis.

— De quoi y r'tourne ? grommela un des boucaniers. Çui-là qui saurait ça, il aurait une rude veine !

— Toi, je te prie de condamner tes panneaux jusqu'à tant qu'on te cause ! cria Silver d'une voix farouche à l'adresse de l'interrupteur.

Ensuite, reprenant son ton gracieux, il me répondit en ces termes :

— Hier matin, monsieur Hawkins, pendant le premier quart, voilà le docteur Livesey qui s'amène, un drapeau blanc à la main. « Capitaine Silver », qu'il me dit, « vous êtes trahi. Le bateau a disparu. » Ma fois, je dis pas qu'on avait pas pris un verre, et chanté un peu pour le faire descendre ; mais y en avait au moins un de nous qui avait monté la garde... Alors, voilà qu'on se tourne du côté de la mer, et, mille tonnerres ! le bateau était plus là. J'ai jamais vu une bande d'andouilles avoir l'air plus abasourdi ; et j'avais l'air plus abasourdi que tous les autres, je t'en fiche mon billet. « Eh bien », que dit le docteur, « nous allons faire un marché. » On a fait le marché, lui et moi, et nous voilà installés ici : les provisions, l'eau-de-vie, le fortin, le bois à brûler que vous avez eu l'attention de couper, bref, comme qui dirait tout le sacré bâtiment, depuis les barres de hune jusqu'à la carlingue, tout ça est à nous. Quant à eux, ils ont déguerpi, et je sais pas où ils sont passés.

Il tira tranquillement une nouvelle bouffée de sa pipe, puis il ajouta :

— Et des fois que tu te serais fourré dans la tête que tu étais compris dans le traité, voici les derniers mots qu'on a échangés. — « Combien que vous êtes à partir ? » que j'ai demandé. — « Quatre », qu'il m'a répondu ; « quatre, dont un blessé. Quant à ce gamin, j'ignore où il est et je m'en moque. Il peut s'en aller au diable, s'il veut ; nous l'avons assez vu. » Voilà ce qu'il a dit.

— C'est tout ? demandai-je.

— Ma foi, c'est tout ce que tu dois savoir, fiston.

— Et maintenant, il me faut choisir ?

— Et maintenant, il te faut choisir, je t'en fiche mon billet.

— Eh bien, je ne suis pas assez bête pour ne pas me douter de ce qui m'attend. Même si le pire doit m'arriver, je m'en moque. J'ai vu mourir trop de gens depuis que je vous connais. Mais j'ai deux ou trois choses à vous dire. En premier lieu, vous êtes en mauvaise posture : vous avez perdu le bateau, vous avez perdu le trésor, et vous avez perdu des hommes ; tous vos projets sont ruinés, et, si vous voulez savoir à cause de qui,

eh bien, c'est à cause de moi ! J'étais dans le tonneau de pommes, le soir où nous sommes arrivés en vue de l'île ; je vous ai entendus causer, vous, John, et vous, Dick Johnson, et Hands qui est maintenant au fond de la mer, et j'ai répété chacune de vos paroles dans l'heure qui a suivi. Quant à la goélette, c'est moi qui ai coupé son amarre, c'est moi qui ai tué les deux hommes que vous aviez laissés à bord, c'est moi qui l'ai conduite à un endroit où aucun de vous ne la verra jamais plus. Les rieurs sont de mon côté ; j'ai monté toute cette affaire depuis le début ; je n'ai pas plus peur de vous que d'une mouche. Tuez-moi ou épargnez-moi, à votre guise. Mais j'ai encore une chose à ajouter : si vous m'épargnez, j'oublierai le passé, et, quand vous serez mis en jugement pour piraterie, je ferai tout mon possible pour vous sauver. C'est à vous de choisir. Ou bien vous me tuez, et cela ne vous sert de rien ; ou bien vous m'épargnez, et vous gardez un témoin qui peut vous éviter la potence.

Je cessai de parler, car, vous pouvez m'en croire, j'étais à bout de souffle. A ma grande stupeur, aucun de ces hommes ne bougea : tous me regardaient d'un air ahuri, comme un troupeau de moutons. Et, pendant qu'ils gardaient les yeux fixés sur moi, je poursuivis en ces termes :

— Monsieur Silver, je crois que vous êtes le meilleur de la bande. C'est pourquoi, si les choses en viennent au pire, je vous prie de bien vouloir dire au docteur comment je me suis comporté.

— Je m'en souviendrai, répondit-il d'un ton si étrange que je ne pus absolument pas discerner s'il se moquait de ma requête ou s'il avait été favorablement impressionné par mon courage.

— J'ai quelque chose à dire ! s'écria le vieux marin au teint d'acajou que j'avais vu dans la taverne de Long John, sur les quais de Bristol. C'est lui qu'a reconnu Chien Noir.

— Et moi, j'ai encore autre chose à ajouter, mille tonnerres ! s'exclama le cuisinier. C'est ce même gamin qui a chapardé la carte à Billy Bones. Du début à la fin, on s'est échoué sur Jim Hawkins !

— Alors, voilà pour lui ! dit Morgan, en proférant un juron.

198

Et il se leva d'un bond, brandissant son coutelas, avec autant d'agilité que s'il avait eu vingt ans.

— Halte-là ! s'écria Silver. Pour qui tu te prends, Tom Morgan ? C'est-y que tu crois être capitaine, des fois ? Par le diable, je vais te montrer que tu te trompes ! Avise-toi de me contrer, et je t'enverrai là où de braves gars sont allés avant toi depuis trente ans : les uns au bout d'une vergue, mille tonnerres ! les autres par-dessus bord... et tous pour nourrir les poissons. Y a pas un seul homme qui m'a tenu tête et qui a vu la lumière du jour le lendemain, je t'en fiche mon billet, Tom Morgan.

L'interpellé s'immobilisa, mais ses camarades poussèrent un grondement sourd.

— Tom a raison, dit l'un.

— Je me suis laissé bousculer assez longtemps par le capitaine Smollett, ajouta un autre. Je veux être pendu si je me laisse bousculer par toi, John Silver.

— C'est-y que, par hasard, un de ces messieurs voudrait s'expliquer avec moi ? demanda Long John d'une voix tonnante en se penchant en avant, sa pipe toujours allumée dans sa main droite. Dites carrément ce que vous fricotez, vous êtes pas muets, non ? Çui-là qui me cherche est sûr de me trouver. J'aurai pas vécu tant d'années pour qu'un sacré fils d'ivrogne vienne se coller en travers de ma route sur la fin de mon existence ! Vous connaissez les usages, puisque vous êtes tous des gentilshommes de fortune (que vous dites...). C'est bon : je suis prêt. Si y en a un qui a assez de cran, il a qu'à prendre son couteau, et je lui fous les tripes au soleil, tout béquillard que je suis, avant que ma pipe soit vide.

Pas un ne broncha ; pas un ne souffla mot.

— Alors, c'est ça votre genre ? reprit Silver en portant de nouveau sa pipe à sa bouche. Ma parole, vous faites une chouette équipe ! Vous valez pas grand-chose pour ce qui est de la bagarre, c'est sûr. Mais peut-être que vous êtes capable de comprendre quand on vous cause. Je suis votre capitaine par élection. Je suis votre capitaine parce que je suis, de loin, le plus capable. Vous voulez pas vous battre, comme devraient le faire des gentilshommes de fortune ; eh bien, alors, mille tonnerres ! vous allez m'obéir, je vous en fiche mon billet !

Ce gamin qu'est ici me plaît ; j'en ai jamais vu qui vaille mieux que lui. Il a plus de cran à lui seul que toute votre bande de trembleurs. Et j'ai une bonne chose à vous dire : que personne s'avise d'y toucher, ou sans ça !... oui, je vous en fiche mon billet.

Ce discours fut suivi d'un long silence. Je me tenais droit et raide contre le mur ; mon cœur battait toujours comme un marteau de forgeron, mais je voyais maintenant luire un rayon d'espoir. Silver, appuyé contre la paroi, les bras croisés, la pipe au coin de la bouche, avait l'air aussi calme que s'il eût été à l'église ; toutefois, il regardait sans cesse autour de lui à la dérobée, et surveillait du coin de l'œil ses partisans rebelles. Ces derniers s'étaient peu à peu groupés à l'autre bout du fortin ; leurs chuchotements résonnaient sans arrêt à mes oreilles comme le murmure d'un ruisseau. Parfois ils levaient la tête l'un après l'autre, et, l'espace d'une seconde, la rouge lueur de la torche tombait sur leur visage inquiet, mais c'était vers Silver, et non vers moi, qu'ils tournaient les yeux.

— Vous avez l'air d'avoir pas mal de choses à dire, fit observer Long John en crachant loin devant lui. Allons, dégoisez-moi ça tout de suite, ou bien mettez à la cape.

— 'Mande pardon, capitaine, répondit un des pirates, mais si t'en prends un peu trop à ton aise avec certaines règles, on espère que tu voudras bien respecter les autres. L'équipage est pas content ; l'équipage veut pas qu'on l'embête ; l'équipage a des droits, comme tous les autres équipages, je me permets de te le dire ; et, d'après tes propres règles, nous avons le droit de discuter le coup entre nous. 'Mande pardon, capitaine, vu que je te reconnais comme mon capitaine pour l'instant ; mais, je réclame mon droit, et je sors pour délibérer.

Après avoir salué de façon impeccable, l'orateur, un grand gaillard de trente-cinq ans, dégingandé, aux yeux jaunes, à la mine patibulaire, se dirigea froidement vers la porte et quitta le fortin. Ses camarades suivirent son exemple l'un après l'autre. Chacun salua en passant ; chacun ajouta une excuse. « C'est conforme aux règles », dit l'un. « Conseil de gaillard d'avant », déclara Morgan. Et tous s'en allèrent ainsi, me laissant seul avec Silver dans le fortin éclairé par la torche.

Le cuisinier retira immédiatement sa pipe de sa bouche, puis me dit d'une voix ferme mais à peine perceptible :

— Ecoute-moi bien, Jim Hawkins : tu es à deux doigts de la mort, et, chose bien plus terrible, de la torture. Ils vont me balancer, mais (fais bien attention à mes paroles), je reste de ton côté, quoi qu'il arrive. J'en avais pas l'intention, jusqu'à ce que tu aies raconté ton histoire. J'enrageais de perdre tout ce magot et d'être pendu par-dessus le marché. Mais j'ai vu que tu étais un gars à la hauteur. Je me suis dit : « Si tu soutiens Hawkins, John, Hawkins te soutiendra. Tu es sa dernière carte, et, mille tonnerres ! John, lui, c'est ta dernière carte à toi ! Faut s'épauler, nous deux, que je me suis dit. Sauve ton témoin, et il te sauvera de la potence. »

Je commençai à comprendre vaguement.

— Vous voulez dire que tout est perdu ? demandai-je.

— Ah ! foutre oui ! Du moment que le bateau a disparu, nous sommes fichus, un point c'est tout. Quand j'ai regardé la baie et que j'ai plus vu la goélette, Jim Hawkins..., eh bien, malgré que je sois un dur à cuire, j'ai abandonné la partie. Pour ce qui est de cette clique et de leur conseil, crois-moi, c'est tous des idiots et des capons. Je te tirerai d'entre leurs pattes, si je peux. Mais, attention, mon petit Jim, donnant, donnant : tu sauveras Long John de la potence.

J'avais peine à en croire mes oreilles : ce qu'il me demandait, lui, le vieux boucanier, le chef de la bande depuis le début, me paraissait absolument impossible.

— Je ferai tout ce que je pourrai, lui dis-je.

— Marché conclu ! s'écria-t-il. Tu as parlé crânement, et, mille tonnerres ! il me reste une chance.

Il clopina jusqu'à la torche fichée dans le tas de bois, à laquelle il ralluma sa pipe.

— Comprends-moi bien, Jim, dit-il en revenant sur ses pas. Faut pas t'y tromper : j'ai la tête sur les épaules. A présent, je suis du côté du châtelain. Je sais que tu as mis le bateau en sûreté quelque part. Comment que tu as fait ton compte, j'en sais rien ; mais il est bel et bien en sûreté. Je suppose que Hands et O'Brien ont tourné casaque. J'ai jamais eu beaucoup de confiance en eux. Ecoute-moi bien, Jim. Je pose pas de questions, et je permettrai pas aux autres d'en poser. Quant une partie est perdue, je m'en rends compte ; et quand un gars est sûr, je m'en rends compte aussi. Ah, toi qui es jeune !... qu'est-ce qu'on aurait pu faire ensemble, toi et moi !

Il ouvrit le robinet du baril de cognac et emplit un gobelet d'étain.

— Veux-tu y goûter, camarade ? me demanda-t-il.

Puis, sur mon refus, il ajouta :

— Moi, je vais en avaler un bon coup. J'ai besoin de me calfater l'estomac, car il va y avoir du grabuge. Et, à propos de grabuge, pourquoi que ce sacré docteur m'a donné la carte, Jim ?

Mon visage exprima un étonnement si sincère qu'il jugea inutile de me poser d'autres questions.

— Pourtant, il me l'a bel et bien donnée, reprit-il. Il y a quelque chose là-dessous, Jim... y a sûrement quelque chose, ça fait pas de doute... du bon ou du mauvais.

Sur ces mots, il avala une autre rasade de cognac, puis secoua sa grosse tête blonde comme un homme qui s'attend au pire.

XXIX
Je revois la tache noire

Le conseil des boucaniers durait déjà depuis un bon moment quand l'un d'eux rentra dans le fortin, et, après avoir fait le même salut qui, à mes yeux, semblait ironique, demanda la permission d'emporter la torche pour un instant. Silver ayant acquiescé, le messager se retira, nous laissant tous les deux plongés dans l'obscurité.

— Le grain se lève, Jim, me dit Long John qui avait adopté avec moi un ton amical et familier.

Je regardai par la meurtrière la plus proche. Les braises du grand feu, presque entièrement consumées, jetaient une si faible lueur que je compris pourquoi les conspirateurs avaient eu besoin de la torche. Ils étaient rassemblés à mi-chemin entre le fortin et la palissade. L'un d'eux tenait la lumière ; un second était agenouillé au milieu du groupe, et je vis dans sa main la lame d'un couteau ouvert briller de couleurs diverses à la clarté de la torche et de la lune. Tous les autres, courbés vers lui, semblaient observer ce qu'il faisait. Je pus seulement distinguer qu'il avait, outre son arme, un livre. J'étais encore en train de me demander comment ils avaient pu se procurer un objet si inattendu quand le pirate agenouillé se releva et se mit en route vers le fortin, suivi de toute la troupe.

— Ils reviennent, dis-je en regagnant ma place, car il me paraissait indigne de moi qu'ils me trouvent en train de les épier.

— Eh bien, qu'ils reviennent, mon gars, répliqua Silver avec bonne humeur. J'ai encore plus d'un tour dans mon sac.

La porte s'ouvrit, et les cinq hommes, massés sur le seuil, poussèrent l'un d'eux en avant. En toute autre circonstance, il eût été comique de le voir marcher, hésitant à poser ses pieds sur le sol, tenant devant lui sa main droite fermée.

— Approche, mon garçon, cria Silver, je vais pas te manger. Passe-moi ça, marin d'eau douce ! Je connais les règles, pour sûr ; c'est pas moi qui ferai du mal à un délégué.

Ainsi encouragé, le boucanier pressa le pas, et, après avoir donné quelque chose à Long John, de la main à la main, battit en retraite encore plus rapidement vers ses compagnons.

Le cuisinier regarda ce qu'on venait de lui remettre.

— La tache noire ! s'exclama-t-il. C'est bien ce que je pensais. Et d'où diable avez-vous tiré le papier ?... Hé là ! dites donc : ça, alors, c'est pas de veine ! Vous avez coupé ça dans une bible ! Quel est l'idiot qui a abîmé une bible ?

— Voilà, j'vous l'avais bien dit ! s'écria Morgan. Il en sortira rien de bon, que j'vous ai dit.

— Ma foi, vous vous êtes réglé votre compte vous-mêmes, reprit Silver. Pas de doute : vous serez tous pendus. Quel est le pauvre ramolli qui avait une bible ?

— Dick, répondit un des boucaniers.

— Alors, Dick peut faire sa prière. Il a eu sa part de chance en ce monde, mais, maintenant, c'est fini, je vous en fiche mon billet.

A ce moment, le grand maigre aux yeux jaunes intervint :

— Assez jaspiné, John Silver, dit-il. L'équipage, réuni en conseil, comme ça se doit, t'a collé la tache noire. Maintenant, comme ça se doit, retourne le papier et vois ce qui est écrit. Ensuite, tu pourras causer.

— Merci, George. Tu as toujours mené rondement les affaires, et tu connais les règles par cœur, ce qui me fait bien plaisir. Voyons un peu de quoi qu'il s'agit... Ah ! « Déposé »... c'est bien ça, non ? Joliment écrit, pour sûr ; on jurerait que c'est de l'imprimé. Ton écriture, George ? Ma parole, tu deviens un vrai chef dans cet équipage. Tu scrais bientôt capitaine, que ça m'étonnerait pas. Veux-tu être assez aimable pour me passer la torche, dis ? Ma pipe tire mal.

— Allons, dit George, finis de te payer la tête de l'équipage. T'es un farceur, tu le reconnais toi-même ; mais, à présent, t'es liquidé comme capitaine, et tu pourrais te donner la peine de descendre de ton tonneau pour prendre part au vote.

— Je croyais que vous aviez dit que vous connaissiez les règles, répliqua Silver d'un ton méprisant. En tout cas, si vous les connaissez pas, moi je les connais. Je reste ici..., et je suis toujours votre capitaine, faites-y bien attention, jusqu'à tant que vous ayez sorti ce que vous avez à me reprocher, et jusqu'à tant que j'aie répondu. En attendant, votre tache noire, elle vaut pas un clou. Après, on verra.

— Oh, t'as pas besoin d'avoir peur : nous, on est tous réguliers. Et d'un : t'as fait un beau gâchis de ce voyage (t'aurais un sacré toupet de dire le contraire). Et de deux : t'as laissé nos ennemis sortir de ce traquenard sans aucune garantie. Pourquoi qu'ils ont voulu filer, j'en sais rien ; mais ce qui est clair, c'est qu'ils l'ont voulu. Et de trois : tu nous as pas laissés tomber sur eux pendant qu'ils s'en allaient. Oh, mais on y voit clair, John Silver : tu veux jouer double jeu, c'est ça qui cloche chez toi. Et de quatre : y a ce gamin.

— C'est tout ? demanda le cuisinier d'un ton calme.

— Et ça suffit largement ! On ira tous sécher au bout d'une corde à cause de tes bousillages.

— Bon, eh bien, je vais répondre sur ces quatre points. Je vais y répondre l'un après l'autre. J'ai fait un beau gâchis de ce voyage, à ce qu'il paraît. Mais, dites-moi, vous savez tous ce que je voulais ; et vous savez que, si ç'avait été fait, on serait à cette heure à bord de l'*Hispaniola,* tous bien vivants, en bonne forme, le ventre plein de pudding, et le trésor dans la cale, mille tonnerres ! Et qui s'est mis à la traverse ? Qui m'a forcé la main, à moi, votre capitaine légitime ? Qui m'a collé la tache noire le jour qu'on a débarqué ? Qui a commencé la danse ? Ah, une jolie danse, que c'est !... là-dessus je suis d'accord avec vous... et elle ressemble bougrement à une gigue au bout d'une corde sur le Quai des Exécutions dans la bonne ville de Londres. Mais à qui la faute ? A Anderson, à Hands, et à toi, George Merry ! Et toi qui es le seul survivant de ce trio de bousilleurs, tu as le toupet infernal de vouloir être capitaine à ma place..., toi qui nous as tous coulés ! Mille tonnerres ! j'ai jamais rien entendu de plus ahurissant !

Silver se tut, et je pus voir, d'après l'expression de George et de ses anciens camarades, que son discours n'avait pas été vain.

— Ça, c'est ma réponse numéro un, s'écria l'accusé en essuyant son front ruisselant de sueur, car il venait de s'exprimer avec une véhémence à ébranler le fortin. Tonnerre ! Je vous le dis, j'en ai plein le dos de vous parler. Vous avez pas plus de bon sens que de mémoire, et je me demande où vos mères avaient la tête quand elles vous ont laissés prendre la mer. Vous, sur la mer ? Vous, des gentilshommes de fortune ? Allons donc, vous auriez dû être tailleurs...

— Continue, John, dit Morgan. Explique-toi sur le reste.

— Le reste ? Parlons-en ! Vous dites que ce voyage est bousillé. Ah, sacrebleu ! Vous pouvez pas savoir comment qu'il est bousillé ! Nous sommes si près de la potence que j'en ai le cou tout raide rien que d'y penser. Vous les avez vus, peut-être, les gars accrochés au bout de leurs chaînes, avec les oiseaux qui volent tout autour, et les marins qui les montrent du doigt en s'en allant avec la marée. « Qui est celui-là ? » dit l'un. « Celui-là ! c'est John Silver, je l'ai bien connu », répond l'autre. Et ils peuvent entendre cliqueter les chaînes pendant qu'ils virent de bord pour atteindre la bouée suivante. Voilà à peu près où nous en sommes, tous sans exception, grâce à George, à Hands, à Anderson, et aux autres satanés idiots de leur espèce. Pour ce qui est du quatrième point, ce gamin, voyons, mille sabords ! est-ce que c'est pas un otage ? Et est-ce que nous allons perdre un otage ? Sûrement pas, car ça se pourrait bien qu'il soit notre dernière chance. Tuer ce gamin ? comptez pas sur moi pour ça, camarades ! Et le troisième point ? Ah, il y a pas mal à dire sur le troisième point. Peut être que vous trouvez que c'est rien d'avoir un vrai docteur diplômé qui vient vous voir tous les jours : toi, John, avec ton crâne fêlé, et toi, George Merry, qui grelottais de fièvre y a pas plus de six heures, et qui as encore maintenant les yeux jaunes comme une peau de citron ? Et peut-être que vous savez pas non plus qu'y a un bateau de secours en route ? Mais y en a un, et pas tellement loin ; et nous serons trop contents d'avoir un otage quand il sera arrivé. Pour ce qui est du deuxième point, ce marché que j'ai fait..., vous me l'avez demandé à genoux..., oui, à genoux, tellement que vous étiez découragés..., et d'ailleurs, si je l'avais pas fait, vous auriez tous crevé de faim... Mais tout ça, c'est rien !... Tenez, regardez pourquoi j'ai traité avec le docteur !

Ce disant, il jeta sur le sol un objet que je reconnus immédiatement : la carte tracée sur du papier jaune, avec les trois croix rouges, que j'avais trouvée au fond du coffre du capitaine, enveloppée dans de la toile cirée. Pourquoi le docteur la lui avait remise, c'était plus que je ne pouvais imaginer.

Mais, si l'apparition de la carte me sembla inexplicable, elle frappa de stupeur les mutins survivants. Ils se jetèrent dessus comme des chats sur une souris, se la passèrent de main en main, se l'arrachèrent les uns aux autres. A en juger par les jurons, les cris et les éclats de rire puérils qui accompagnaient leur examen, on aurait pu croire non seulement qu'ils palpaient de l'or de leurs doigts, mais encore qu'ils l'avaient emporté à bord de l'*Hispaniola* et se trouvaient sains et saufs en pleine mer.

— Oui, déclara l'un d'eux, pas d'erreur, c'est la signature de Flint. J.F., et, en dessous, un paraphe avec deux demi-clés renversées [1] :

— Très joli, déclara George. Mais comment qu'on va l'emporter, puisqu'on a pas de bateau ?

Silver se leva d'un bond, et, s'appuyant d'une main contre le mur, il s'écria :

— Ce coup-ci, je t'avertis, George . si je t'entends

---

1. Sorte de nœud marin. (*N.d.T.*)

encore dire une insolence, je t'oblige à te battre contre moi. Comment qu'on va l'emporter ? Est-ce que je sais, moi ? Vous devriez bien me l'apprendre, toi et les autres, qui m'avez perdu ma goélette en vous mêlant de ce qui vous regardait pas, que le diable vous brûle ! Seulement c'est pas toi qui me le diras, pour sûr : tu as pas plus d'idées qu'un cafard. Mais, en tout cas, tu peux être poli, et il faudra que tu le sois, George Merry, je t'en fiche mon billet.

— Ça me paraît assez juste, dit le vieux Morgan.

— Juste ! je pense bien ! vous avez perdu le bateau, j'ai trouvé le trésor. Qui est-ce qui vaut le mieux : vous ou moi ? Et maintenant, je vous fous ma démission, mille tonnerres ! Elisez qui vous voudrez comme capitaine ; moi, j'en ai plein le dos !

— Silver ! s'écrièrent-ils. Vive Tournebroche ! Tournebroche reste capitaine !

— Tiens, voilà que vous chantez une nouvelle chanson ! George, mon ami, faudra que tu attendes la prochaine occasion. Tu as de la veine que je sois pas rancunier ; mais c'est pas mon genre. Et maintenant, camarades, cette tache noire, qu'est-ce qu'on en fait ? Elle vaut pas cher, hein ? Dick s'est flanqué la guigne et a abîmé sa bible, un point c'est tout.

— On pourra quand même embrasser le livre pour prêter serment, non ? grommela Dick, manifestement inquiet de la malédiction qu'il s'était attirée.

— Une bible dont il manque un morceau ! s'exclama Long John d'un ton railleur. Sûrement pas. Ça engage pas plus qu'un recueil de chansons.

— Vrai ? s'écria Dick avec une espèce de joie. Ma foi, je suppose que c'est intéressant à avoir, aussi bien.

— Tiens, Jim, voici une curiosité pour toi, dit le cuisinier en me lançant le bout de papier.

C'était une rondelle à peu près grande comme une pièce d'une couronne. Un des côtés était blanc, car elle avait été découpée dans le dernier feuillet du livre ; l'autre portait un verset de l'Apocalypse, dont les mots suivants se gravèrent dans mon esprit : « Dehors seront les chiens et les meurtriers [1]. » Le côté imprimé avait été

1. Apocalypse, 22-15. (Version d'Ostervald.) *(N.d.T.)*

noirci avec du charbon de bois qui commençait déjà à se détacher du papier et me salit les doigts ; sur le côté blanc, on avait tracé avec la même substance le mot : « Depposé ». Au moment où j'écris ces lignes, j'ai ce curieux objet sous les yeux, mais toute trace d'écriture a disparu : il ne reste plus qu'une éraflure, comme en pourrait faire un coup d'ongle.

Ainsi prit fin cette soirée mouvementée. Un peu plus tard, après avoir bu à la ronde, nous nous préparâmes à dormir. La seule vengeance de Silver consista à placer George Merry en sentinelle, en le menaçant de mort s'il manquait à son devoir.

Il me fallut beaucoup de temps avant de pouvoir fermer l'œil, et Dieu sait que j'avais plusieurs sujets de réflexion : l'homme que j'avais tué au cours de l'après-midi, la situation périlleuse dans laquelle je me trouvais, et, par-dessus tout, le jeu remarquable mené par Silver qui, d'une main, tenait les mutins tous ensemble, et, de l'autre, s'efforçait de saisir tous les moyens, possibles et impossibles, de se réconcilier avec ses adversaires pour sauver sa misérable existence. Lui-même dormait paisiblement, en ronflant très fort. Pourtant j'avais pitié de lui, malgré sa cruauté, en songeant aux sinistres dangers qui l'entouraient et à l'infâme potence qui l'attendait.

XXX
Prisonnier sur parole

Une voix claire et vigoureuse, venue de la lisière du bois, me réveilla, ou plutôt nous réveilla tous, car je vis la sentinelle elle-même, qui s'était assoupie contre un montant de la porte, se redresser brusquement.

— Ohé, du fortin ! criait-on. Voici le docteur.

C'était le docteur, en effet. Bien que je fusse heureux d'entendre le son de sa voix, ma joie n'était pas sans mélange. Je me rappelai en rougissant de honte mon indiscipline et ma dissimulation : en songeant aux dangers qu'elles m'avaient fait courir, aux compagnons qu'elles m'avaient donnés, je sentis que je n'oserais pas le regarder en face.

Il avait dû se lever pendant la nuit, car il faisait à peine clair. Après avoir couru à une meurtrière et regardé au-dehors, je le vis plongé jusqu'à mi-jambe dans le brouillard traînant au ras du sol, comme Silver le jour de son ambassade.

— C'est vous, docteur ! s'exclama Long John, aussitôt bien éveillé et débordant de cordialité. Bien le bonjour, monsieur ! Pour sûr, vous voilà frais et dispos de bon matin ; comme dit le proverbe, c'est le premier levé qu'est le mieux servi. George, secoue-toi un peu, mon fiston ; aide un peu le docteur à passer par-dessus le bastingage. Tous vos malades vont bien... ils sont en bonne voie et pleins d'entrain.

Il bavardait ainsi, debout au sommet du tertre, sa béquille sous son coude, une main contre la paroi du fortin, tout à fait semblable au Long John d'autrefois par sa voix, son attitude, son expression.

— Nous avons une grande surprise pour vous, monsieur, poursuivit-il. C'est un petit visiteur... hé, hé !... un nouveau pensionnaire qui se porte comme un charme. Il a dormi comme un subrécargue près du vieux John... côte à côte qu'on a passé la nuit, tous les deux.

A ce moment-là, le docteur Livesey avait déjà franchi la palissade et se trouvait près du cuisinier. Je l'entendis demander d'une voix altérée :

— Ça n'est pas Jim ?

— Si fait ; Jim, en chair et en os.

Le docteur s'arrêta net, mais il ne souffla pas mot, et, pendant quelques secondes, il parut incapable de bouger.

— Très bien, dit-il enfin ; le devoir d'abord, le plaisir ensuite, comme vous le diriez vous-même, Silver. Examinons vos patients.

Un instant plus tard, il entrait dans le fortin, puis,

après m'avoir adressé un signe de tête sévère, commençait à s'occuper de ses malades. Il paraissait n'éprouver aucune crainte, tout en sachant certainement que sa vie ne tenait qu'à un fil, au milieu de ces démons perfides. Il parlait à ses « clients » comme s'il eût fait une banale visite professionnelle dans une paisible famille anglaise. Je suppose que son attitude influençait les hommes, car ils se comportaient à son égard comme si rien n'avait eu lieu : comme s'ils étaient toujours des matelots fidèles en présence du médecin du bord.

— Vous allez mieux, mon ami, dit-il à celui qui avait la tête bandée ; et si jamais quelqu'un l'a échappé belle, c'est bien vous : il faut que vous ayez le crâne dur comme du fer ! Et vous, George, comment vous sentez-vous ? Vous avez une fichue couleur, mon ami ; votre foie doit être dans un triste état. Avez-vous pris mon médicament ? Dites-moi, vous autres, a-t-il pris ce médicament ?

— Oui, oui, monsieur, il l'a pris, pour sûr, répondit Morgan.

— C'est que, voyez-vous, maintenant que je suis médecin de mutins, ou plutôt, je préfère ce titre, médecin de prison, poursuivit le docteur de son ton le plus aimable, je me fais un point d'honneur de conserver tous mes hommes pour le roi George (que Dieu le bénisse !) et pour la potence.

Les boucaniers s'entre-regardèrent, mais encaissèrent ce coup droit en silence.

— Dick ne se sent pas bien, monsieur, dit l'un d'eux.

— Vraiment ? Approchez, Dick, et montrez-moi votre langue... Je serais très surpris s'il se sentait bien : il a une langue à faire peur aux Français. Encore un cas de fièvre !

— Voilà ce qu'arrive quand on abîme une bible, déclara Morgan.

— Voilà ce qu'arrive (pour reprendre vos propres termes) quand on se conduit comme des ânes bâtés, quand on n'a pas assez de bon sens pour faire la différence entre un air pur et un air emprisonné, entre la terre sèche et un bourbier pestilentiel. Naturellement, ce n'est qu'une simple opinion, mais je juge très probable que vous en verrez de dures avant de vous débarrasser de cette malaria. Camper dans un marécage ! Silver, cela m'étonne de vous. Dans l'ensemble vous êtes moins sot que tous les autres, mais vous me semblez ignorer les notions d'hygiène les plus élémentaires.

Il administra des remèdes à ses divers malades qui les prirent tous avec une humilité vraiment comique, plutôt comme les pensionnaires d'un orphelinat que comme des pirates sanguinaires. Ensuite, il reprit la parole en ces termes :

— Eh bien, voilà qui est fait pour aujourd'hui. Maintenant, s'il vous plaît, je voudrais dire deux mots à ce garçon.

Et il me désigna d'un signe de tête négligent.

George Merry se trouvait à la porte, en train de cracher, pour se débarrasser du goût d'un médicament très amer. Mais, dès qu'il eut entendu les paroles du docteur, il se retourna, tout rouge, et cria : « Non ! » en lançant un juron.

Silver frappa sur le tonneau avec la paume de sa main.

— Si-lence ! rugit-il en promenant autour de lui un regard de lion.

Puis, il ajouta de sa voix habituelle :

— Docteur, j'étais en train de penser à ça, vu que je sais que vous avez de l'amitié pour ce gamin. On vous est tous humblement reconnaissants de votre bonté, et, comme vous voyez, on a confiance en vous, car on prend vos drogues pareil que si c'était du grog. Alors, je crois que j'ai trouvé un système pour contenter tout le monde. Hawkins, veux-tu me donner ta parole de jeune gentilhomme (car tu es un jeune gentilhomme malgré que tu sois de famille pauvre), oui, veux-tu me donner ta parole de ne pas filer ton câble ?

Je m'empressai de prendre cet engagement.

— Dans ce cas, docteur, reprit Silver, vous avez qu'à passer à l'extérieur de cette palissade ; une fois que vous serez là, je vous amène le gamin qui restera à l'intérieur, et vous pourrez jaspiner à travers les pieux. Au revoir, monsieur ; présentez tous nos respects au châtelain et au capitaine Smollett.

L'explosion de protestations que, seuls, les regards menaçants de Silver avaient contenue éclata dès que le docteur eut quitté le fortin. Les pirates accusèrent ouvertement Long John de jouer double jeu, d'essayer de conclure une paix séparée à son profit, de sacrifier les intérêts de ses complices et victimes : bref, de faire ce qu'il était précisément en train de faire. Cela me paraissait si évident, en l'occurrence, que je n'arrivais pas à concevoir comment il allait s'y prendre pour détourner leur colère. Mais il valait deux fois plus qu'eux tous réunis, et sa victoire de la veille lui avait assuré une emprise considérable sur leurs esprits. Il les traita d'imbéciles et de crétins, leur affirma qu'il fallait que je parle au docteur, leur brandit la carte sous le nez, leur demanda s'ils pouvaient se permettre de rompre le traité le jour même où ils allaient commencer la chasse au trésor.

— Non, mille tonnerres ! s'écria-t-il. Le traité, on le rompra le moment venu. Jusque-là, faut que je mette dedans ce foutu docteur, même si je dois lui graisser les bottes avec de l'eau-de-vie.

Ensuite, il leur donna l'ordre d'allumer du feu, puis sortit en s'aidant de sa béquille, une main posée sur mon épaule, laissant les boucaniers plongés dans le désarroi, réduits au silence par sa volubilité plutôt que convaincus.

— Doucement, fiston, doucement, me dit-il. Ils pourraient nous sauter dessus en un clin d'œil s'ils nous voyaient nous dépêcher.

Nous traversâmes donc très posément l'étendue de sable jusqu'à l'endroit où le docteur nous attendait de l'autre côté de la palissade, et, dès que nous fûmes à portée de voix, Silver s'arrêta net.

— Vous prendrez bonne note de ça, docteur, dit-il. D'autre part, le gamin vous racontera comment que je lui ai sauvé la vie et comment que j'ai été déposé pour cette raison, je vous en fiche mon billet. Docteur, quand un homme gouverne si près du vent que moi... jouant son dernier souffle à pile ou face... peut-être que ça vous semblerait pas trop de lui adresser une bonne parole. Rappelez-vous, je vous prie, que c'est pas seulement ma vie qui est dans la balance mais encore celle de ce garçon. Allons, soyez gentil pour moi, docteur, et donnez-moi, par pitié, un peu d'espoir pour me permettre de continuer.

Silver n'était plus le même, maintenant qu'il se trouvait loin de ses amis et du fortin ; ses joues semblaient s'être creusées, sa voix tremblait ; il parlait avec le plus grand sérieux.

— Voyons, John, auriez-vous peur ?

— Docteur, je suis pas un lâche, pour sûr... croyez-moi, j'ai pas ça de frousse en moi (et il fit claquer ses doigts), mais je vous avoue franchement que l'idée de la potence me flanque la tremblote. Vous êtes un brave homme, et un homme juste : j'en connais pas de meilleur sur terre ! Vous oublierez pas ce que j'ai fait de bien, pas plus que vous oublierez ce que j'ai fait de mal, je le sais. Maintenant, voyez, je m'écarte pour vous laisser seul avec Jim. Et ça aussi, vous le mettrez à mon compte, parce que, croyez-moi, c'est une bordée bougrement dangereuse que je cours !

Là-dessus il s'éloigna jusqu'à ce qu'il fût hors de portée de voix, puis s'assit sur une souche et se mit à siffloter. De temps à autre, il se tournait sur son siège de façon à surveiller tantôt le docteur et moi, tantôt ses bandits indisciplinés qui allaient et venaient entre le feu (qu'ils s'affairaient à rallumer) et le fortin d'où ils rapportaient du porc et du biscuit pour leur déjeuner.

— Ainsi, Jim, dit le docteur d'un ton mélancolique, voilà où tu en es arrivé. Tu récoltes ce que tu as semé, mon garçon. Dieu sait que je n'ai pas le cœur de te faire des reproches ; mais il y a une chose que je tiens à te dire, même si elle doit te faire de la peine : si le capitaine Smollett avait été bien portant, tu n'aurais pas osé prendre la fuite. Tu as profité du fait qu'il ne pouvait t'empêcher de filer, à cause de sa blessure, et, par le Ciel, je trouve ça très lâche de ta part !

J'avoue que je fondis en larmes en entendant ces mots.

— Docteur, répondis-je, épargnez-moi, je vous en prie. Je me suis adressé suffisamment de reproches. De toute façon, mes jours sont comptés, et je serais déjà mort à l'heure actuelle si Silver n'avait pas pris ma défense. Croyez-moi, docteur, je saurai mourir (et j'estime que je

le mérite), mais j'ai peur de la torture. S'ils en viennent à me torturer...

— Jim, déclara-t-il d'une voix altérée, je ne puis supporter cela. Saute par-dessus la palissade et sauvons-nous.

— Docteur, j'ai donné ma parole...

— Je sais, je sais..., mais nous n'y pouvons rien, Jim. Je prends tout sur mes épaules, mon garçon, le blâme aussi bien que la honte ; mais je ne peux pas te laisser là. Saute vite ! D'un seul bond, tu seras de l'autre côté, et nous filerons comme deux lièvres.

— Non, docteur. Vous savez bien que ni vous, ni le châtelain, ni le capitaine, n'accepteriez de faire une chose pareille ; je n'accepterai pas, moi non plus. Silver m'a fait confiance ; j'ai donné ma parole ; je reste avec lui. Mais, docteur, vous ne m'avez pas laissé achever. S'ils en viennent à me torturer, peut-être que je leur dirai où est le bateau ; car je me suis emparé de l'*Hispaniola*, un peu par chance, un peu au péril de ma vie. Elle se trouve dans la baie du Nord, sur la rive sud, juste au-dessus du niveau de la haute mer. A mi-marée, elle doit être à sec.

— Le bateau ! s'exclama-t-il.

Je lui narrai brièvement mes aventures, et il m'écouta jusqu'au bout sans souffler mot.

— Il y a une sorte de fatalité dans tout cela, déclara-t-il enfin quand j'eus terminé mon récit. A chaque pas, c'est toi qui nous sauves la vie ; crois-tu donc que nous allons te laisser perdre la tienne ? Ce serait vraiment une piètre récompense, mon garçon ! Tu as découvert le complot ; puis, tu as découvert Ben Gunn (et, crois-moi, tu n'as jamais fait et tu ne feras jamais rien de mieux, même si tu dois vivre jusqu'à cent ans)... Ah, par Jupiter, à propos de Ben Gunn !... ça, c'est une sale histoire !... Hé, Silver, cria-t-il.

Puis, lorsque le cuisinier se fut rapproché, il poursuivit :

— John, je vais vous donner un bon conseil : ne vous pressez pas trop pour chercher le trésor.

— Ma foi, monsieur, je veux bien faire tout mon possible ; mais, ça, justement, c'est pas possible. Sauf votre respect, le seul moyen de sauver ma peau et celle du gamin, c'est justement de chercher le trésor, je vous en fiché mon billet.

— Dans ce cas, j'irai un peu plus loin : veillez au grain une fois que vous l'aurez trouvé.

— Monsieur, d'homme à homme, vous en avez dit trop ou pas assez. Où vous voulez en venir, pourquoi que vous avez quitté le fortin et que vous m'avez donné cette carte, j'en sais absolument rien, n'est-ce pas ? Pourtant, je vous ai obéi les yeux fermés, sans jamais entendre un mot d'espoir ! Mais, pour le coup, c'est un peu trop. Si vous voulez pas m'expliquer carrément de quoi il retourne, dites-le, et je lâche la barre.

— Non, répliqua le docteur d'un air pensif, je n'ai pas le droit d'en dire davantage. Voyez-vous, Silver, ce n'est pas mon secret ; sinon, je vous donne ma parole que je vous le confierais. Néanmoins, j'irai aussi loin que possible, et même un peu plus, car je vais me faire laver la tête par le capitaine, ou je me trompe fort ! D'abord, je vais vous donner un peu d'espoir : si nous sortons tous les deux vivants de ce piège à loups, je ferai de mon mieux pour vous sauver, faux témoignage à part.

— Pour sûr, monsieur, vous pourriez pas mieux parler même si vous seriez ma mère ! s'exclama le cuisinier, le visage rayonnant.

— Voilà donc ma première concession. Quant à la seconde, c'est le conseil suivant : gardez ce garçon près de vous, et appelez quand vous aurez besoin de secours. Je pars vous en chercher, ce qui vous montre que je ne parle pas à la légère. Au revoir, Jim.

Sur ces mots, le docteur Livesey me serra la main à travers la palissade, adressa un signe de tête à Silver, et s'enfonça dans le bois d'un pas rapide.

XXXI
La chasse au trésor : le repère de Flint

— Jim, me dit Silver dès que nous fûmes seuls, si j'ai sauvé ta vie, tu as sauvé la mienne ; et, ça, je l'oublierai pas. J'ai vu le docteur qui te faisait signe de filer..., oui, je l'ai vu du coin de l'œil, et je t'ai vu dire non, aussi clair que si je t'entendais. Jim, c'est rudement bien de ta part. Je viens d'avoir ma première lueur d'espoir depuis l'échec de notre attaque, et c'est à toi que je la dois. Maintenant, Jim, on va se mettre à cette chasse au trésor, et, par-dessus le marché, avec des ordres secrets, ce qui me plaît pas du tout. Toi et moi, faudra pas nous lâcher d'une semelle ; faudra rester comme qui dirait au coude à coude, et nous sauverons notre peau malgré les hasards du sort.

Juste à ce moment, un des boucaniers nous cria que le déjeuner était prêt. Bientôt, nous fûmes tous assis sur le sable, en train de manger du biscuit et du porc frit. Ils avaient fait un feu qui aurait suffi à rôtir un bœuf ; il dégageait tant de chaleur qu'on ne pouvait l'approcher que du côté du vent, et non sans précaution. Dans le même esprit de gaspillage, ils avaient préparé, j'imagine, trois fois plus de nourriture que nous n'en pouvions manger ; l'un d'eux, en éclatant d'un rire stupide, jeta les restes dans le feu qui se mit à flamber et à ronfler de plus belle en dévorant ce combustible insolite. Je n'ai jamais vu d'hommes si insouciants du lendemain : ils vivaient littéralement au jour le jour. En songeant à tant de nourriture gâchée, et aux sentinelles endormies à leur poste, je compris que, malgré la hardiesse dont ils pouvaient faire preuve pour une escarmouche rapide, ils

218

étaient absolument incapables de tenir une campagne un peu longue.

Silver lui-même, en train de dévorer à belles dents, avec le capitaine Flint sur son épaule, n'eut pas un seul mot de reproche pour leur insouciance. J'en fus très étonné, car il me sembla qu'il ne s'était jamais montré plus habile qu'eux dans cette conjoncture.

— Oui, camarades, déclara-t-il, vous avez de la veine que Tournebroche ait un peu de tête pour vous tous. J'ai eu ce que je voulais, y a pas à dire non. Pour sûr, ils ont l'*Hispaniola*. Où qu'ils l'ont mise, j'en sais rien. Mais, quand nous aurons découvert le trésor, faudra se remuer pour trouver le bateau. Et alors, camarades, nous qui avons les canots, on a l'avantage sur eux.

C'est ainsi qu'il discourait la bouche pleine de lard chaud ; c'est ainsi qu'il leur rendait espoir et confiance tout en ravivant son propre courage (à ce qu'il me semblait).

— Quant à notre otage, poursuivit-il, je crois bien que c'est sa dernière conversation avec ceux qu'il aime tant. J'ai eu mes renseignements grâce à lui, et je l'en remercie bougrement ; mais, à présent, c'est fini. Je le tiendrai en laisse au bout d'un filin pendant qu'on cherchera le magot ; car on va le garder comme si c'était un lingot d'or, des fois qu'y aurait une anicroche, en attendant la suite. Lorsqu'on aura le bateau et le trésor, et qu'on sera en pleine mer comme de joyeux compagnons, alors, on discutera au sujet de M. Hawkins, pour sûr, et on lui donnera sa part, en récompense de toutes ses bontés.

Il n'y avait rien d'étonnant à ce que les mutins eussent retrouvé leur bonne humeur. Pour ma part, j'étais terriblement abattu. Si le projet que Silver venait d'esquisser se révélait réalisable, le cuisinier, déjà deux fois traître, n'hésiterait pas à l'adopter. Il avait encore un pied dans chaque camp, et, sans aucun doute, il préférerait la richesse et la liberté avec les pirates à la possibilité d'échapper à la potence (seule perspective que lui offrît au mieux notre parti).

En outre, même si les choses tournaient de telle façon qu'il fût obligé de tenir parole au docteur Livesey, quels dangers nous attendaient encore ! Comme il serait terrible le moment où les soupçons de ses partisans deviendraient certitude, et où nous devrions combattre pour sauver notre vie, lui, un infirme, et moi, un enfant, contre cinq matelots vigoureux et décidés !

Si vous ajoutez à cette double crainte le mystère qui enveloppait encore la conduite de mes amis, leur étrange abandon du fortin, leur inexplicable remise de la carte à Silver, ou, plus déconcertant que tout le reste, le dernier avertissement du docteur au cuisinier : « Veillez au grain une fois que vous l'aurez trouvé », — vous comprendrez aisément combien mon déjeuner me sembla dépourvu de goût, et combien j'avais le cœur serré quand je partis à la recherche du trésor, escorté par mes gardiens.

S'il y avait eu quelqu'un pour nous voir, nous lui aurions offert un étrange spectacle, tous en vêtements de marins maculés de taches, et tous, sauf moi, armés jusqu'aux dents. Silver portait deux fusils en bandoulière, un par-devant et un par-derrière, et un pistolet dans chaque poche de son habit aux basques carrées. Pour compléter ce singulier accoutrement, le capitaine Flint, perché sur son épaule, débitait des bribes de propos incohérents ayant trait à la mer. J'avais un filin noué autour de la taille, et je suivais docilement le cuisinier qui tenait l'extrémité de ma laisse tantôt dans sa main libre, tantôt entre ses fortes dents. A vrai dire, il me menait exactement comme un ours savant.

Les autres étaient chargés de divers fardeaux : les uns portaient des pioches et des pelles (qu'ils avaient débarqué de l'*Hispaniola* avant toute autre chose) ; d'autres, du porc, du biscuit et de l'eau-de-vie pour le repas de midi. Ayant remarqué que tous ces vivres venaient de notre réserve, je compris combien Silver avait dit vrai la nuit précédente. S'il n'avait pas traité avec le docteur, lui et ses mutins, privés de la goélette, auraient été réduits à vivre d'eau claire et du produit de leur chasse. L'eau n'aurait pas été de leur goût, et les marins sont rarement bons tireurs. En outre, de même qu'ils avaient fort peu de vivres, ils ne devaient pas être abondamment pourvus de poudre.

C'est en cet équipage que nous nous mîmes tous en

route (y compris l'homme au crâne tendu, qui aurait certainement mieux fait de rester à l'ombre) et gagnâmes à la file indienne le rivage où les deux yoles nous attendaient. Les embarcations, elles aussi, témoignaient de l'ivresse et de la stupidité des pirates : l'une avait un banc brisé, toutes deux étaient à moitié pleines d'eau et de boue. Par mesure de sécurité, nous devions les garder avec nous. Nous nous répartîmes donc en deux groupes, avant de nous lancer sur les eaux de la baie.

Tout en ramant, les boucaniers se mirent à discuter au sujet de la carte. Naturellement, la croix rouge était beaucoup trop grande pour nous guider de façon précise, et la note manuscrite au verso présentait, comme vous allez le voir, une certaine ambiguïté. Peut-être le lecteur se rappelle-t-il qu'elle donnait les indications suivantes :

Grand arbre, contrefort de la Longue-Vue, situé à un quart N. du N-.N.-E.
Ilot du Squelette E.-S.-E. quart E.
Dix pieds.

Le repère principal était donc un grand arbre. Or, juste en face de nous, le mouillage se trouvait borné par un plateau de deux à trois cents pieds de haut, rejoignant au nord la pente du contrefort méridional de la Longue-Vue, et remontant vers le sud pour se raccorder à l'abrupte éminence rocheuse nommée la colline du Mât d'Artimon. Le faîte du plateau était couvert de pins de hauteurs diverses. Par endroits, l'un d'eux, appartenant à une espèce différente, se dressait à quarante ou cinquante pieds au-dessus des autres ; mais, pour décider lequel était le « grand arbre » du capitaine Flint, il fallait être sur place et utiliser un compas.

Néanmoins, chaque boucanier, à bord des yoles, avait choisi son arbre favori avant que nous eussions parcouru la moitié du trajet. Seul, Long John haussait les épaules et conseillait d'attendre qu'on fût arrivé.

Nous ramions doucement, suivant les instructions de Silver, afin de ne pas fatiguer les hommes prématurément. Après une très longue traversée, nous débarquâmes à l'embouchure de la seconde rivière, celle qui descend du faîte de la Longue-Vue au creux d'un ravin boisé. De là, en obliquant sur la gauche, nous commençâmes à gravir la pente en direction du plateau.

Au début, notre marche fut retardée par un terrain marécageux couvert d'une végétation enchevêtrée. Mais, peu à peu, la pente se fit plus abrupte, et le sol plus rocailleux, tandis que le bois, changeant d'aspect, devenait moins touffu. En vérité, nous approchions maintenant d'une des parties les plus agréables de l'île. L'herbe était presque partout remplacée par des genêts au parfum entêtant et de nombreux buissons en fleur. Çà et là, des fourrés de muscadiers mettaient des taches vertes parmi les pins au fût rougeâtre, au vaste ombrage, et l'odeur épicée des uns se mêlait au puissant arôme des autres. En outre, l'air était frais et vivifiant, ce qui, sous les rayons du soleil presque à son zénith, nous apportait un merveilleux réconfort.

Avec force cris et force bonds, notre troupe se déploya en éventail. A peu près au milieu, assez loin en arrière, Silver et moi suivions les autres : moi, au bout de mon filin, lui peinant et ahanant sur les cailloux glissants. A vrai dire, je devais parfois lui donner la main pour lui éviter de faire un faux pas et de dégringoler le long de la pente.

Nous avions ainsi parcouru environ un demi-mille et nous approchions du sommet du plateau, quand l'homme qui se trouvait le plus à gauche poussa un cri, sous l'effet, semblait-il, d'une terreur subite. Comme il ne cessait pas de crier, tous les autres se précipitèrent dans sa direction.

— Y peut pas avoir trouvé le trésor, dit le vieux Morgan qui, venant de notre droite, passa devant nous en courant, puisque la cache est tout en haut.

En effet, comme nous le constatâmes en arrivant sur les lieux, il s'agissait de tout autre chose. Au pied d'un pin assez gros, ligoté par une liane verte qui avait soulevé certains petits os, gisait un squelette humain recouvert de quelques lambeaux d'étoffe. Je crois que ce spectacle glaça tous les cœurs, l'espace d'un instant.

— C'était un marin, déclara George Merry qui, plus hardi que les autres, s'était approché pour examiner les

haillons. En tout cas, il portait du bon drap de marin.

— Pour sûr, répliqua Silver, c'est plus que probable. Tu t'attendais pas à trouver un évêque dans ce coin, non ?... Mais j'ai jamais vu un squelette placé comme ça : c'est pas naturel.

En fait, au second coup d'œil, il semblait impossible de concevoir que le corps fût dans une position normale. A part quelques os un peu en désordre (œuvre des oiseaux qui s'étaient nourris du cadavre, ou de la liane à la poussée lente qui avait peu à peu enveloppé sa dépouille), l'homme gisait selon une ligne droite parfaite, les pieds orientés dans une direction, et les mains, levées au-dessus de la tête comme celles d'un plongeur, exactement dans la direction opposée.

— Il m'est venu une idée dans ma vieille caboche, déclara Silver. Voici le compas : et voilà, tout là-bas, l'extrême pointe de l'îlot du Squelette, qui fait saillie comme une dent. Faites un relèvement, les gars, dans l'alignement des os.

Son ordre fut exécuté : le squelette était orienté droit dans la direction de l'île, et le compas marquait bien E.-S.-E. quart E.

— C'est juste ce que je pensais ! s'écria le cuisinier. Ce squelette sert de repère. Tout droit là-haut, y a notre étoile polaire et le magot. Mais, mille tonnerres ! quand je pense à Flint, j'en ai les tripes glacées ! Ça, c'est bien une de ses farces, y a pas d'erreur. Il était seul avec ses six hommes ; il les a tués tous sans exception ; et ensuite, mille sabords ! il en a traîné un jusqu'ici, et il l'a orienté au compas ! Les os sont longs et les cheveux étaient blond filasse. Ça devait être Allardyce. Tu te rappelles Allardyce, Tom Morgan ?

— Pour sûr que je m'en rappelle ! Même qu'il me devait de l'argent, et qu'il est descendu à terre en emportant mon couteau.

— Parlant de couteau, dit un des boucaniers, pourquoi qu'y a pas celui du mort ici ? Flint, c'était pas le gars à vider les poches d'un marin ; et les oiseaux, je suppose, y auraient pas touché.

— Cré tonnerre, c'est la vérité vraie ! s'écria Silver.

— Y reste rien du tout, déclara George Merry qui continuait à fouiller parmi les os ; pas un liard, pas une blague à tabac. Ça me paraît pas naturel.

— Non, pour sûr, approuva Silver, c'est pas naturel, et c'est pas très agréable... Tonnerre de Dieu, les gars ! si Flint vivait encore, ça chaufferait bougrement ici pour vous et moi ! Six qu'ils étaient, tout comme nous ; et il en reste plus que les os.

— Je l'ai vu mort, de mes deux yeux, dit Morgan. Billy m'a fait entrer. Il était là, tout raide, avec un penny sur chaque œil.

— Mort... pour sûr qu'il est mort et enterré, dit l'homme à la tête bandée. Mais si jamais c'était vrai qu'y a des esprits qui reviennent sur terre, celui de Flint serait le premier à revenir. Cré bon sang, quelle sale mort il a eue, Flint !

— Ah ! pour ça, oui, déclara un autre boucanier. Des fois il était furieux ; des fois il gueulait pour avoir du rhum ; des fois il se mettait à chanter. Il chantait toujours la même chanson : « *Ils étaient quinze sur le coffre du mort* » ; et, pour vous dire vrai, camarades, ça m'a jamais fait plaisir de l'entendre depuis ce jour-là. Y faisait une chaleur de four, et le sabord était ouvert, et j'entendais cette vieille rengaine qu'il chantait d'une voix claire tandis que la mort lui avait déjà mis le grappin dessus.

— Ça suffit comme ça, bouclez-la, ordonna Silver. Il est mort, et il se promène pas sur terre, pour autant que je sache ; du moins, il se promène pas de jour, je vous en fiche mon billet. La peur est pire que le mal. Allons chercher les doublons !

Nous nous remîmes en route, bien sûr ; mais, malgré le soleil brûlant et l'éclatante lumière du jour, les pirates ne couraient plus à travers bois, chacun de leur côté, en s'interpellant : ils marchaient côte à côte et parlaient à voix basse. La terreur du boucanier mort leur avait enlevé tout leur entrain.

XXXII
La chasse au trésor : la voix parmi les arbres

En raison de l'effet déprimant de cette alerte, et aussi pour permettre à Silver et aux malades de se reposer, toute la troupe s'assit en arrivant au sommet de la pente.

Le plateau étant légèrement incliné vers l'ouest, l'endroit où nous avions fait halte dominait un vaste paysage. Devant nous, au-delà des arbres, nous apercevions le cap des Bois, frangé d'écume ; derrière nous, non seulement nous avions vue sur le mouillage et l'îlot du Squelette, mais encore nous pouvions distinguer, au large de la pointe sablonneuse et de la plaine orientale, une grande étendue de haute mer. Droit au-dessus de nous se dressait la Longue-Vue, parsemée à certains endroits de pins isolés, et coupée à d'autres par de noirs précipices. On n'entendait d'autre bruit que la rumeur des vagues déferlant tout autour de l'île, et le bourdonnement des insectes innombrables dans les broussailles. Pas un homme, pas une voile sur la mer ; l'immensité de la vue accentuait l'impression de solitude.

Silver, une fois assis, fit plusieurs relèvements au moyen de son compas.

— Voilà trois « grands arbres », dit-il, à peu près en ligne droite avec l'îlot du Squelette. « Contrefort de la Longue-Vue », ça doit être, je suppose, cette pointe basse. A présent, c'est un jeu d'enfant de trouver le magot. J'ai presque envie de dîner d'abord.

— J'ai pas faim, grommela Morgan. Je crois que ça m'a coupé l'appétit, de penser à Flint.

— Ma foi, mon gars, tu peux remercier ton étoile qu'il soit mort, déclara Silver.

— Il était pas beau à voir, s'écria un troisième pirate en frissonnant. Un vrai diable qu'on aurait dit, avec sa figure toute bleue !

— Ça, c'était l'effet du rhum, ajouta George Merry. C'est bien vrai qu'il avait la peau du visage bleue !

Depuis qu'ils s'étaient mis à penser à Flint après la découverte du squelette, ils n'avaient pas cessé de parler de plus en plus bas ; maintenant ils en étaient arrivés à un véritable murmure, de sorte que le bruit de leurs paroles troublait à peine le silence du bois. Tout à coup, au milieu des arbres en face de nous, une voix grêle, aiguë et chevrotante, se mit à chanter la rengaine bien connue :

Ils étaient quinze sur le coffre du mort...
Oh, hisse ! et une bouteille de rhum !

Je n'ai jamais vu d'hommes plus bouleversés que les boucaniers à ce moment-là. Leur visage perdit toute couleur comme par enchantement. Certains se dressèrent d'un bond ; d'autres s'accrochèrent à leur voisin ; Morgan s'aplatit sur le sol.

— Tonnerre de Dieu, c'est Flint ! s'écria Merry.

La chanson s'était arrêtée aussi brusquement qu'elle avait commencé, interrompue, aurait-on dit, au milieu d'une note, comme si quelqu'un avait posé la main sur la bouche du chanteur. Venant de si loin, à travers l'atmosphère limpide et ensoleillée, parmi les arbres verdoyants, elle m'avait paru mélodieuse et aérienne. L'effet produit sur mes compagnons n'en fut que plus étrange.

— Allons, dit Silver, dont les lèvres décolorées parvenaient difficilement à prononcer les mots, ça prend pas, mes amis... Pare à virer, les gars ! L'expédition commence drôlement, et je peux pas mettre un nom sur cette voix ; mais, pour sûr, quelqu'un nous joue une farce, quelqu'un en chair et en os, je vous en fiche mon billet.

Tout en parlant, il avait repris son sang-froid et un peu de couleur. Déjà, les boucaniers, prêtant l'oreille à ses encouragements, commençaient à se ressaisir, lorsque la même voix se fit entendre à nouveau. Cette fois, ce n'était plus un chant, mais un appel faible et lointain dont les échos résonnèrent plus faiblement encore dans les ravins de la Longue-Vue.

— Darby Mac Graw, gémissait la voix (« gémir » est le seul mot qui rende exactement son intonation)... Darby Mac Graw ! Darby Mac Graw ! Darby Mac Graw !

Puis, devenant plus aiguë, elle ajouta, en proférant un juron que je ne reproduis pas ici :

— Apporte le rhum à l'arrière, Darby !

Les boucaniers, les yeux hors de leurs orbites, restèrent cloués sur place. Longtemps après que la voix se fut éteinte, ils continuèrent à regarder droit devant eux, muets, épouvantés.

— Pour le coup, y a plus de doute ! murmura l'un d'eux. Fichons le camp.

— C'est les derniers mots qu'il a dits, gémit le vieux Morgan. Oui, c'est ses derniers mots.

Dick, ayant sorti sa bible, priait avec volubilité. Il avait été bien élevé, ce Dick, avant de prendre la mer et de tomber en mauvaise compagnie.

Seul, Long John refusait de s'avouer vaincu. Je l'entendais claquer des dents, mais il continuait à tenir bon.

— Personne dans cette sacrée île a jamais entendu parler de Darby ; personne, sauf nous...

Puis, faisant un gros effort, il poursuivit :

— Camarades, je suis ici pour trouver ce magot, et je reculerai pas devant le diable lui-même. J'ai jamais eu peur de Flint quand il était en vie, et, mille tonnerres ! je lui ferai face maintenant qu'il est mort ! Y a sept cent mille livres à moins d'un quart de mille d'ici. Quand c'est-y qu'un gentilhomme de fortune a tourné la poupe à tant de jaunets, à cause d'un vieux pochard de marin à la gueule toute bleue... et mort, par-dessus le marché ?

Mais ses compagnons ne montrèrent par aucun signe qu'ils reprenaient courage ; en vérité, les paroles irrévérencieuses de Silver semblèrent accroître leur terreur.

— Amarre ça, John ! déclara Merry. T'amuse pas à contrarier un esprit.

Les autres étaient beaucoup trop épouvantés pour parler. S'ils l'avaient osé, ils se seraient enfuis dans toutes les directions ; mais la crainte les maintenait rassemblés autour de Long John, comme si son audace pouvait les protéger. Quant à lui, il avait presque entièrement surmonté sa faiblesse.

— Un esprit ? je veux bien, déclara-t-il. Mais y a une chose qui me paraît pas très claire : y a eu un écho. Vous savez tous qu'on a jamais vu un esprit qu'avait une ombre ; alors, pourquoi que celui-ci aurait un écho ? C'est pas naturel, que je dis.

Cet argument me parut assez faible, mais on ne peut jamais prévoir ce qui va toucher les esprits superstitieux, et, à ma vive surprise, George Merry parut grandement soulagé.

— C'est ma foi vrai, dit-il. Pas de doute, Long John, t'as une fameuse caboche sur tes épaules. Pare à virer, camarades ! M'est avis qu'on faisait fausse route, nous autres. Et, tout bien réfléchi, cette voix ressemblait à celle de Flint, pour sûr, mais elle était pas aussi forte. On aurait dit plutôt la voix de quelqu'un d'autre... la voix de...

— De Ben Gunn, mille tonnerres ! rugit Silver.

— Oui, pas de doute, s'écria Morgan en se relevant sur les genoux. C'était bien la voix de Ben Gunn !

— Dites donc, ça change pas grand-chose, déclara Dick. Ben Gunn est pas ici en chair et en os, pas plus que Flint.

Mais les anciens accueillirent cette remarque avec mépris.

— De toute manière, on se fiche pas mal de Ben Gunn, qu'il soit mort ou vivant, dit Merry.

Je fus stupéfait de voir avec quelle rapidité ils avaient repris courage, en même temps que leur couleur naturelle. Bientôt, ils recommencèrent à bavarder, en marquant des pauses pour prêter l'oreille. Un peu plus tard, n'ayant plus rien entendu, ils rechargèrent les outils sur leurs épaules, et se remirent en route. Merry marchait en tête, muni du compas de Silver pour les maintenir dans l'alignement de l'îlot du Squelette. Il avait dit la vérité : tout le monde se fichait de Ben Gunn, mort ou vif.

Seul, Dick, tenant toujours sa bible, jetait autour de lui des regards craintifs. Mais il ne rencontrait aucune sympathie, et Silver alla jusqu'à se moquer de ses précautions.

— Je t'ai déjà dit que tu avais abîmé ta bible. Si elle est plus bonne pour prêter serment, comment veux-tu qu'elle compte pour chasser un esprit ? Elle vaut même pas ça !

Et il s'arrêta un instant, appuyé sur sa béquille, en faisant claquer ses gros doigts.

Mais Dick ne se laissait pas réconforter. En vérité, je ne tardai pas à comprendre qu'il était en train de tomber malade. Sous l'effet de la chaleur, de l'épuisement, et du choc de cette alerte, la fièvre prédite par le docteur Livesey s'était emparée de lui et devenait rapidement plus forte.

Arrivés au sommet, nous trouvâmes la marche facile ; nous descendions légèrement, car, ainsi que je l'ai dit, le plateau s'inclinait vers l'ouest. Les pins, grands et petits, poussaient très clairsemés ; et même, entre les touffes de muscadiers et d'azalées, de grands espaces découverts baignaient dans un soleil brûlant. Comme nous traversions l'île en direction nord-ouest, nous nous rapprochions toujours davantage des contreforts de la Longue-Vue, et, en même temps, nous apercevions une étendue sans cesse grandissante de cette baie occidentale où j'avais été ballotté, tout tremblant, sur mon coracle.

Nous atteignîmes le premier des grands arbres, mais, après avoir fait un relèvement, nous constatâmes que ce n'était pas le bon. Il en fut de même pour le deuxième. Le troisième s'érigeait à presque deux cents pieds de hauteur au-dessus d'un épais taillis. Ce géant au fût rougeâtre aussi gros qu'une maisonnette aurait pu abriter les manœuvres d'une compagnie de soldats. Visible de fort loin sur la mer, à l'est comme à l'ouest, il aurait pu très bien servir de point de repère sur la carte.

Mais ce n'était pas sa taille qui impressionnait mes compagnons : c'était de savoir que sept cent mille livres en or se trouvaient enfouies quelque part dans l'étendue de son ombre. A mesure qu'ils approchaient, l'idée de cet argent dissipait leurs terreurs premières. Leurs yeux flamboyaient ; leurs pas devenaient plus rapides et plus légers ; toute leur âme était liée à cette fortune, à cette existence de prodigalité et de plaisirs qui les attendait.

Silver sautillait sur sa béquille en grommelant ; ses narines dilatées frémissaient ; il jurait comme un possédé lorsque les mouches se posaient sur son visage brûlant et luisant de sueur ; il tirait brutalement sur le filin qui m'attachait à lui, et, de temps à autre, il me jetait un coup d'œil féroce. Je pouvais lire en lui à livre ouvert, car il ne prenait plus la peine de cacher ses pensées. La proximité de l'or lui avait fait oublier tout le reste ; sa promesse et l'avertissement du docteur appartenaient au passé. A n'en pas douter, il espérait s'emparer du trésor, retrouver et aborder l'*Hispaniola* sous le couvert de la nuit, égorger tout ce qu'il y avait encore d'honnêtes gens sur l'île, et reprendre la mer, selon son projet primitif, chargé de crimes et de richesses.

Bouleversé par tant de craintes, j'avais peine à suivre l'allure rapide des chercheurs de trésor. Parfois je trébuchais, et c'est alors que Silver tirait brutalement sur le filin en me lançant des regards meurtriers. Dick, qui s'était laissé distancer et fermait la marche, marmonnait tout seul prières et malédictions, à mesure que sa fièvre montait. Ceci accroissait ma détresse, et, pour comble de malheur, j'étais hanté par la pensée du drame qui s'était déroulé jadis sur le plateau, quand ce maudit boucanier au visage bleu, ce Flint qui mourut à Savannah en chantant et en réclamant à boire, avait, ici même, de ses propres mains, massacré ses complices. Ce bois, à présent si paisible, avait dû retentir de leurs hurlements : dans mon imagination, je croyais les entendre résonner à mes oreilles.

Nous étions arrivés à l'orée du taillis.

— Hourra, camarades ! en avant tous ensemble ! s'écria Merry.

Les plus avancés se mirent aussitôt à courir, mais, brusquement, nous les vîmes s'arrêter à dix yards de nous. Un cri étouffé s'éleva. Silver redoubla de vitesse, enfonçant dans le sol l'extrémité de sa béquille avec une fureur démente. Une minute après, nous restions, lui et moi, cloués sur place à notre tour.

Devant nous s'ouvrait une grande excavation, pas très

récente car ses parois s'étaient éboulées et de l'herbe avait poussé au fond. Elle contenait le manche d'une pioche brisé en deux, et les planches éparses de plusieurs caisses. Sur l'une d'elles je vis, marqué au fer rouge, le mot *Walrus,* le nom du bateau de Flint.

Nous ne pouvions conserver aucune doute : on avait découvert et pillé la cachette, et les sept cent mille livres avaient disparu !

XXXIII
La chute d'un chef

On ne vit jamais ici-bas une pareille déconfiture. Chacun de ces six hommes semblait pétrifié de stupeur. Mais Silver reprit son sang-froid presque immédiatement. Tel un coureur, il avait tendu toutes ses pensées vers ce seul but : l'argent, et il venait d'être arrêté net en une seconde. Malgré cela, il conserva toute sa tête, retrouva son calme, et modifia son projet avant que ses compagnons aient eu le temps de se rendre compte de l'étendue de leur déception.

— Jim, murmura-t-il en me passant un pistolet à deux coups, prends ça et veille au grain.

En même temps, il obliqua paisiblement vers le nord, puis, en quelques pas, il plaça l'excavation entre nous deux et les cinq autres. Ensuite il me regarda et me fit un signe de tête comme pour dire : « Nous voilà dans un sale pétrin », ce qui était bien mon avis. Il avait maintenant une expression fort amicale, si bien que, révolté par ces revirements perpétuels, je ne pus m'empêcher de lui dire à voix basse :

— Ainsi, vous avez changé de camp une fois de plus !

Il n'eut pas le temps de me répondre. Les boucaniers, avec force cris et jurons, se mirent à sauter dans le trou l'un après l'autre et à creuser le sol avec leurs doigts en rejetant les planches de côté. Morgan trouva une pièce d'or. Il la montra à bout de bras en proférant une série de blasphèmes. C'était une pièce de deux guinées, et elle passa de main en main pendant quelques secondes.

— Deux guinées ! rugit Merry en la brandissant vers Silver d'un geste menaçant. C'est ça tes sept cent mille livres, hein ? Ah, tu t'y connais pour faire les marchés, bon sang ! C'est toi, le grand homme qui a jamais rien gâché, tête de bois !

— Creusez toujours, les gars, répliqua Long John avec un parfait cynisme. Vous trouveriez des truffes que ça m'étonnerait pas.

— Des truffes ! hurla Merry. Vous entendez ça, camarades ? Je vous dis qu'il était au courant depuis le début. Regardez-le : c'est écrit sur sa figure.

— Ah, Merry, déclara Silver, tu es toujours candidat au grade de capitaine ? Pas d'erreur, t'as de l'ambition.

Mais, cette fois, tous étaient pour Merry. Ils commencèrent à grimper hors de l'excavation, en jetant des regards furieux derrière eux. Je remarquai une seule chose à notre avantage : tous sortaient du côté opposé à celui où se trouvait Silver.

Donc, nous étions là, séparés par la fosse, deux d'un côté, cinq de l'autre, et personne n'avait assez de cran pour porter le premier coup. Silver ne bougeait pas. Il observait les mutins, très droit sur sa béquille, et semblait plus calme que jamais. A n'en pas douter, c'était un brave.

Finalement, Merry estima qu'un discours pourrait arranger les choses.

— Camarades, dit-il, y en a que deux en face de nous : l'un, c'est ce vieil estropié qui nous a amenés ici et fourrés dans le pétrin ; l'autre, c'est ce sale môme à qui je veux arracher le cœur. Et maintenant, camarades...

Il leva le bras, en même temps qu'il forçait sa voix, dans l'intention manifeste de mener ses compagnons à l'assaut. Mais, juste à ce moment-là, trois coups de fusil partirent du fourré. Merry dégringola dans le trou, la tête la première ; l'homme au front bandé tourna sur lui-même comme une toupie et tomba sur le flanc de tout son long, puis resta étendu, mort, mais encore agité de convulsions spasmodiques. Les trois autres s'enfuirent à toutes jambes.

En un clin d'œil, Long John déchargea les deux canons d'un de ses pistolets sur Merry ; et, comme celui-ci tournait vers lui des yeux révulsés par l'agonie, il déclara d'un ton froid :

— George, je crois que je t'ai réglé ton compte.

Au même instant, le docteur, Gray et Ben Gunn surgirent des muscadiers, tenant en main leur fusil encore fumant, et nous rejoignirent.

— En avant ! s'écria le docteur. Faites vite, mes amis ! Il faut les empêcher d'atteindre les canots.

Nous partîmes à toute allure, enfonçant parfois dans les taillis jusqu'à la poitrine.

Silver, je peux vous l'affirmer, voulait à tout prix se maintenir à notre niveau. Aucun homme valide n'aurait été capable de soutenir l'effort que fournit le cuisinier, sautant sur sa béquille avec une force à faire éclater les muscles de sa poitrine ; et c'est là ce que pense le docteur. Toujours est-il qu'il se trouvait déjà à trente yards derrière nous, sur le point d'étouffer, quand nous atteignîmes le haut de la pente.

— Docteur ! appela-t-il. Voyez : rien ne presse !

Effectivement, il n'y avait pas lieu de nous presser. Sur une partie plus découverte du plateau, nous pouvions distinguer les trois hommes en train de courir toujours dans la même direction, droit vers la colline du Mât d'Artimon. Nous étions déjà entre eux et les canots. Nous nous arrêtâmes donc tous les quatre pour reprendre haleine, tandis que Long John nous rejoignait lentement en s'épongeant le visage.

— Merci beaucoup, docteur, dit-il. Je crois que vous êtes arrivé juste à pic, pour Hawkins et pour moi... Et ainsi, te voilà, Ben Gunn ! Ma parole, tu es beau à voir !

— Je suis Ben Gunn, pour sûr, murmura le pauvre diable en se tortillant comme une anguille, tant il était gêné.

Il garda le silence pendant un bon moment avant d'ajouter d'un ton timide :

— Et comment allez-vous, monsieur Silver ? Pas mal, merci, que vous dites...

— Ben, Ben, murmura Long John, quand je pense que c'est toi qui as causé ma perte !

Le docteur envoya Gray chercher une des pioches abandonnées par les mutins au cours de leur fuite. Puis, tandis que nous descendions paisiblement la colline, dans la direction des canots, il raconta en quelques mots ce qui s'était passé. Son récit intéressa Silver au plus haut point, et Ben Gunn, le « marron » à demi idiot, en était le héros du début à la fin.

Ben, au cours de ses longues randonnées solitaires sur l'île, avait trouvé le squelette (c'est lui qui l'avait dépouillé) ; il avait découvert le trésor et l'avait déterré (c'était le manche brisé de sa pioche qui gisait au fond du trou) ; il l'avait transporté sur son dos, en plusieurs voyages épuisants, du pied du grand pin jusque dans une caverne où il s'était installé sur la colline aux deux pics, à la pointe nord-est de l'île. Le trésor se trouvait emmagasiné là en sûreté, plus de deux mois avant l'arrivée de l'*Hispaniola*.

Le docteur lui avait patiemment arraché son secret dans l'après-midi de l'attaque. Le lendemain matin, quand il avait vu le mouillage désert, il était allé trouver Silver auquel il avait remis la carte (désormais inutile) ainsi que toutes les provisions (car la caverne de Ben Gunn était abondamment pourvue de viande de chèvre salée) ; bref, il avait donné absolument tout pour que lui et ses compagnons puissent quitter le fortin et gagner la colline aux deux pics, où ils seraient à l'abri de la malaria et veilleraient sur le trésor.

— Quant à toi, Jim, me dit-il, j'ai agi bien à contre-cœur, mais au mieux des intérêts de ceux qui étaient restés fidèles à leur devoir : si tu n'étais pas du nombre, à qui la faute ?

Ce matin-là, après avoir découvert que j'allais me trouver impliqué dans l'affreuse déception qu'il avait préparée aux mutins, il avait couru jusqu'à la caverne, puis, laissant le capitaine sous la garde du châtelain, il était parti en compagnie de Gray et de Benn Gunn, dans l'intention de traverser l'île en diagonale et de s'embusquer à proximité du pin. Mais il ne tarda pas à s'apercevoir que notre troupe avait de l'avance sur lui, et, comme Ben Gunn était particulièrement agile, il l'avait envoyé en éclaireur pour faire ce qu'il pourrait à lui tout seul. Le « marron » avait eu alors l'idée d'agir sur l'esprit superstitieux de ses anciens camarades ; il avait si bien réussi que Gray et le docteur avaient eu le temps d'arriver et de se mettre en embuscade avant l'arrivée des chasseurs de trésor.

— Ah, dit Silver c'est une chance que j'aie eu Hawkins avec moi. Sans ça, docteur, vous auriez laissé couper le vieux John en morceaux, sans vous en soucier le moins du monde.

— Certainement ! répliqua le docteur Livesey d'un ton jovial.

Nous étions maintenant arrivés devant les yoles. Le docteur en démolit une à coups de pioche ; puis nous embarquâmes tous à bord de la seconde, et nous nous mîmes en route vers la baie du Nord.

C'était un parcours de huit à neuf milles. Silver, bien qu'il fût recru de fatigue, dut prendre un aviron comme tout le monde, et nous glissâmes bientôt rapidement sur une mer d'huile. Après être sortis de la passe, nous doublâmes la pointe sud-est de l'île, autour de laquelle, quatre jours plus tôt, nous avions remorqué l'*Hispaniola*.

En passant devant la colline aux deux pics, nous aperçûmes un homme debout, appuyé sur un fusil, près de la noire ouverture de la caverne de Ben Gunn. C'était le châtelain. Nous agitâmes nos mouchoirs en poussant trois hourras auxquels Silver participa aussi chaleureusement que les autres.

Trois milles plus loin, juste à l'entrée de la baie du Nord, nous rencontrâmes l'*Hispaniola* qui voguait à l'aventure ! La dernière marée l'avait remise à flot, et s'il y avait eu beaucoup de vent ou beaucoup de courant, comme dans le mouillage sud, ou bien nous ne l'aurions jamais retrouvée, ou bien elle se serait échouée irrémédiablement. En l'occurrence, il y avait peu de dégâts, à part la grand-voile en lambeaux. Ayant paré une seconde ancre, nous mouillâmes par une brasse et demie de fond. Puis, nous regagnâmes la crique du Rhum, point le plus proche de la caverne au trésor ; ensuite, Gray, seul dans la yole, revint à l'*Hispaniola* où il devait passer la nuit à veiller.

Le châtelain nous attendait au haut de la pente douce qui menait de la grève à l'entrée de la caverne. Il me témoigna une bienveillance cordiale, et n'eut pas un mot de blâme ou d'éloge pour mon escapade. Mais, lorsque Silver l'eut salué poliment, il se mit à rougir de colère.

— John Silver, déclara-t-il, vous êtes un infâme coquin et un imposteur... un monstrueux imposteur, monsieur ! On m'a demandé de ne pas vous poursuivre en justice ; je m'abstiendrai donc de le faire. Mais les morts, monsieur, sont autant de pierres pendues à votre cou.

— Je vous remercie de tout cœur, monsieur, répondit Long John en saluant de nouveau.

— Je vous interdis de me remercier ! s'écria le châtelain. Je me rends coupable d'un grave manquement à mon devoir. Retirez-vous.

Sur ces mots, nous entrâmes tous dans la caverne. Spacieuse et bien aérée, elle renfermait une petite source et un bassin d'eau limpide entouré de fougères. Le sol était sablonneux. Le capitaine Smollett se trouvait étendu devant un grand feu. Dans un coin reculé, à peine éclairé par la lueur des flammes dansantes, j'aperçus de grands tas de pièces de monnaie et des piles carrées de lingots d'or. C'était le trésor de Flint que nous étions venus chercher si loin et qui avait déjà coûté la vie à dix-sept hommes de l'*Hispaniola*. Mais combien d'autres vies il avait coûté avant d'être amassé, combien de sang et de larmes, combien de beaux navires coulés en pleine mer, combien de courageux marins condamnés au supplice de la planche, combien de coups de canon, combien de honte, de mensonges et de cruauté, aucun être vivant n'aurait su le dire. Pourtant, il y avait encore trois hommes sur l'île : Silver, le vieux Morgan et Ben Gunn, qui avaient participé à ces crimes en espérant vainement participer au butin.

— Entre, Jim, me dit le capitaine. Tu es un brave

garçon dans ton genre, mais je ne crois pas que nous reprendrons la mer ensemble. Tu es trop enfant gâté pour moi... Tiens, vous voilà, John Silver ? Qu'est-ce qui vous amène ici, mon garçon ?

— Je reviens à mon poste, commandant.

— Ah ! dit le capitaine en guise de réponse.

Quel agréable souper je fis ce soir-là, au milieu de tous mes amis, avec la viande de chèvre salée par Ben Gunn, et quelques friandises et une bouteille de vin vieux provenant de l'*Hispaniola* ! Jamais, j'en suis sûr, on ne vit compagnie plus gaie et plus heureuse. Silver était des nôtres, assis à l'écart, presque dans l'ombre, mangeant à belles dents, toujours prêt à s'élancer quand nous avions besoin de quelque chose, se joignant même dicrètement à nos rires : bref, le même Silver, affable, poli, obséquieux, que nous avions connu pendant le voyage.

XXXIV
Et dernier

Le lendemain matin, nous nous mîmes au travail de bonne heure, car c'était une tâche considérable pour un si petit nombre d'hommes que de transporter une telle masse d'or sur une distance de près d'un mille par terre jusqu'à la plage, et de trois bons milles par mer jusqu'à la goélette. Les trois pirates qui erraient encore dans l'île ne nous inquiétaient guère : une seule sentinelle postée au faîte de la colline suffisait à nous garantir de toute attaque brusquée, et, de plus, nous pensions qu'ils en avaient assez de se battre.

En conséquence, le travail fut mené vivement. Gray et Ben Gunn faisaient la navette dans le canot, tandis que les autres entassaient le trésor sur la plage. Deux lingots noués au bout d'une corde constituaient une bonne charge pour un homme : encore devait-il avancer lentement. Pour ma part, ne pouvant guère servir au transport, je m'occupais toute la journée dans la caverne à mettre les pièces de monnaie dans des sacs à biscuit.

Elles formaient une étrange collection, semblable au magot de Billy Bones par sa diversité, mais tellement plus importante et plus variée que je pris un immense plaisir à les classer. Pièces anglaises, françaises, espagnoles, portugaises ; georges et louis ; doublons, doubles guinées, moïdores et sequins ; effigies de tous les rois d'Europe du siècle dernier ; étranges monnaies orientales frappées de signes semblables à des bouts de ficelle ou à des fragments de toiles d'araignées ; pièces rondes, pièces carrées, pièces percées d'un trou au milieu comme pour être portées en collier ; presque toutes les monnaies de l'univers figuraient, je crois, dans cette collection. Quant à leur nombre, il était considérable, car j'avais mal aux reins à force de me baisser pour les ramasser, et mal aux doigts à force de les trier.

Cette besogne se poursuivit pendant plusieurs jours. Chaque soir une fortune se trouvait arrimée à bord de la goélette, mais il en restait une autre à transporter le lendemain matin. Et, durant tout ce temps, les trois pirates survivants ne donnèrent aucun signe de vie.

Enfin, la troisième ou la quatrième nuit, alors que nous flânions, le docteur et moi, à l'endroit de la colline d'où on domine les terres basses, le vent nous apporta, du fond des ténèbres compactes à nos pieds, un bruit qui tenait du cri et du chant. Seule, cette bribe parvint à nos oreilles, puis, de nouveau, le silence régna.

— Dieu leur pardonne ! s'exclama le docteur ; ce sont les mutins.

— Tous ivres, docteur, fit la voix de Silver derrière nous.

Le cuisinier, je dois le dire, jouissait d'une entière liberté, et, malgré des rebuffades quotidiennes, il semblait se considérer à nouveau comme un serviteur aima-

ble et privilégié. En vérité, il supportait tous les affronts d'une façon étonnante, s'efforçant de se concilier la faveur de chacun par son inlassable politesse. Cependant, nul ne le traitait mieux qu'un chien, sauf Ben Gunn qui avait encore terriblement peur de son ancien quartier-maître, et moi-même qui lui devais bien une certaine gratitude (quoique, sur ce sujet, j'eusse de bonnes raisons de le tenir en plus piètre estime que personne, car je l'avais vu sur le plateau projeter une nouvelle perfidie). En conséquence, ce fut d'un ton assez bourru que le docteur lui répondit :

— Ivres ou en proie au délire.

— Sans aucun doute, monsieur ; et, que ça soit l'un ou l'autre, on s'en moque pas mal, vous et moi.

— Vous n'espérez sans doute pas, je suppose, que je vous considère comme un homme compatissant, répliqua le docteur d'un ton sarcastique ; c'est pourquoi mes sentiments vont peut-être vous surprendre, maître Silver. Mais si j'étais sûr qu'ils soient en train de délirer (tout comme je suis moralement certain que l'un d'eux, au moins, a un accès de fièvre), je quitterais ce camp, et, au risque d'y laisser ma peau, j'irais leur apporter les secours de mon art.

— 'Mande pardon, monsieur, vous auriez tout à fait tort. Vous perdriez votre précieuse existence, je vous en fiche mon billet. Je suis avec vous maintenant, corps et âme ; et je voudrais pas voir notre groupe diminué, surtout de votre personne, étant donné que je sais ce que je vous dois. Mais, ces hommes-là, ils seraient pas capables de tenir parole, même si qu'ils le voudraient ; et, pardessus le marché, ils pourraient pas croire que vous allez tenir la vôtre.

— Tandis que vous, vous êtes l'homme qui tient sa parole, nous savons cela !

Ce furent à peu près les dernières nouvelles que nous eûmes des trois pirates. Une fois seulement nous entendîmes un coup de feu dans le lointain, d'où nous conclûmes qu'ils devaient chasser. Après avoir tenu conseil, nous décidâmes de les abandonner sur l'île, à la grande joie de Benn Gunn et avec l'entière approbation de Gray. Nous leur laissâmes une bonne quantité de poudre et de balles, la majeure partie de la viande salée, quelques médicaments, divers objets de nécessité (outils, vêtements, voile de rechange, deux ou trois brasses de corde), et, sur les instances du docteur, une jolie provision de tabac.

Nous avions auparavant arrimé le trésor dans la cale, et embarqué pas mal d'eau et de viande de chèvre salée, en cas de détresse. Finalement, un beau matin, nous levâmes l'ancre, non sans beaucoup de peine, puis nous sortîmes de la baie du Nord après avoir hissé le même pavillon que le capitaine avait arboré et défendu dans le fortin.

Les trois boucaniers avaient dû nous observer de plus près que nous ne le pensions, et ils nous en donnèrent bientôt la preuve. En effet, tandis que nous serrions de près la pointe sud pour sortir de la passe, nous les vîmes là, tous les trois, agenouillés sur une langue de sable, les bras levés vers nous dans un geste suppliant. Cela nous fit mal au cœur à tous, je pense, de les abandonner dans cet état lamentable ; mais nous ne pouvions pas courir le risque d'une autre mutinerie, et, d'autre part, les rapatrier pour les envoyer à la potence eût été une bien cruelle espèce de bonté. Le docteur les héla et leur dit à quel endroit nous leur avions laissé des provisions. Mais ils continuèrent à nous appeler par nos noms, en nous suppliant, pour l'amour du Ciel, de nous montrer miséricordieux et de ne pas les laisser mourir dans un lieu pareil.

Finalement, voyant que la goélette s'éloignait rapidement hors de portée de voix, l'un d'eux, je ne sais lequel, se dressa d'un bond en poussant un cri rauque, épaula vivement son fusil et tira une balle qui passa en sifflant au-dessus de la tête de Silver pour aller ensuite percer la grand-voile.

Après cette alerte, nous nous abritâmes derrière le bastingage. Quand je regardai de nouveau, les trois hommes avaient disparu de la langue de sable qui, elle-même, commençait à s'estomper dans le lointain. Ainsi prit fin ce dernier incident, et, avant midi, à ma joie inexprimable, le plus haut sommet de l'Ile au Trésor s'était enfoncé dans la mer d'azur.

Nous étions si peu nombreux à bord de la goélette que chacun de nous dût participer à la manœuvre et aux diverses besognes, à l'exception du capitaine qui, étendu à l'arrière sur un matelas, se contentait de donner des ordres : en effet, bien que son état se fût grandement amélioré, il avait encore besoin de repos. Nous mîmes le cap vers le port des Antilles le plus proche, car nous ne pouvions nous aventurer à entreprendre le voyage de retour sans avoir complété notre équipage. En l'occurrence, ayant dû affronter des vents contraires et quelques fortes bourrasques, nous arrivâmes à destination complètement exténués.

Le soleil se couchait lorsque nous jetâmes l'ancre dans un golfe splendide bien abrité de tous côtés. Nous fûmes aussitôt entourés par des pirogues pleines de nègres, d'Indiens du Mexique, et de métis, qui venaient vendre des fruits et des légumes, ou offraient de plonger pour aller chercher des pièces de monnaie. La vue de toutes ces figures épanouies (surtout celles des nègres), la saveur des fruits des tropiques, et surtout les lumières qui commençaient à briller dans la ville offraient un contraste délicieux avec notre sinistre et sanglant séjour dans l'Ile au Trésor. Le docteur et le châtelain m'emmenèrent passer la soirée à terre avec eux. Là, il rencontrèrent le capitaine d'un vaisseau de guerre anglais, lièrent conversation avec lui, montèrent à son bord et y passèrent le temps de façon si agréable que l'aube pointait quand nous accostâmes l'*Hispaniola*.

Ben Gunn était seul sur le pont. Dès notre arrivée, il se mit en devoir de nous faire un aveu tout en se livrant à des contorsions extraordinaires. Silver s'était enfui. Le « marron » l'avait aidé à s'échapper dans une pirogue quelques heures auparavant. Il nous affirma qu'il avait agi de la sorte uniquement pour nous sauver la vie, car nous aurions été en danger mortel « tant que cet homme amputé d'une jambe serait resté à bord ». Le cuisinier n'était pas parti, les mains vides. Après avoir pratiqué un trou en cachette dans une cloison, il s'était emparé d'un sac de pièces d'or qui valaient trois ou quatre cents guinées, en vue de ses voyages à venir.

Je crois que nous fûmes tous contents d'être débarrassés de lui à si bon compte.

Pour abréger ce long récit, je me contenterai d'ajouter que nous embarquâmes plusieurs matelots, que nous fîmes un bon voyage de retour, et que l'*Hispaniola* atteignit Bristol au moment où M. Blandly s'apprêtait à équiper le bateau de secours. De tous ceux qui étaient partis sur la goélette, cinq hommes seulement revenaient. « La boisson et le diable avaient réglé leur compte aux autres » de furieuse manière ; mais, à vrai dire, notre cas était moins grave que celui du navire de la chanson :

Sur les soixante-quinze qui avaient embarqué
Il en restait qu'un de vivant.

Chacun de nous reçut une bonne part du trésor, et l'utilisa follement ou sagement selon sa nature. Le capitaine Smollett a cessé de naviguer. Gray ne se contenta pas d'économiser son argent : devenu subitement ambitieux, il se mit à étudier sa profession, et il est maintenant second sur un beau navire dont il possède la moitié ; en outre il est marié et père de famille. Quant à Ben Gunn, il reçut mille livres qu'il dépensa ou perdit en trois semaines, ou, pour être plus précis, en dix-neuf jours, car il revint complètement à sec le vingtième. On lui donna alors un pavillon à garder, exactement ce qu'il avait craint quand il était sur l'île. Il vit toujours, très aimé des enfants du pays (qui se moquent parfois de lui), et il est très apprécié comme chanteur à l'église, les dimanches et jours de fête.

Nous n'avons plus jamais entendu parler de Silver. Ce terrible marin amputé d'une jambe a enfin complètement disparu de mon existence. Je suppose qu'il a retrouvé sa vieille négresse, et que, peut-être, il coule des jours heureux avec elle et le capitaine Flint. Du moins, il faut l'espérer, car ses chances de bonheur dans l'autre monde me paraissent bien minces.

Les lingots d'argent et les armes reposent toujours, pour autant que je sache, à l'endroit où Flint les a enterrés. En ce qui me concerne, ils peuvent y rester éternellement. Rien au monde ne saurait me faire revenir à cette île maudite. Mes plus terribles cauchemars sont ceux où j'entends le ressac mugir sur ses côtes, ou encore ceux où je me réveille en sursaut et me dresse sur mon lit en entendant la voix stridente de Capitaine Flint crier à mes oreilles :

— Pièces de huit ! pièces de huit !

Table

FOLIO JUNIOR ÉDITION SPÉCIALE

Robert-Louis Stevenson

L'île au trésor

Supplément réalisé par
Christian Biet,
Jean-Paul Brighelli,
Brigitte Reaute
et Jean-Luc Rispail

Illustrations de Philippe Munch

SOMMAIRE

AVEZ-VOUS UNE AME DE PIRATE ?

AVEZ-VOUS UNE AME DE PIRATE ?

Peut-être rêvez-vous d'aller chercher le reste du trésor laissé sur l'île... Mais, avant d'embarquer, vérifiez si vous avez une « âme de pirate ». Répondez à toutes ces questions puis reportez-vous à la page des solutions pour savoir si vous feriez un bon pirate.

1. *Le gagnant de la « course du Rhum » 1986 est :*
A. Eric Tabarly ○
B. Philippe Poupon △
C. Alain Prost ☆

2. *Le rhum est une boisson à base de :*
A. Noix de coco ○
B. Pomme de terre ☆
C. Canne à sucre △

3. *Les Antilles se situent :*
A. Près de l'Australie, dans l'océan Pacifique ○
B. Au sud de l'Inde, près de Sri Lanka ☆
C. Au large de l'Amérique centrale, dans l'océan Atlantique △

4. *Comme ornement, vous porteriez plus volontiers :*
A. Une boucle à l'oreille △
B. Une rose à la boutonnière ☆
C. Des bagues aux doigts ○

5. *Par quel genre de sport êtes-vous le plus attiré ?*
A. Jogging, randonnée, alpinisme ☆
B. Les sports de combat : judo, aïkido, karaté △
C. Les sports d'équipe : football, basket, volley ○

6. *Parmi ces trois formules de vacances, laquelle choisiriez-vous ?*
A. Aller sur la Côte d'Azur avec votre famille ☆
B. Faire un stage de voile en Bretagne ○
C. Partir à l'aventure avec des amis dans un pays étranger △

7. *Quel est votre verbe préféré ?*
A. Dormir ☆
B. Bouger △
C. Réfléchir ○

8. *Comment voyez-vous votre avenir ?*
A. Avoir un bon métier, une famille, une maison ☆
B. Voyager à travers le monde et vivre au jour le jour △
C. Vous dévouer à une grande cause et y consacrer votre vie ○

9. *Vous trouvez dans la rue un portefeuille sans nom, sans papiers, mais contenant plus de 1 000 F en billets :*
A. Vous le déposez dans un commissariat de police ☆
B. Vous gardez l'argent pour vous, sans rien dire △
C. Vous dépensez la somme avec des amis ○

10. *Un camarade, au cours d'une discussion, vous insulte :*
A. Vous vous jetez sur lui pour le marteler de coups de poing △
B. Vous lui demandez calmement de s'expliquer ○
C. Vous ne faites pas attention à ce qu'il a dit et vous continuez la discussion ☆

11. *Quel moyen de transport préférez-vous ?*
A. Le bateau △
B. L'avion ○
C. La voiture ☆

12. *Vous êtes simple équipier lors d'un match :*
A. Vous cherchez à prendre la place du capitaine △
B. Vous exécutez scrupuleusement ses ordres ○
C. Vous grognez sans cesse, mais à voix basse, dans votre coin ☆

13. *Pour gagner de l'argent, vous croyez qu'il vaut mieux :*
A. Jouer au Loto ○
B. Attaquer une banque △
C. Travailler intensément ☆

14. *Le mot « jaunet » qui apparaît dans le livre désigne :*
A. Un traître ☆
B. Un pavillon de couleur jaune que hissaient les pirates ○
C. Une pièce d'or △

15. *Vous jouez à un jeu de cartes :*
A. Vous en respectez les règles ☆
B. Vous essayez de tricher à tout prix △
C. Vous demandez à en modifier les règles ○

16. *Vous vous trouvez dans le métro face à un homme armé d'un couteau :*
A. Vous appelez au secours ☆
B. Vous vous sauvez le plus vite possible dans les couloirs ○
C. Vous avancez vers lui et vous lui donnez un coup de pied △

17. *Si on prononce le mot « mer », quel autre mot y associez-vous spontanément ?*
A. Eau ☆
B. Danger ○
C. Evasion △

18. *Vous voyez une araignée en train de se noyer dans un verre d'eau :*
A. Vous ne lui prêtez aucune attention ☆
B. Vous videz lentement le verre pour qu'elle se retrouve au sec ○
C. Vous placez le verre sous un robinet grand ouvert jusqu'à ce qu'elle soit bel et bien noyée △

19. *Le sucre est la monnaie de :*
A. L'Equateur △
B. Le Pérou ○
C. La Mauritanie ☆

Solutions page 280

1
AU FIL DU TEXTE

Vingt questions pour commencer
(p. 9-54)

Etes-vous prêt à partir à la chasse au trésor, à vous embarquer dans l'aventure ? Avant de hisser les voiles, mieux vaut vous assurer que votre lecture vous a été profitable. Vous devez donc répondre aux questions qui suivent en vous fiant à votre seule mémoire, c'est-à-dire sans relire le texte et, bien sûr, sans regarder les réponses !

1. *Qui raconte cette histoire ?*
A. M. Trelawney
B. R.L. Stevenson
C. Jim Hawkins

2. *L'histoire commence :*
A. Aux Etats-Unis
B. En Angleterre
C. Sur une île déserte

3. *Elle se passe :*
A. Au XVIIIᵉ siècle
B. Au Moyen Age
C. De nos jours

4. *Jim Hawkins est le fils :*
A. D'un médecin
B. D'un comédien
C. D'un aubergiste

5. *L'auberge s'appelle :*
A. « A la flibuste »
B. « L'Amiral Benbow »
C. « Au chien noir »

6. *Le nom du personnage qui se fait appeler « capitaine » est :*
A. Billy the Kid
B. Graham Grant
C. Billy Bones

7. *Il boit :*
A. De la bière
B. Du whisky
C. Du rhum

8. *Il redoute l'arrivée :*
A. D'un marin amputé d'une jambe
B. D'un bateau fantôme
C. De sa femme

9. *Les histoires qu'il raconte se passent :*
A. Au cap Horn
B. Aux Antilles
C. En Afrique

10. *Le premier visiteur du capitaine s'appelle :*
A. Capitaine Flint
B. Chien Noir
C. N'a-qu'un-œil

11. *Le nom du capitaine Flint provoque chez les gens :*
A. Le rire
B. L'admiration
C. La terreur

12. *La « tache noire », c'est :*
A. Un énorme grain de beauté sur la joue du capitaine
B. Un bout de papier rond et noirci qui porte un message menaçant
C. Une ombre dans la nuit

13. *Les visiteurs du capitaine veulent :*
A. L'inviter à déjeuner
B. L'embaucher pour commander un navire
C. Récupérer quelque chose qu'il détient

14. *Billy Bones meurt :*
A. Tué par l'aveugle
B. D'une attaque d'apoplexie
C. D'un cancer

15. *Le coffre de Billy Bones contient :*
A. Uniquement des vêtements
B. Uniquement des pièces d'or
C. Un fouillis d'objets, un paquet et un sac de pièces

16. *Jim et sa mère récupèrent dans le coffre :*
A. Un lingot d'argent
B. Des pièces et le paquet
C. Rien du tout

17. *Ils échappent à la bande de l'aveugle :*
A. En se cachant sous un pont
B. En plongeant dans la mer
C. En s'enfuyant sur les chevaux de l'auberge

18. *Sur le carnet de Bones figurent :*
A. Les noms des femmes qu'il a séduites
B. Les sommes qu'il a gagnées en coulant des bateaux
C. Des inscriptions incompréhensibles

19. *Le châtelain Trelawney décide de monter une expédition :*
A. Pour récupérer le trésor
B. Pour faire un beau voyage
C. Pour aller porter secours aux hommes restés sur l'île

20. *Au terme de cette première partie, combien y a-t-il de morts ?*
A. Dix
B. Trois
C. Un

Solutions page 280

La lettre de Trelawney
(p. 56-59)

1. Dans sa lettre, le chevalier est très optimiste. Pourtant le lecteur, lui, ne partage pas forcément son enthousiasme. Relevez les éléments rassurants d'un côté et les éléments inquiétants de l'autre.

2. Nous n'avons que la version de Trelawney pour cet épisode de l'affrètement du bateau et du recrutement de l'équipage. Or nous apprenons que le chevalier est un « incorrigible bavard » (p. 52, 70...).
Imaginez en une vingtaine de lignes la scène où Trelawney se promène sur le port de Bristol, recrute son équipage et se vante de sa découverte de la carte du trésor... Vous pouvez faire raconter l'histoire par Silver, par un des autres futurs membres de l'équipage ou par un observateur neutre.

Le perroquet
(p. 77-78)

1. Il s'appelle Capitaine Flint en souvenir du fameux boucanier et il a beaucoup vécu. Il apparaît surtout à trois reprises (p. 77-78, 192, 245). D'après ce qu'on y apprend, pourquoi cause-t-il à Jim ses « plus terribles cauchemars » ? Relevez tous les éléments de son portrait qui peuvent faire penser qu'il est une sorte de réincarnation, de fantôme de Flint.

2. Même si Silver prétend que le perroquet « jure comme un possédé sans savoir ce qu'il dit » (p. 78), nous pouvons imaginer que les mots qu'il prononce signifient quelque chose. Traduisez les souvenirs du perroquet d'après l'évocation de sa vie (p. 77) par Silver. Utilisez pour cela (par oral ou par écrit) un langage de perroquet.·.

Les deux narrateurs
(p. 99-135)

1. A la page 115, Jim voit le drapeau anglais flotter au vent. A quelle page retrouve-t-on ce repère ? Et vu par qui ?

2. S'il n'y avait pas les indications données par les titres des chapitres, quels indices nous permettraient de comprendre que l'on a changé de narrateur ?

3. Les deux récits, celui de Jim et celui du docteur, recouvrent le même laps de temps (voir p. 99, 114, 115, 131, 134), mais ne coïncident pas tout à fait. Celui du docteur s'arrête avant la fin du récit de Jim (voir p. 132, 135). Quels sont les détails communs aux deux récits, qui sont racontés deux fois mais de points de vue différents ?

récit de Jim	récit de Livesey
p. 100	p. 115-116
p. 104	p. 117
p. 114	p. 127
p. 115	p. 129
p. 115	p. 130

Quels éléments seraient restés ignorés du lecteur si le docteur n'avait pas pris le relais ?

4. Il y a au moins deux autres moments où il aurait été intéressant, et même rassurant pour le lecteur, d'avoir la version de Livesey : page 155, quand il quitte le fortin, et pages 196 et 207, quand il pactise de manière inexplicable pour les autres avec Silver... Imaginez ces deux épisodes racontés par le docteur (quinze lignes environ).
A votre avis, pour quelle raison R.L. Stevenson a-t-il choisi de ne pas nous donner ces récits ?

L'exploration
(p. 102)

Quand Jim débarque sur l'île, il dit : « Je connus alors pour la première fois les joies de l'exploration. » (p. 102). Or lorsqu'on découvre un lieu inconnu, on méprise parfois, par ignorance, des dangers réels tandis que l'on s'effraie à la vue de bêtes, de plantes ou de personnages tout à fait inoffensifs.

1. Cherchez dans l'exploration de Jim (p. 102, mais aussi p. 107 et 165) les éléments dangereux qui ne l'effraient pas, et les éléments inoffensifs qui le terrorisent.

2. Il a dû vous arriver à vous aussi de pénétrer pour la première fois, et seul, dans un lieu inconnu. En vous inspirant des « erreurs » de jugement de Jim observées ci-dessus, racontez en une vingtaine de lignes « votre exploration », en précisant les éléments qui vous ont faussement rassuré et ceux qui vous ont effrayé à tort (ce lieu inconnu peut être un grenier, une cabane à la campagne, un appartement qui n'est pas le vôtre, une forêt, une plage inhabituelle, etc.).

L'apparition
de Ben Gunn
(p. 107-108)

Jim a le cœur qui « bat à tout rompre » (p. 107) car il n'identifie pas immédiatement quel nouveau danger ou quel nouvel ennemi le menace.

1. Relevez les mots et expressions qui servent à décrire Ben Gunn. Observez comment, petit à petit, on passe d'une créature inquiétante (« je vis une forme indistincte... sombre et velue », p. 107) à un homme normal et rassurant (« C'était comme moi un homme blanc, aux traits assez agréables », p. 108).

2. Lisez ensuite ces extraits d'une nouvelle de Dino Buzzati où, à l'inverse, l'ami rassurant devient peu à peu un monstre.

« Mademoiselle Annie Motleri entendit frapper à la porte et alla ouvrir. C'était son vieil ami, maître Alberto Fassi, le notaire. Elle remarqua que son pardessus était tout mouillé, signe que dehors il pleuvait. Elle dit : "Ah, quel plaisir, cher maître Fassi. Entrez, je vous prie." Il entra en souriant et lui tendit la main. (...)

Mademoiselle Annie eut un sursaut quand elle entendit que quelqu'un frappait à la porte. Elle bondit du petit fauteuil où elle était en train de broder et courut ouvrir. Elle vit le vieux notaire Fassi, ami de la famille, qui depuis plusieurs mois n'avait pas donné signe de vie. Il semblait alourdi et bien plus corpulent que dans son souvenir. D'autant plus qu'il portait un imperméable noir trop large, qui tombait en gros plis, brillant de pluie, ruisselant de pluie. Annie s'efforça de sourire et dit : "Ah, quelle belle surprise, cher maître Fassi." Sur quoi l'homme entra d'un pas pesant et pour lui dire bonjour lui tendit sa main massive. (...)

Elle fut très rapide, Annie Motleri, à atteindre la porte, des mèches désordonnées de cheveux gris lui pleuvant sur le front, au moment où se fit entendre l'écho des coups répétés de quelqu'un qui voulait entrer. D'une main tremblante elle tourna la clé, puis abaissa la poignée, ouvrant la porte. Sur le palier se tenait une forme vivante, massive et puissante, de couleur noire, toute à écailles, avec deux petits yeux pénétrants et des espèces d'antennes visqueuses qui se tendaient vers elle en tâtonnant. Sur quoi elle gémit : "Non, non, je vous en prie..." Et se retirait épouvantée, tandis que l'autre avançait d'un pas de plomb, et toute la maison en résonnait. »

Dino Buzzati,
« Crescendo »,
Le Rêve de l'escalier,
traduction de Michel Sager,
© Robert Laffont.

3. En vous inspirant des noms, verbes ou adjectifs qui, dans les textes de Stevenson et de Buzzati, donnent des détails de plus en plus précis, composez à votre gré le portrait d'un personnage qui évolue pour devenir soit un être amical (comme Ben Gunn), soit au contraire un monstre terrifiant (comme maître Fassi).

Si ces « mutants » vous passionnent, lisez donc *L'Etrange Cas du Dr Jekyll et de M. Hyde,* un autre roman de R.L. Stevenson.

L'approche du fortin
(p. 189-192)

1. Le seul moment du récit où Jim est, par sa faute, en mauvaise posture, c'est lorsqu'il pénètre dans le fortin, croyant trouver ses amis, et qu'il tombe entre les mains des pirates. Pourtant certains signes auraient dû l'avertir, ou tout au moins l'intriguer. Trouvez dans le récit de Jim les indices qui auraient dû alerter son sixième sens, l'inciter à se méfier, car ils traduisent un comportement anormal de la part de ses amis.

2. Jim raconte sa propre méprise dont il n'est pas conscient, mais imaginez qu'un autre narrateur le voie arriver et s'étonne que Jim ne se méfie pas, ou s'amuse au contraire de voir qu'il va tomber dans un piège. Faites raconter l'approche de Jim vers le fortin par :
- un narrateur omniscient (c'est-à-dire « qui sait tout, qui possède toutes les données d'une situation »)
- le perroquet, qui donne l'alerte.

Les fanfaronnades
de Jim
(p. 196-198)

1. Quand Jim s'est jeté, par méprise, dans « la gueule du loup » (p. 192), il improvise un plaidoyer où il mêle à dessein, afin de mieux impressionner les pirates, mensonges et vérités.

Retrouvez les « fanfaronnades de Jim » (p. 196-198), c'est-à-dire les exploits dont il se vante alors qu'il ne les a pas accomplis, et expliquez pourquoi ce sont des mensonges.

2. Imaginez que Jim n'ait pas été aussi souvent aidé par la chance dans ses aventures et qu'il se soit trouvé à un autre moment en mauvaise posture (par exemple, s'il avait été découvert dans le tonneau de pommes...). Faites-lui alors improviser une tirade aussi convaincante que celle du livre où il introduira plus ou moins de vantardises, selon le nombre d'exploits qu'il aura déjà accomplis à ce moment-là.

Attention ! il faut que toutes ces fanfaronnades soient plausibles, c'est-à-dire qu'elles puissent être crues par le lecteur... Ensuite, devant un public choisi, jouez vous-même la scène, faites le fanfaron !

Le procès de Silver
(p. 205-206)

1. *Coupable ou non coupable ?*
Relevez dans les pages 205-206 les quatre reproches que fait George Merry à Silver, au nom de l'équipage, et les quatre arguments que lui avance Silver pour se défendre.

2. *Long John Silver devant la justice*
Supposons que Silver n'ait pas pu s'échapper à la fin et qu'il soit passé devant la justice anglaise. Imaginez alors le procès de Silver : vous avez déjà, avec les éléments que vous avez relevés dans le texte, un début d'argumentation pour l'accusation et la défense. Vous pouvez à votre gré :
- rédiger le réquisitoire du procureur chargé d'accuser Silver ;
- rédiger le plaidoyer de l'avocat de la défense, si Silver vous est finalement sympathique.
- jouer la scène du procès avec des camarades, en pensant à faire siéger un juge, à convoquer les témoins (Jim, le docteur, Trelawney, le capitaine...) et à laisser délibérer les jurés.
Cherchez à réunir le plus d'arguments possible non seulement à partir du discours de Merry et de Silver mais aussi à l'aide de tout ce que nous apprend le roman sur ce personnage.

Dix questions pour mériter
le trésor
(p. 218-239)

Cette fois, il s'agit de voir si vous avez bien saisi l'enchaînement des événements et les mobiles des personnages car, pour avoir sa part du butin, il faut être une « fine mouche » !

1. *Pour Jim, Silver est « deux fois traître » car il a trahi :*
A. Trelawney (en menant la mutinerie) et sa bande (en pactisant avec Jim)
B. L'équipage (en décidant tout seul) et le docteur (en lui prenant la carte)
C. Sa femme (en la laissant à Bristol) et son perroquet (en le mettant dans une cage)

2. *Jim éprouve une « double crainte » ; il redoute :*
A. Que ses amis soient morts et qu'il ne revoie plus l'Angleterre
B. Que Silver l'abandonne ou que la bande des pirates les tue
C. Que le grain éclate et qu'il n'ait plus de rhum à boire

3. *Pendant cette chasse au trésor, Jim :*
A. Nourrit le perroquet
B. Est tenu en laisse par Silver
C. A un bâillon

4. *Les pirates trouvent leur premier indice :*
A. Vers midi
B. A l'aube
C. En fin de journée

5. *Grâce à quel objet découvrent-ils dans quelle direction se trouve le trésor ?*
A. Un compas
B. Un sextant
C. Un pendule

6. *La « voix dans les arbres » est celle :*
A. Du perroquet
B. Du fantôme de Flint
C. De Ben Gunn

7. *« Tourner la poupe à tant de jaunets » signifie :*
A. Renoncer au trésor
B. Guérir de la fièvre jaune
C. Apprendre le chinois

8. *L'évocation de Ben Gunn provoque chez les pirates :*
A. La terreur
B. Le rire
C. Le mépris

9. *Le docteur a quitté le fortin :*
A. Pour regagner la goélette en renonçant au trésor
B. Pour éviter la fièvre et veiller sur le trésor
C. Pour retrouver Jim qu'il savait en danger

10. *A la fin du chapitre XXXIII, le trésor est :*
A. Dans une caverne
B. A bord de l'*Hispaniola*
C. Disparu

Solutions page 281

Les pirates :
mythe et réalité

Dans sa présentation des pirates, Stevenson superpose un aspect légendaire et glorieux (le mythe) et une réalité moins flatteuse qui rend pourtant compte de ce qu'était le « pirate moyen », souvent oublié derrière les grandes figures de la piraterie. De plus, à partir de 1720, la piraterie entre en décadence : or c'est vers ces années ou même plus tard que Stevenson situe son histoire (« en l'an de grâce 17.. », p. 9).

Classez toutes les indications fournies sur le caractère et le comportement des pirates selon qu'elles vous paraissent plutôt favoriser le mythe, la légende glorieuse, ou, au contraire, souligner la médiocrité, voire le ridicule de ces personnages. Nous vous en donnons ci-dessous deux exemples illustrant, d'une part, le mythe et, d'autre part, la réalité ; poursuivez ce travail en lisant attentivement les pages indiquées (p. 41, 83, 85, 129, 162, 198, 212, 214, 218-221, 224, 228-230...)

Le mythe (p. 83) : « Des gars comme ceux de Flint, y avait pas plus terrible sur mer ; le diable lui-même aurait pas osé s'embarquer avec eux. »

La réalité (p. 83) : « Presque tous dépensent leur magot à boire du rhum et tirer de bonnes bordées. »

Le langage des pirates

1. Les pirates ont leur propre manière de s'exprimer, riche en images qu'ils empruntent au vocabulaire des bateaux et de la mer. Trouvez l'équivalent en « langage pirate » des expressions ci-dessous.

- S'installer (p. 10)
- Entre ! (p. 10)
- Etre lâche (p. 41)
- Les yeux (p. 80)
- J'ai failli mourir (p. 179)
- Mourir (p. 179)
- Reconnaître qu'on est battu (p. 186)
- Tais-toi ! (p. 195 et 228)
- Le danger se rapproche (p. 203)
- S'enfuir (p. 212)
- Prendre des risques (p. 213 et 214)
- Change d'idée ! (p. 229)

2. Puis, en fonction d'une activité que vous pratiquez (sport, danse, photo, théâtre...) et qui nécessite un langage particulier, constituez-vous un code secret que seuls vos camarades, initiés comme vous, comprendront.

Solutions page 282

La chanson des pirates

A plusieurs reprises dans le livre, les pirates entonnent leur chanson (p. 14, 75, 162, 163, 245).

Reconstituez le refrain et le début du couplet qui sont cités par Jim, puis complétez, à votre gré, cette « vieille complainte de marin, lente et monotone, dont chacun des couplets se termine par un trémolo modulé d'une voix chevrotante et qui semble ne devoir finir qu'avec la patience du chanteur » (p. 162).

Vous pouvez vous inspirer :

- de l'histoire même du livre, comme le suggère Jim à la fin ;

- d'une « croisière » à laquelle vous avez participé, si vous pratiquez la voile ;

- de tout autre voyage – excursion, équipée – un peu mouvementé que vous transposerez en expédition de pirates.

Même si les pirates ne semblent pas disposer d'instruments – bien que les tonneaux puissent constituer des percussions ! – cherchez seul ou avec des camarades musiciens, un accompagnement pour ces paroles.

Avez-vous bien lu
« L'Ile au trésor » ?

Voici pour finir un questionnaire qui porte sur l'ensemble du texte et qui vous permettra de savoir si vous avez lu ce roman attentivement.

1. *L'auteur du roman est :*
A. Un pirate qui a pris sa retraite
B. Un ancien avocat qui a beaucoup voyagé
C. Un marin qui a perdu une jambe mais pas la main pour écrire

2. *Le bateau de l'expédition s'appelle :*
A. « Brighellola »
B. « Hispaniola »
C. « Walrus »

3. *John Silver répète tout le temps :*
A. Mille milliards de sabords !
B. Pièces de huit !
C. Je vous en fiche mon billet !

4. *Combien y a-t-il d'hommes à bord du bateau au départ de Bristol ?*
A. 19
B. 26
C. 131

5. *Combien en revient-il à la fin ?*
A. 4
B. 5
C. 97

6. *« Etre marronné » c'est :*
A. Etre trop bronzé
B. Etre puni et débarqué sur une île
C. S'être enfui de son bateau

7. *Capitaine Flint c'est :*
A. Un perroquet
B. Un bateau
C. Le fantôme d'un pirate

8. *Qu'arrive-t-il à Silver à la fin du roman ?*
A. Il meurt de la malaria
B. On ne le sait pas car il disparaît
C. Il est jugé en Angleterre

9. *Finalement, quelle est la motivation principale de Jim et de ses amis ?*
A. L'appât de l'or
B. Le goût de l'aventure
C. La passion des oiseaux

10. *« L'Ile au trésor » c'est :*
A. Un roman d'amour
B. Un documentaire sur les bateaux
C. Un roman d'aventures

Solutions page 282

2
JEUX ET APPLICATIONS

Le résumé mangé
par les rats

Les rats de l'*Hispaniola* ont grignoté quelques lettres de cette présentation du roman.

J.. ...kins travaille dans une au..... dont son père est le pau... .roprié...re. La famille ne roule pas s.r l'.r, jusqu'au jour où arr... un s....lier personnage : un ma..n au visage b...fré, qui lance des pi...s d'.. pour payer mais ne lâche pas plus son cou.... que sa bo.....le de ..um. Les terr..... h.st....s qu'il rac.... font entrer dans la vie de J.. le .ys...e et le goû. .e l'av.....e. Qui est le ..up de ..r à la ja... am...ée dont le cap...... red..te si f..t la venue ? Que ..che-t-il dans son coffre ? Que s.gn..ient la c..te et les notes décou...tes ? Et voici Jim ..barq.. pour une .ven..e qui le ..nera jusqu'à une .l. lointaine où un trésor est enterré. Bien des dan.... le guettent, lui et ses amis. Cette .ha... au .ré... fera nombre de victimes. Restera-t-il un seul homme ...ant pour p..fiter du ..got et raco...r l'..sto..e ?

1. Reconstituez le texte original en respectant la vérité.

2. Laissez les rats se rassasier un peu plus... « Grignotez » encore quelques lettres puis « laissez faire » votre imagination : comblez les trous en inventant un résumé complètement fantaisiste.

Solutions page 282

Les « nœuds » du récit

A plusieurs reprises nos héros se trouvent en mauvaise posture, et si le hasard ou la chance n'avaient pas joué en leur faveur, le cours des événements aurait pu basculer de sorte que les « méchants » l'auraient emporté. Ces moments cruciaux s'appellent des nœuds dramatiques, lorsque « l'histoire se noue » d'une manière qui fait pencher le sort des uns vers le bonheur, la réussite et celui des autres vers le malheur, l'échec...

1. Nous vous indiquons ci-dessous deux des nœuds dramatiques, particulièrement nombreux, de *L'Ile au trésor*. Essayez de les retrouver tous en lisant attentivement les pages suivantes (56, 79, 87, 99-100, 115...) mais aussi en faisant appel à votre mémoire, puis imaginez ce qui aurait pu se passer alors.

Page 56 : Si Trelawney n'avait pas bavardé...
Page 79 : Si Jim n'avait pas eu la fantaisie de manger une pomme...

2. Choisissez le « nœud » qui vous paraît le plus important, modifiez-le à votre convenance et esquissez la suite des événements en inventant d'autres péripéties.
Exemple : si Jim avait été découvert dans le tonneau de pommes (p. 80), il aurait pu inventer un discours pour se justifier, comme il l'a fait (p. 196-198) quand il s'est retrouvé par erreur au milieu de ses ennemis.

Jim Hawkins

Jim décrit, avec plus ou moins de détails, tous les personnages... sauf lui ! Pourtant, il nous fait souvent part de ses sentiments, et il est jugé par les autres (Chien Noir, p. 19 ; Trelawney, p. 52 ; Silver, p. 65, 194... ; Livesey, p. 116, 196... ; Smollett p. 239).

1. En vous remémorant toutes ces informations (en particulier l'opinion de Smollett qui dit de Jim que c'est un « enfant gâté », alors que Jim – nous le savons – n'a pas été habitué à ce qu'on lui passe ses caprices lorsqu'il travaillait à l'auberge...), tracez le portrait du jeune homme en une vingtaine de lignes.

2. Vous pouvez également le faire sous forme de portrait chinois en complétant les phrases suivantes avec les mots qui vous viennent spontanément à l'esprit soit par référence au récit, soit par impression personnelle.

Si c'était une partie du corps, ce serait...
Si c'était un animal, ce serait...
Si c'était un mot, ce serait...
Si c'était une qualité, ce serait...
Si c'était un défaut, ce serait...
Si c'était une couleur, ce serait...
Si c'était un sentiment, ce serait...
Si c'était un moyen de transport, ce serait...
Si c'était un métier, ce serait...
Si c'était un fruit, ce serait...

Long John Silver

A côté de Jim, l'autre grande figure du roman (qui a d'ailleurs droit à la couverture...), c'est incontestablement Long John Silver, cet étonnant cuisinier qui vous embrocherait bien sur sa béquille pour vous faire rôtir à petit feu, si vous aviez la malencontreuse idée de vous opposer à ses projets !

Or nous vivons, avec Jim, tout le début du récit dans la hantise d'un « marin amputé d'une jambe » dont Billy Bones, le premier personnage bizarre de l'histoire, redoute la venue. Et quand Silver, qui correspond à ce signalement peu courant, apparaît, personne, pas même Jim, ne le reconnaît (p. 62) !

Qu'est-ce qui peut expliquer cet aveuglement ? Jim en donne lui-même un début d'explication : Silver a deux visages, celui d'un « cabaretier si propre et si aimable » (p. 62) – sa façade –, et celui de « vrai boucanier » qu'il ne révélera que plus tard. L'expression « double jeu » (p. 205) et le mot « duplicité » (p. 89) sont employés pour le qualifier.

Relevez tout au long du récit les indications relatives aux qualités et aux défauts de Silver. Pour vous aider, nous vous précisons ci-dessous les pages auxquelles vous trouverez ces indications.

Les qualités de Silver : p. 66, 67, 71, 77, 78, 89, 212, 227, 239.

Les défauts de Silver : p. 82, 89, 106, 219, 231, 234, 242.

Le code d'honneur
des pirates

1. Même s'ils sont bannis de la société, les pirates ont leur propre code d'honneur. Retrouvez-en les règles à travers le roman. En voici quelques exemples :

« Le devoir c'est le devoir, camarade. » (p. 66)

« Les gentilshommes de fortune se méfient généralement les uns des autres, et ils ont bougrement raison. » (p. 83)

2. Rédigez ensuite ce code sous forme d'articles en vous servant de toutes les informations que vous aurez relevées dans le texte.

CODE D'HONNEUR DES PIRATES

ARTICLE PREMIER. – Un pirate doit...

ART. 2. – ...

ART. 3. – ...

3. Inventez votre propre code d'honneur soit seul, soit avec vos amis les plus proches, en fonction du sport que vous pratiquez, de votre passe-temps favori, ou des qualités humaines qui vous paraissent les plus précieuses.

Pirates, corsaires...

La langue française dispose de plusieurs termes pour désigner les pirates ; mais il existe des nuances de sens entre eux. Découvrez-les en lisant le texte ci-dessous. Remplacez les points de suspension par le mot qui convient en choisissant parmi les synonymes donnés ici en désordre :

pirate - boucanier - forban - flibustier - gentilhomme de fortune - corsaire - loup de mer

« Dérivé du hollandais *vrijbuiter* (libre faiseur de butin), le mot ...... doit être réservé aux écumeurs de la mer qui avaient établi leurs quartiers aux Antilles, spécialement à la Tortue et à la Jamaïque. Le terme de ......, lui, désignait au départ des aventuriers devenus chasseurs de bœufs sauvages dans l'île de Saint-Domingue qui regorgeait de gibier. Les Indiens de l'île leur montrèrent comment boucaner la viande, c'est-à-dire la fumer, pour la conserver. ...... est donc employé à tort pour désigner les pirates, même s'il est vrai qu'ils les aidèrent à se ravitailler et à écouler leur butin.

Les pirates rêvaient d'être des ......, d'acquérir un peu de considération grâce à leur vie aventureuse et surtout leur butin. Mais il était difficile d'être reconnu par la société quand on s'était mis en dehors de ses lois, hors du ban (d'où le nom ......) et qu'on ne cherchait que l'imprévu et l'aventure, sans souci du lendemain. La plupart des ...... désiraient une commission, c'est-à-dire une lettre accordée par le souverain d'un pays pour y exercer leur singulière profession au profit du gouvernement ; elle leur apporterait le prestige mais pourrait aussi leur éviter d'être pendus sans jugement. Ils seraient alors traités en ......, considérés comme des combattants réguliers et, s'ils étaient pris, faits prisonniers de guerre.

Mais, qu'on les appelât corsaires ou ...... ou ......, ils étaient de sacrés vieux ...... »

Solutions page 283

Un peu de vocabulaire nautique...

Comme Jim, vous avez découvert dans ce roman des « expressions nautiques » (p. 66) et vous voici devenu un vieux loup de mer ... savant ! Alors traduisez en langage de marin notre vocabulaire quotidien. (Nous vous indiquons entre parenthèses les pages où trouver ces mots.)

Un cuisinier c'est un ...... (p. 57)
Partir c'est ...... (p. 66)
Une révolte s'appelle une ...... (p. 70)
Nettoyer ou réparer se dit ...... (p. 89)
Un port ou une rade où l'on s'arrête c'est un ...... (p. 89)
Réduire la voilure se dit ...... (p. 182)
Venir au vent se dit ...... (p. 182)

Solutions page 283

De la poupe à la proue

Le « champ lexical » est l'ensemble des synonymes et des termes qui, sans avoir tout à fait le même sens, pourraient remplacer un mot. Constituez celui du « bateau » en sélectionnant dans la liste suivante tous les noms qui peuvent convenir, puis reportez-les dans la grille ci-dessous.

voilier - cloaque - goudron - planche - bâtiment - régate - navire - rame - esquif - embarcation - écrevisse - coquille de noix - squelette - goélette - canot - bord - embardée

B A T E A U

Les bateaux : fiche technique

1. *Les parties d'un bateau*
Reportez les mots de la liste ci-dessous en face de chaque flèche désignant la partie correspondante du bateau. (Vous pouvez consulter un dictionnaire.)

gaillard - mât d'artimon - cale - gréement - mât de misaine - beaupré - poupe - proue - ralingue - mâture.

2. *Identifiez les bateaux*
Les quatre premiers « naviguent » dans *L'Ile au trésor* ; pour les autres, vous devrez peut-être faire quelques recherches. Afin de vous aider, nous indiquons sous chaque dessin l'initiale du mot recherché.

1. G . . . . .   2. G . . . .

3. F . . . . . .   4. L . . . . .

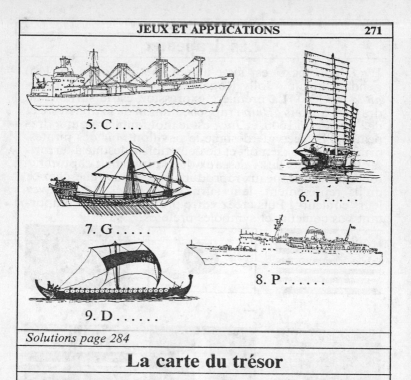

5. C . . . .

6. J . . . . .

7. G . . . . .

8. P . . . . . .

9. D . . . . . .

Solutions page 284

La carte du trésor

Fabriquez votre propre « carte du trésor » : choisissez un lieu (votre chambre, votre appartement, votre classe, votre maison, votre jardin...) en guise d'« île ». Cachez ensuite dans un endroit, pas trop difficile à atteindre quand même, un « trésor » de votre invention. Prenez quelques repères que les autres devront trouver grâcc à des indications d'orientation (nord, sud, est, sud-ouest... comme à la p. 52) ou à une énigme (rébus, devinette, charade, etc.). Faites un brouillon.

Une feuille de papier à dessin fera un très beau parchemin si vous la passez prudemment devant une flamme pour la faire juste jaunir. Roulez-la et brûlez-en légèrement les bords. Puis faites couler la cire d'une bougie rouge et appliquez-y, pendant qu'elle est encore molle et tiède, un dé à coudre en guise de cachet, comme indiqué à la page 50.

Et maintenant dessinez votre carte et votre message pour trouver le trésor !

Les drapeaux

L'« Union Jack » est hissé au sommet du fortin (p. 115) pendant que le « Jolly Roger » flotte au mât de l'*Hispaniola* (p. 135). La première expression est le surnom du drapeau anglais *(Union* rappelle l'union de l'Angleterre et de l'Ecosse en 1606, et *Jack* est le mot familier pour « drapeau »). La seconde désigne le pavillon noir des pirates, orné d'une tête de mort et de deux tibias, destiné à terroriser les matelots des vaisseaux que l'on voulait capturer. Identifiez les drapeaux reproduits ci-dessous ; cherchez ce qu'ils représentent, leur surnom éventuel et retrouvez leurs couleurs ! Puis créez votre propre pavillon comportant vos couleurs et symboles préférés.

1.

2.

3.

4.

5.

6.

7.

8.

9.

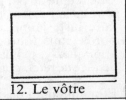

10.

11.

12. Le vôtre

Solutions page 284

Le jeu de cartes
des pirates

Si vous décidez d'embarquer pour aller chercher le reste du trésor ou pour toute autre raison, sachez que la traversée sera longue ! Mieux vaut donc prévoir des passe-temps... Aussi nous vous proposons de confectionner un jeu de cartes un peu particulier.

Sur un jeu de cartes normal, les figures sont représentées deux fois : une figure en haut et l'autre en bas, renversée. Or, chez les personnages de Stevenson – vous l'avez peut-être remarqué –, les caractères sont souvent doubles ; personne n'est complètement bon ni complètement mauvais mais présente un mélange de qualités et de défauts, comme dans la vie d'ailleurs !

Reproduisez le modèle dessiné ci-dessous sur du bristol ou des chemises en carton léger que vous découperez au format d'une carte normale. Portez dans la partie claire une de ses qualités et, dans la partie foncée, un de ses défauts. Nous vous donnons un pirate en exemple : vous pouvez en confectionner autant que vous voulez en ne faisant figurer qu'une seule qualité et qu'un seul défaut sur chaque figure.

Vous voici muni d'un nouveau jeu que vous pouvez utiliser pour la « bataille » : l'un abat un défaut (ex. : « lâcheté »), l'autre doit pouvoir lui opposer une carte où figure la qualité contraire (ex. : « courage »). Si votre adversaire ne dispose pas de la carte nécessaire ou si sa « qualité » n'est pas assez forte pour s'opposer à votre « défaut », vous lui prenez sa carte...

3
LES TRÉSORS
DANS LA LITTÉRATURE

Les Aventures de Tom Sawyer

Découvrir un trésor, c'est le rêve secret de tous les enfants, de Tom Sawyer, par exemple, prêt à emmener son ami Huck à la recherche d'une hypothétique fortune. Où la trouver ? Peut-être vaut-il mieux l'inventer...

« Il y a dans la vie de tout gamin normalement constitué un moment où il éprouve le désir irrésistible de partir à la recherche d'un trésor caché. Tom ne fit pas exception à la règle. Ce jour-là il alla voir Joe Harper ; ne le trouvant pas, il se rendit chez Ben Rogers qui était parti à la pêche. En sortant de là il rencontra Huck Finn-les-Mains-Rouges. Celui-là ne dirait pas non. Tom l'emmena à distance respectueuse des oreilles indiscrètes et en grand mystère lui exposa son projet. Huck accepta. Huck acceptait toujours de prendre part à une entreprise qui promettait un certain rendement sans exiger aucun capital, car il disposait à ne savoir qu'en faire de cette espèce de temps qui n'est pas de l'argent.

— Où est-ce qu'on en trouve, des trésors ? demanda-t-il.

— A peu près partout.

— Quoi ! il y en a là comme ça tout autour d'ici !

— Non, bien sûr, Huck ; on les cache dans des endroits écartés, quelquefois dans des îles, quelquefois dans de vieux coffres qu'on enterre au pied d'un arbre mort, à l'endroit où l'ombre s'arrête à minuit ; mais surtout dans les maisons hantées, sous le plancher.

— Qui est-ce qui les cache ?

— Les voleurs, évidemment... tu ne voudrais pas que ça soit les inspecteurs de l'école du dimanche.

— Je ne sais pas, moi. Si j'avais un trésor je ne le cacherais pas ; je le dépenserais, et comment !

— Moi aussi, mais les voleurs ne font pas comme ça. Ils cachent leur trésor, et puis ils le laissent là.

— Ils ne viennent jamais le chercher ?

— Non. Ils en ont l'intention, ça va de soi ; mais il y en a qui oublient les points de repère qu'ils ont pris, d'autres qui meurent. En tout cas le trésor reste là longtemps ; le coffre rouille ; un beau jour on trouve un vieux papier tout jauni où il y a toutes les indications pour trouver les repères ; mais ça prend du temps à déchiffrer parce que ce sont généralement des signes et des hiéroglyphes...

— Des hiéro... quoi ?

— Des hiéroglyphes, des espèces de dessins qui n'ont pas l'air de grand-chose.

— Dis donc, Tom, tu en as un papier comme ça ?

— Non.

— Eh bien alors ? comment est-ce qu'on va trouver les repères ?

— T'en fais pas ; pas besoin de repères. Je te dis que c'est toujours dans une maison hantée, ou dans une île, ou au pied d'un arbre mort, surtout quand il y a une souche qui pointe en l'air. Eh bien, nous avons déjà creusé un peu dans l'île Jackson ; rien ne nous empêche de recommencer un de ces jours ; et puis il y a la vieille maison hantée au pied de la colline ; et quant aux arbres morts, ce n'est pas ça qui manque. »

Mark Twain,
Les Aventures de Tom Sawyer,
traduction de François de Gaïl,
© Mercure de France

Le Scarabée d'or

En découvrant un mystérieux scarabée d'or en forme de tête de mort, William Legrand et son serviteur Jupiter en viennent à se lancer sur la piste d'un trésor qui se révélera fabuleux...

« Je bêchais ardemment, et de temps à autre je me surprenais cherchant, pour ainsi dire, des yeux, avec un sentiment qui ressemblait à de l'attente, ce trésor imaginaire dont la vision avait affolé mon infortuné camarade. Dans un de ces moments où ces rêvasseries s'étaient plus singulièrement emparées de moi, et comme nous avions déjà travaillé une heure et demie à peu près, nous fûmes de nouveau interrompus par les violents hurlements du chien. Son inquiétude, dans le premier cas, n'était évidemment que le résultat d'un caprice ou d'une gaieté folle ; mais cette fois elle prenait un ton plus violent et plus caractérisé. Comme Jupiter s'efforçait de nouveau de le museler, il fit une résistance furieuse et, bondissant dans le trou, il se mit à gratter frénétiquement la terre avec ses griffes. En quelques secondes, il avait découvert une masse d'ossements humains formant deux squelettes complets et mêlés de plusieurs boutons de métal, avec quelque chose qui nous parut être de la vieille laine pourrie et émiettée. Un ou deux coups de bêche firent sauter la lame d'un grand couteau espagnol ; nous creusâmes encore, et trois ou quatre pièces de monnaie d'or et d'argent apparurent éparpillées.

A cette vue, Jupiter put à peine contenir sa joie, mais la physionomie de son maître exprima un affreux désappointement. Il nous supplia toutefois de continuer nos efforts, et à peine avait-il fini de parler que je trébuchai et tombai en avant ; la pointe de ma botte s'était engagée dans un gros anneau de fer qui gisait à moitié enseveli sous un amas de terre fraîche.

Nous nous remîmes au travail avec une ardeur nouvelle ; jamais je n'ai passé dix minutes dans une aussi vive exaltation. Durant cet intervalle, nous déterrâmes complètement un coffre de bois de forme oblongue, qui, à en juger par sa parfaite conservation et son étonnante dureté, avait été évidemment soumis à quelque procédé de minéralisation, – peut-être au bichlorure de mercure. Ce coffre avait trois pieds et demi de long, trois de large et deux et demi de profondeur. Il était solidement maintenu par des lames de fer forgé, rivées et formant tout autour une espèce de treillage. De chaque côté du coffre, près du couvercle, étaient trois anneaux de fer, six en tout, au moyen desquels six personnes pouvaient s'en emparer. Tous nos efforts réunis ne réussirent qu'à le déranger légèrement de son lit. Nous vîmes tout de suite l'impossibilité d'emporter un si énorme poids. Par bonheur, le couvercle n'était retenu que par deux verrous que nous fîmes glisser, – tremblants et pantelants d'anxiété. En un instant, un trésor d'une valeur incalculable s'épanouit, étincelant, devant nous. Les rayons des lanternes tombaient dans la fosse, et faisaient jaillir d'un amas confus d'or et de bijoux des éclairs et des splendeurs qui nous éclaboussaient positivement les yeux. »

Edgar Poe,
Nouvelles Histoires extraordinaires,
traduction de Charles Baudelaire

Les Mines du roi Salomon

Découvrir un trésor est une chose ; parvenir à se l'approprier en est une autre. Surtout lorsqu'il se trouve dans une chambre sanctuaire dont la porte, actionnée par un mécanisme secret, menace d'enterrer vivants les aventuriers téméraires...

« Gagoul vit que nous avions l'air de chercher ; elle devina quoi.

– Regarde dans le coin le plus obscur, dit-elle ; il y a là trois coffres : l'un est ouvert, les autres sont fermés.

– Comment sais-tu cela, dis-je, puisque personne n'est venu ici depuis trois cents ans ?

– Il y en a qui voient sans leurs yeux. Macumazahn, tu dois savoir cela, toi qui es avisé.

J'avais indiqué le coin à mes camarades. Sir Henry avait plongé la main dans une des petites caisses.

– Nous y sommes ! s'écria-t-il. Cette fois ce sont des diamants.

Une niche était pratiquée dans le roc, et là se trouvaient trois coffres d'environ un mètre carré ; l'un était ouvert et au tiers vide ; les autres étaient fermés et scellés. Je brisai le sceau, non sans un sentiment de profanation.

Que de temps s'était passé depuis que le trésorier avait apposé là son cachet ! Le coffre était rempli de diamants ! Pas d'erreur possible ! C'était bien ce toucher savonneux du diamant brut ! Le troisième coffre n'était qu'à moitié plein, mais c'étaient de grosses pierres triées et choisies.

– Eh bien ! dis-je avec un soupir de satisfaction, nous pouvons nous dire riches ! Monte-Cristo n'était qu'un indigent en comparaison.

– Nous allons rendre ces diamants communs comme le strass, dit Good.

– Mais d'abord, il faudrait les avoir tirés d'ici, objecta sir Henry avec son gros bon sens.

Nous nous regardions tout pâles, à la lueur de cette méchante lampe vacillante ; nous avions plutôt l'air d'être des voleurs en train de dévaliser une victime que des hommes qui viennent de faire la plus riche des trouvailles.

– Ah ! ah ! ricanait la mégère, tournant comme un vampire autour de la salle ; vous les avez vos pierres ; amusez-vous avec ; faites-les couler dans vos doigts ; mangez-les, buvez-les ! Ah ! ah !

Nous regardions toujours. Oui ! ces diamants amassés. là par Salomon, convoités par dom Silvestra, ils étaient à nous ! Plus heureux que les autres, nous allions les emporter de cet antre, et nous serions colossalement riches. Ce qu'il y avait autour de nous de choses précieuses : or, ivoire, diamants, c'était incalculable comme valeur ! »

Henry Rider Haggard,
Les Mines du roi Salomon,
traduction de C. Lemaire,
© Robert Laffont

La Perle

Il existe des trésors qui ne doivent rien à l'homme, des trésors que sécrètent les profondeurs de la terre ou, parfois, certains êtres vivants ; ainsi en est-il de l'huître dont l'étrange organisme produit de temps à autre l'un des plus beaux trésors du monde : la perle.

« Dans la plénitude de sa jeunesse, de sa force et de sa fierté, Kino était capable de rester, sans aucune fatigue, plus de deux minutes en plongée, aussi travaillait-il tranquillement en sélectionnant les plus grosses coquilles. Se sentant dérangées, les huîtres se refermaient hermétiquement. A sa droite, se dressait une roche recouverte de petites huîtres, trop jeunes pour être cueillies. Kino s'en approcha, et là, au flanc du rocher, sous une saillie, il vit une énorme coquille nue et solitaire. A l'abri de cette saillie, le vétuste coquillage bâillait et, dans le muscle lippu, Kino entrevit une lueur fantomatique puis, soudain, la coquille se referma. Le cœur de Kino battit à grands coups et la mélodie de la Perle possible éclata à ses oreilles. Doucement, il arracha l'huître et la plaqua contre sa poitrine. D'une ruade, il dégagea son pied de la boucle de la corde ; son corps remonta à la surface et ses cheveux noirs brillèrent au soleil. Il empoigna le bord du canoë et déposa l'huître au fond.

Juana maintint le bateau pour l'aider à monter. Les yeux de Kino étincelaient mais, par décence, il remonta d'abord sa pierre et son panier d'huîtres.

Sentant sa fébrilité, Juana fit semblant de regarder ailleurs. Il n'est pas bon de désirer trop violemment quelque chose. Parfois, cela détourne la bonne chance. Il faut vouloir juste assez et il faut être très réservé en face de Dieu ou des dieux. Mais Juana suspendit son souffle. Kino venait d'ouvrir son coutelas à lame courte. Il eut l'air de réfléchir en fixant le panier. Peut-être valait-il mieux ouvrir l'*huître* en dernier ? Il prit une petite coquille, coupa le muscle, fouilla dans les replis de la chair et la rejeta à l'eau. Et il parut tout à coup remarquer, pour la première fois, la présence de la grande huître. Il s'accroupit au fond de la pirogue, saisit le coquillage et l'examina. Les cannelures brillantes allaient du noir au brun, et seules quelques petites besicles adhéraient à la coque. Et voilà qu'il hésitait à l'ouvrir. Il savait que ce qu'il avait vu pouvait n'être qu'un reflet, une parcelle de coquille nacrée, entraînée à l'intérieur par le courant, ou encore une illusion totale. Dans ce golfe à la lumière trompeuse, l'illusion était plus fréquente que la réalité.

Mais les yeux de Juana étaient fixés sur lui : elle ne pouvait plus attendre. Elle posa la main sur la tête enveloppée de Coyotito.

– Ouvre-la, fit-elle à voix basse.

Kino introduisit adroitement sa lame entre les valves. Sous la poussée, il sentit le muscle résister. Jouant de sa lame comme d'un levier, il le fit céder et le coquillage s'ouvrit. Les lèvres de chair se crispèrent puis se détendirent. Kino souleva les replis et la perle était là, la grosse perle, parfaite comme une lune. Elle accrochait la lumière, la purifiait et la renvoyait dans une incandescence argentée. Elle était aussi grosse qu'un œuf de mouette. C'était la plus grosse perle du monde. »

John Steinbeck,
La Perle,
traduction de R. Vavasseur et M. Duhamel,
© Gallimard

4
SOLUTIONS DES JEUX

Avez-vous une âme de pirate ?

(p. 249)

1 : B - 2 : C - 3 : C - 14 : C - 19 : A

Si vous avez une majorité de △ **:** vous êtes digne de succéder à Barbe-Noire, au capitaine Roc, à Morgan, Rackam, Anne Bonny (c'était une femme pirate tout aussi redoutable que ses collègues masculins !) et à quelques autres ! Bon vent, bon rhum et... pour vous avoir aidé à découvrir votre vocation aurons-nous droit à une part du trésor ?

Si vous avez une majorité de ○ **:** embarquez, tentez l'aventure puisque le cœur vous en dit, mais vous risquez d'attraper le mal de mer ou quelques bleus à l'âme. Emportez *Robinson Crusoé* au cas où l'on vous abandonnerait sur une île, pour avoir un peu de lecture en attendant que l'on vienne vous chercher...

Si vous avez une majorité de ☆ **:** vous n'avez rien de commun avec les pirates ; une existence calme et sage vous conviendra beaucoup mieux. Après tout, étant donné le sort qu'on leur réserve généralement, il n'y a pas de quoi le regretter... Vivez donc en paix, ce qui ne vous empêchera pas de rêver d'aventures...

Vingt questions pour commencer

(p. 251)

1 : C (p. 22) - 2 : B (p. 11) - 3 : A (p. 9) - 4 : C (p. 9) - 5 : B (p. 9) - 6 : C (p. 22) - 7 : C (p. 10) - 8 A (p. 11) - 9 : B (p. 12) - 10 : B (p. 20) - 11 : C (p. 32) - 12 : B (p. 34) - 13 : C (p. 26) - 14 : B (p. 31) - 15 : C (p. 36) - 16 : B (p. 37) - 17 : A (p. 38) - 18 : B (p. 50) - 19 : A (p. 52) - 20 : B (le père de Jim - Billy Bones - maître Pew).

Si vous obtenez entre 15 et 20 bonnes réponses : vous êtes prêt à affronter l'aventure ; votre attention et votre mémoire vous permettent d'appareiller pour la haute mer. Mais ne relâchez pas votre effort car nous allons mettre à l'épreuve vos autres qualités dans les exercices suivants.

Si vous obtenez entre 10 et 15 bonnes réponses : vous pouvez partir, mais il faudra manœuvrer habilement. Un conseil de « vieux loup de mer » : vérifiez encore une fois vos voiles avant d'aborder les exercices et jeux qui vous attendent.

Si vous obtenez entre 5 et 10 bonnes réponses : hum ! vous laisser partir est un peu risqué. Restez encore quelque temps à quai pour relire ce début de roman.

Si vous obtenez moins de 5 bonnes réponses : mieux vaut débarquer tout de suite et cultiver votre jardin. Vous éviterez ainsi le mal de mer...

Dix questions pour mériter le trésor
(p. 259)

1 : A (p. 218-219) - 2 : B (p. 219-220) - 3 : B (p. 220) - 4 : A (p. 222) - 5 : A (p. 224) - 6 : C (p. 229) - 7 : A (p. 228) - 8 : C (p. 229) - 9 : B (p. 236) - 10 : A (p. 238).

Octroyez-vous un doublon pour chaque réponse exacte.

Si vous avez 7 doublons ou plus : vous êtes riche ! Avant tout riche de perspicacité et d'attention. Vous pouvez couler des jours heureux.

Si vous avez entre 4 et 7 doublons : vous vous croyez riche mais vous feriez mieux de prendre garde à votre argent et au reste...

Si vous avez moins de 4 doublons : vous vivez de rêve et d'eau fraîche, et vous vous moquez totalement de tous les trésors du monde. Au fond, vous avez bien raison. « L'argent ne fait pas le bonheur », n'est-ce pas ?

Le langage des pirates

(p. 261)

- Jeter l'ancre
- Accoste !
- Ne pas même avoir le courage d'un charançon dans un biscuit de mer
- Les hublots
- J'ai manqué à virer
- S'embarquer pour le grand voyage
- Amener son pavillon
- Condamne tes panneaux ! Amarre ça !
- Le grain se lève
- Filer son câble
- Gouverner si près du vent ; courir une bordée bougrement dangereuse
- Pare à virer !

Avez-vous bien lu « L'Ile au trésor » ?

(p. 263)

1 : B - 2 : B (p. 56) - 3 : C (p. 64) - 4 : B - 5 : B (p. 245) - 6 : B (p. 110) - 7 : A (p. 77) - 8 : B (p. 245) - 9 : B - 10 : C.

Si vous avez 10 bonnes réponses : bravo ! Vous avez beaucoup de mémoire et pas mal de réflexion.

Si vous avez entre 7 et 10 bonnes réponses : c'est bien, vous avez dû apprécier le livre mais il vous manque encore un peu de finesse. Cela s'acquiert... en lisant !

Si vous avez entre 3 et 7 bonnes réponses : vous n'aimez pas vraiment lire ? Ou les pirates vous ennuient ? Dommage car c'était quand même une belle histoire !

Si vous avez moins de 3 bonnes réponses : vous avez sans doute lu ce livre – si vous l'avez lu ! – en regardant la télévision, en jouant au tennis, ou en faisant semblant parce qu'on vous y avait obligé...

Le résumé mangé par les rats

(p. 264)

Jim Hawkins travaille dans une auberge dont son père est le pauvre propriétaire. La famille ne roule pas sur l'or, jusqu'au jour où arrive un singulier personnage : un marin au visage balafré, qui lance des pièces d'or pour payer mais ne lâche pas plus son couteau que sa bouteille de rhum. Les terribles histoires qu'il raconte font entrer dans la vie de Jim le mystère et le goût de l'aventure. Qui est le loup de mer à la jambe amputée dont le capitaine redoute si fort la venue ? Que cache-t-il dans son coffre ? Que signifient la carte et les notes découvertes ?

Et voici Jim embarqué pour une aventure qui le mènera jusqu'à une île lointaine où un trésor est enterré. Bien des dangers le guettent, lui et ses amis. Cette chasse au trésor fera nombre de victimes. Restera-t-il un seul homme vivant pour profiter du magot et raconter l'histoire ?

Pirates, corsaires

(p. 267)

Les mots manquants sont les suivants (dans l'ordre) : flibustier, boucanier, boucaniers, gentilshommes de fortune, forban, pirates, corsaires, pirates, flibustiers, loups de mer

Un peu de vocabulaire nautique...

(p. 268)

Dans l'ordre : maître coq, appareiller, mutinerie, caréner, mouillage, mettre à la cape, loffer

De la poupe à la proue

(p. 269)

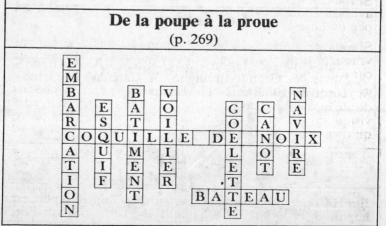

Les bateaux : fiche technique
(p. 270)

1. Les parties d'un bateau

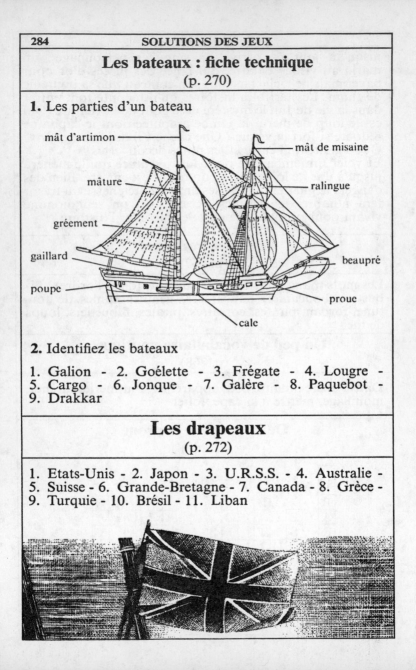

mât d'artimon

mât de misaine

mâture

ralingue

gréement

gaillard

beaupré

poupe

proue

cale

2. Identifiez les bateaux

1. Galion - 2. Goélette - 3. Frégate - 4. Lougre -
5. Cargo - 6. Jonque - 7. Galère - 8. Paquebot -
9. Drakkar

Les drapeaux
(p. 272)

1. Etats-Unis - 2. Japon - 3. U.R.S.S. - 4. Australie -
5. Suisse - 6. Grande-Bretagne - 7. Canada - 8. Grèce -
9. Turquie - 10. Brésil - 11. Liban

Si vous avez le goût de l'aventure
Ouvrez la caverne aux merveilles
et découvrez
des classiques de tous les temps
et de tous les pays

dans la collection FOLIO **JUNIOR**

Les « classiques »... de vieux bouquins poussiéreux, dont le nom seul évoque des dictées hérissées de pièges grammaticaux perfides et des rédactions rébarbatives ? Pas du tout ! Avec les classiques, tout est possible : les animaux parlent, une grotte mystérieuse s'ouvre sur un mot magique, un homme vend son ombre au diable, un chat ne laisse dans l'obscurité des feuillages que la lumière ironique de son sourire ; on s'y préoccupe de trouver un remède contre la prolifération des baobabs et la mélancolie des roses ; les sous-préfets y font l'école buissonnière, les chevaliers ne sont pas toujours sans peur et sans reproche ; on s'y promène autour du monde et vingt mille lieues sous les mers...

POIL DE CAROTTE

Jules **Renard**

n° 466

CYRANO DE BERGERAC

Edmond **Rostand**

n° 515

LE PETIT PRINCE

Antoine **de Saint-Exupéry**

n° 100

PAUL ET VIRGINIE

Bernardin **de Saint-Pierre**

n° 760

PREMIER VOYAGE
DE GULLIVER

Jonathan **SWIFT**

n° 568

DEUXIÈME VOYAGE
DE GULLIVER

Jonathan **SWIFT**

n° 667

LE TOUR DU MONDE EN QUATRE-VINGTS JOURS

Jules **VERNE**

n° 521

VOYAGE
AU CENTRE DE LA TERRE

Jules **VERNE**

n° 605

DE LA TERRE À LA LUNE

Jules **VERNE**

n° 651

AUTOUR DE LA LUNE

Jules **VERNE**

n° 666

VINGT MILLE LIEUES
SOUS LES MERS I

Jules **VERNE**

n° 738

VINGT MILLE LIEUES
SOUS LES MERS II

Jules **VERNE**

n° 739